AVANT QUE LE JUSTICIER L'ABATTE

SERGE JACQUEMARD

AVANT QUE LE JUSTICIER L'ABATTE

ROMAN

ÉDITIONS FLEUVE NOIR
6, rue Garancière - PARIS VIe

Est-ce qu'il ne se promenait
Pas dans la nature ?
Oh ! oui ! il s'y promenait,
Avant que le justicier l'abatte...

(Vieille chanson de la Nouvelle-Orléans)

CHAPITRE PREMIER

Une caricature de majordome britannique, plus vrai que nature et parfaitement stylé, ouvrit la portière et pria Johnny Coll de le suivre. Ils gravirent les marches d'un perron aussi majestueux qu'un mausolée mérovingien et pénétrèrent dans le hall. Celui-ci était décoré avec un luxe d'objets qui n'eussent pas déparé dans un musée. Tous deux le traversèrent rapidement et se trouvèrent bientôt devant une porte de chêne à double battant. Le majordome frappa, on lui répondit de l'intérieur et il tourna la poignée avant de s'effacer devant Johnny Coll et de refermer dans son dos.

Les meubles anglais dominaient et la vaste pièce respirait le luxe et le confort. Une large baie vitrée s'ouvrait sur la pelouse. Comme un tapis de neige moelleuse, la moquette épaisse et douce caressait les chevilles. Une longue table, style « conférence au sommet », occupait le milieu de la salle. Tout au fond, près de la baie vitrée, dans un angle qui formait bibliothèque, un homme et une femme étaient assis dans des fauteuils clubs.

L'homme se leva et s'avança à la rencontre de Johnny Coll. Il était très grand, avec un visage osseux, des traits énergiques, un regard clair et aigu, des cheveux grisonnants, un teint hâlé et des lèvres en fil de rasoir.

Soixante-cinq ans, diagnostiqua Johnny Coll. Il était vêtu très *countryside* : pantalon de toile tête-de-nègre, chemise à carreaux, veste en cheviotte et demi-bottes en cuir rouge sillonnées par des arabesques argentées comme les affectionnent les Texans, qui choquaient quelque peu dans cet environnement d'acajou au luisant discret.

— Mr. Coll ? Wenchell Davis. Laissez-moi vous présenter miss Audrey Coogan.

Familièrement, Wenchell Davis avait pris Johnny Coll par le bras et l'entraînait vers le coin bibliothèque. Johnny Coll salua la jeune femme, une brune aux yeux noisette, assez jolie qui, à l'opposé du maître des lieux, portait des vêtements de ville.

— Asseyez-vous, Mr. Coll, invita ce dernier. Un rafraîchissement après la route ?

— Scotch sur glace.

Pendant que Wenchell Davis servait la boisson, Johnny Coll l'étudia plus attentivement. Il savait qu'il avait en face de lui le premier éditeur littéraire des Etats-Unis, un homme qui avait bâti une fortune considérable grâce à son flair à subodorer le best-seller dans les manuscrits présentés par les auteurs. Les livres à succès édités par la Wenchell Davis Corporation ne se comptaient plus. Le dernier en date, *Qu'allais-tu faire à Damas ?,* battait tous les records au *box-office* en atteignant des sommets vertigineux au *hit-parade* des ouvrages littéraires de l'année. A présent, Wenchell Davis était milliardaire. La vérité exigeait de préciser qu'à l'origine, et avant de faire prospérer sa maison d'éditions, l'intéressé était loin d'être démuni. On pouvait même dire qu'il était né avec une cuillère d'argent dans la bouche puisqu'il était le cadet d'une riche, ancienne et patricienne famille de Boston qui se flattait de compter un ancêtre parmi les pèlerins du *Mayflower,* ces puritains anglais débarqués un jour du XVIIe siècle à Plymouth Rock sur la côte du Massachusetts et fondateurs de la ville de Boston. Au cours des siècles suivants, leurs descendants s'étaient considérés comme les purs et uniques représentants de l'aristocratie américaine, ce qui avait le don d'agacer *tous* les autres Américains.

L'argent de la famille, donc, avait à l'origine permis à Wenchell Davis de glisser le pied dans l'étrier des éditions littéraires.

Johnny Coll but deux gorgées du William Lawson's qu'on venait de lui servir. Excellent comme toujours. Le regard de Wenchell Davis effleura Audrey Coogan et il s'autorisa un sourire contraint, qui faisait partie de ce qu'il considérait comme les bonnes manières d'un gentleman, avant d'entrer dans le vif du sujet :

— Je vous ai demandé de venir, Mr. Coll, parce que j'ai une affaire délicate à vous confier. Tout d'abord, permettez-moi de vous préciser que mon choix s'est porté sur vous en raison de l'excellente réputation dont vous jouissez. Le Département de Police de New York City vous tient en très haute estime, ce qui est un critère probant quand on sait quelle détestation la police officielle éprouve pour les enquêteurs privés comme vous. En outre, j'ai eu l'avantage de communiquer avec quelques-uns de vos clients passés qui tous ont été dithyrambiques en ce qui concerne votre compétence, votre très haute technicité, votre conscience professionnelle, votre honnêteté, votre habileté à enquêter jusque dans des pays étrangers, votre intelligence et votre compréhension des cas difficiles et douloureux...

Le sens inné de l'humour dont était abondamment pourvu Johnny Coll le força à ouvrir la bouche et à couper l'éditeur, la mine faussement approbatrice :

— Le portrait que vous venez de brosser est tout à fait ressemblant.

En son for intérieur, il pensait que son interlocuteur aurait pu ajouter qu'il avait trente-quatre ans, était grand, costaud, avec une belle gueule burinée, un sourire tour à tour tendre, dur, ironique, cynique, désabusé, et qu'il avançait dans la vie comme si se dressait toujours devant lui l'obstacle d'une porte verrouillée.

Audrey Coogan demeura impassible. Wenchell Davis cligna des yeux pour signifier qu'il acceptait qu'on introduise une note humoristique dans la conversation.

— Ce préambule était nécessaire, poursuivit-il. Maintenant, passons à l'affaire dont je voudrais vous entretenir. Vous savez que je suis éditeur. Dans mon écurie d'auteurs doués et bourrés de talent, j'avais un certain Peter Coogan...

Il se tourna vers la jeune femme.

— Le frère d'Audrey Coogan, précisa-t-il.

Son regard revint se poser sur Johnny Coll.

— Un auteur qui alliait de nombreuses qualités... Pas vraiment le romancier, non, plutôt l'enquêteur et le confectionneur d'ouvrages-documents basés sur des faits authentiques. Un véritable spécialiste. Et quel style ! Concis sans concessions, pas de mots inutiles, pas de redondances. Net, précis...

L'esprit de Johnny Coll se mit à vagabonder. Il se souvint des deux années qu'il avait passées à la Sorbonne à Paris une décennie et demie plus tôt au temps où il ne pensait pas s'orienter vers la carrière de détective privé. Un quatrain de l'*Art poétique* de Paul Verlaine se mit à chanter dans ses oreilles :

> *Il faut aussi que tu n'ailles point*
> *Choisir tes mots sans quelque méprise,*
> *Rien de plus cher que la chanson grise*
> *Où l'indécis au précis se joint.*

Paul Verlaine n'aurait pas aimé le style de Peter Coogan, songea-t-il avec amusement.

— ... Et quel souffle ! continuait Wenchell Davis d'un

ton enthousiaste. Quel rythme ! Haletant, plein de suspense ! Un très grand écrivain.

Il s'arrêta net, comme un moulin à café quand les grévistes coupent l'électricité.

— On l'a assassiné.

Son ton soudainement s'était imprégné d'une infinie tristesse. Audrey Coogan s'agitait, mal à l'aise dans son fauteuil. Johnny Coll tira de sa poche son paquet de Pall Mall et son briquet, et alluma une cigarette.

— Vous ne voulez pas un cigare à la place ? proposa l'éditeur en désignant un coffret en bois d'ébène sculpté.

— Non, merci, je ne fume que des cigarettes. J'ai entendu parler de cet assassinat, ou plutôt j'en ai suivi les échos dans la presse. Ça a fait beaucoup de bruit. Peter Coogan était assez connu. Cependant, si je me souviens bien, son assassin a été abattu plus tard par des policiers new-yorkais.

— Exact. Après avoir perpétré un autre assassinat. Celui de Mike « The Swanks » LoCicero. Ce qui prouve une chose : l'assassin de Peter Coogan était un tueur à gages.

Les éléments revenaient à la mémoire de Johnny Coll. Il murmura :

— Il s'appelait Louis Rodgers. Un Noir. Les tueurs à gages noirs suffisamment qualifiés pour abattre un *capo mafioso* comme Mike « The Swanks » LoCicero sont plutôt rares.

— Il a été tué sur place, immédiatement après avoir assassiné LoCicero. La police a récupéré son arme et s'est aperçue que c'était également celle qui avait servi à commettre le meurtre de Peter Coogan.

— Pour quelle raison Rodgers a-t-il tué Coogan ?

Wenchell Davis plissa les yeux en esquissant un geste vague en direction de la jeune femme.

— Miss Audrey Coogan et moi n'en savons rien, Mr. Coll, pas plus que la police officielle. Notre thèse est que Rodgers a agi pour le compte de quelqu'un d'autre. Un « contrat » à exécuter.

Il but une gorgée de scotch, reprit son souffle et poursuivit :

— Il se trouve que j'éprouvais beaucoup de sympathie, beaucoup d'affection et d'amitié devrais-je dire, pour Peter Coogan. Par ailleurs, probablement pourrait-on me taxer de paternalisme mais j'estime qu'il est de mon devoir de veiller sur mes auteurs, de les protéger, et de les venger éventuellement. Wenchell Davis Corporation est une grande famille où chacun se sent solidaire des autres. Ce n'est pas simplement une entreprise capitaliste, c'est aussi une réunion fraternelle de personnes.

— Le capitalisme à visage humain ? suggéra Johnny Coll.

— Si vous voulez. C'est une bonne formule. Quoi qu'il en soit, j'ai décidé, en accord avec la sœur de Peter Coogan ici présente, de consacrer tout l'argent qui sera nécessaire en vue de découvrir les mobiles du meurtre et l'identité de celui qui a armé le bras de l'assassin.

— Vous êtes certain que le meurtre a été commandité et que Rodgers n'a pas tué Coogan pour des mobiles qui lui étaient propres ?

— J'en suis persuadé. C'est également la conviction du Département de Police de New York City.

— Pourquoi la police officielle ne remonte-t-elle pas la piste ?

— D'abord, parce que la piste est coupée par suite de la mort de Rodgers. Juridiquement, l'action publique est éteinte puisque l'assassin est mort, et la police new-yorkaise n'a nulle base légale qui tend à prouver que le meurtre a été commandité, ce qui justifierait une poursuite de l'enquête. Ensuite, il faut bien avouer que la police de New York City est débordée. Ne lui demandez pas de se lancer dans une enquête alors qu'aucune preuve concrète ne l'y incite.

— Mais miss Coogan et vous êtes convaincus que, dans cette affaire, Rodgers agissait pour le compte de quelqu'un d'autre ?

— Oui.

— Sans preuves concrètes ?

— Baptisez cela une conviction intime.

— Basée sur quoi ?

Wenchell Davis avala une autre gorgée de scotch.

— Les activités mêmes de Peter Coogan. Voyez-vous, pour choisir les thèmes de ses ouvrages-documents, il adoptait les affaires non éclaircies, les énigmes historiques ou autres. Parfois il se livrait à un travail de démystification ou de démythification sur des idées reçues dans tel ou tel domaine. Evidemment, cette prise de position supposait une recherche longue et parfois fastidieuse, une enquête serrée dans différents milieux quelquefois très louches, une documentation rigoureuse, des vérifications et des recoupements. Peut-être au cours d'une de ses enquêtes est-il tombé sur quelque chose de particulièrement compromettant pour quelqu'un qui aurait décidé, en supprimant Peter, d'en éviter la publication.

— Lorsque votre auteur a été assassiné, a-t-on fait disparaître sa documentation ?

— Peter a été assassiné dans son appartement de New York. Ce dernier a été fouillé. Tout a été retourné. Mais quel était le but de cette fouille, on l'ignore. Dans une des pièces de l'appartement, Peter s'était ménagé un vaste bureau. Il a été fouillé comme le reste. Sa documentation se trouvait là. On l'a retrouvée, effectivement, éparpillée sur le sol. Mais la question est posée : quelle était l'importance de cette documentation *avant* la fouille ? Comment savoir si des documents ont été dérobés ? Il aurait fallu en connaître en détail la composition *avant* l'assassinat. C'était impossible : seul Peter aurait pu le faire.

— Il travaillait seul ? Pas de collaborateurs ?

— Un solitaire, un individualiste.

Johnny Coll se tourna vers Audrey Coogan.

— Vous ne pouvez apporter aucune lumière à ce sujet ? interrogea-t-il.

Elle secoua la tête avec impuissance.

— Hélas, non.

— Votre frère ne vous faisait pas de confidences ?

— Pas en ce qui concerne ses sources ou sa documentation. Nous vivions tous deux à New York, mais séparément, et nous nous voyions une fois par mois environ pour dîner systématiquement dans un restaurant brésilien. Il adorait la cuisine brésilienne.

Johnny Coll fixa à nouveau l'éditeur.

— Sur quel sujet travaillait Peter Coogan avant d'être assassiné ?

— Il m'avait remis un court synopsis. Quelques pages seulement. C'est ainsi que je travaille avec mes auteurs. Ils ont une idée, ils la couchent sur le papier en quelques pages et me la présentent. J'accepte ou je refuse. Ça leur évite de perdre du temps à écrire un ouvrage dans sa totalité, qui risquerait par la suite d'être refusé. Dans le cas présent, ils ne perdent qu'un jour ou deux. Peter avait fait un succès avec *L'assassinat de Staline* et, pendant des mois, il a disparu pour enquêter sur un nouveau sujet. Quelques jours avant sa mort, il est venu me trouver et m'en a remis le synopsis.

— Vous l'avez ici ?

— Je vais vous le chercher.

Wenchell Davis se leva et se dirigea vers la bibliothèque. Le bas en était constitué de tiroirs. Il en ouvrit un, fouilla et en sortit une chemise cartonnée de couleur jaune. Quand il l'eut en main, Johnny Coll inspecta la couverture. On y lisait simplement :

Auteur : Peter Coogan.
Synopsis.
Titre provisoire : BALKANIKOFF.

Il réfléchissait. Enfin il demanda :

— Quel âge avait Peter Coogan ?

— Trente-deux ans, répondit la jeune femme.

— Depuis combien de temps était-il écrivain ?

— Huit ans, renseigna l'éditeur.

— A-t-il publié ailleurs que dans votre maison d'éditions ?

— Non. C'est moi qui lui ai mis le pied à l'étrier avec son premier ouvrage : *La vérité sur l'assassinat de John F. Kennedy.*

— L'assassinat de Staline, l'assassinat de John F. Kennedy... Il était spécialisé dans ce genre d'ouvrages ?

— Je vous ai dit qu'il adorait démythifier et démystifier les idées reçues.

Johnny Coll ouvrit la chemise cartonnée posée sur ses genoux. Elle ne contenait que quelques feuillets dactylographiés.

— Puis-je lire ce synopsis maintenant ?

— Je vous en prie, acquiesça Wenchell Davis.

Johnny Coll attaqua la première page :

Le récit commence à Madrid en juin 1944.

M. Maurice et son épouse Hilda sont libérés de prison par la police espagnole. Un mois auparavant, ils ont été incarcérés par les autorités pour avoir franchi la frontière franco-espagnole en dissimulant pour huit cents millions de bijoux et de pierres précieuses dans leurs bagages. Leur libération est intervenue après des démarches pressantes de l'ambassade du IIIᵉ Reich. Bijoux et pierres précieuses leur sont restitués. Tous deux ont ordre de ne pas quitter Madrid.

Ils n'en ont nulle envie...

Qui sont-ils ?

Le véritable nom de M. Maurice est Samuel Balkanikoff. Né le 28 janvier 1915 en Bessarabie, c'est un juif apatride. Il est arrivé en France en 1933. Il a végété en vivant d'expédients jusqu'à l'arrivée des troupes allemandes en juin 40. Avant tout le monde, il comprend que la France va être mise au pillage par l'occupant et, sans éprouver le moindre remords à traiter avec ceux qui exterminent ses coreligionnaires, il offre ses services aux Allemands en commençant par leur vendre un stock de tissus qu'il a racheté à vil prix à des frères de race fuyant l'ennemi.

La Kriegsmarine est satisfaite de l'opération.

Des affaires encore plus fructueuses vont être traitées par Balkanikoff qui juge plus prudent d'adopter le pseudonyme de Maurice à consonance plus française que son patronyme. Pour s'assurer une couverture, il utilise également des hommes de paille, des prête-noms. Il commence à fonder société sur société afin de pouvoir traiter avec les industriels et les gros commerçants et ne plus être considéré comme un simple intermédiaire.

Les Allemands se louent de ses services. Il fournit à la Kriegsmarine tout ce dont elle a besoin. Parfois, il leur livre aussi des coreligionnaires, dont il convoite les stocks de marchandises qu'ils ont dissimulés, et que les Allemands s'empressent de fusiller comme juifs. Des centaines d'entre eux...

Sa réussite financière est foudroyante.

Il la partage avec Hilda, une Allemande aussi douée en affaires que lui et qu'il a épousée en 1941.

En 1942, il devient le fournisseur des S.S.

A partir de là, la fortune qu'il amasse atteint des cimes vertigineuses. Il achète les dix-huit plus grands hôtels de la Côte d'Azur et de Monaco, des centaines d'immeubles, des centaines de sociétés commerciales, des tonnes de lingots d'or, des bijoux, des pierres précieuses... L'unité de ses transactions au marché noir devient le wagon de marchandises et son unité de compte, le million de francs de l'époque.

A la Libération, le Service des Domaines estimera à quatre-vingts milliards de centimes actuels le montant total de ses gains fabuleux...

Bien que moins connu, il dépasse très largement en envergure Joanovici, le plus célèbre des trafiquants de marché noir de cette période troublée.

Jusqu'en 1944, il mène à Paris une vie fastueuse, tenant table ouverte où sont conviés les officiers allemands utiles à ses affaires, couvrant sa femme de fourrures et de bijoux.

Au début de 1944, il est contacté par les S.S. pour une mission différente. Ces derniers sentent que la guerre prend un mauvais tournant pour le succès de leurs armes. Que vont devenir les sommes fantastiques qu'eux aussi ont accumulées ? Ne convient-il pas de prévoir l'avenir et les investir dès à présent dans un pays ami comme l'Espagne et, plus tard, en Amérique du Sud ?

M. Maurice est envoyé en Espagne en détachement précurseur. Il y prend de nombreux contacts, achète à tour de bras pour son propre compte et celui des S.S. non seulement en Espagne, mais au Portugal et en Amérique du Sud par l'intermédiaire d'un diplomate bolivien. Il revient à Paris rendre compte, repart, revient, repart... jusqu'au jour où il est arrêté par la police espagnole avec ses huit cents millions de bijoux et de pierres précieuses.

Juin 1944... La France marche à grands pas vers la libération totale du pays... Parallèlement, on traque les collaborateurs. L'épuration bat son plein. A Madrid on craint que les Alliés ne se tournent contre l'Espagne franquiste après la défaite de l'Allemagne.

M. Maurice et son épouse jugent plus sain de mettre l'océan Atlantique entre eux et les justiciers. Comment ? En commençant par se faire naturaliser boliviens grâce à l'entremise de leur ami, le diplomate bolivien. Mais malgré le prix fantastique qu'ils sont prêts à payer, les choses traînent en longueur du côté de la Bolivie.

Dans l'intervalle, les réfugiés politiques ont afflué en Espagne. Parmi eux, des agents français de la Gestapo, des membres du S.D. nazi. S'y mêlent des agents de l'autre bord. Ceux de la D.G.E.R. du colonel Passy, les sbires expédiés à Madrid par un policier dévoyé, le commissaire de la D.S.T. Robert Clément, le futur associé des frères Quadracini à Marseille, que ceux-ci feront abattre à la mitraillette des années plus tard, le 5 février 1965, près de Marignane.

Ils sont tous attirés par les odeurs d'argent que M. Maurice traîne derrière lui. Certains veulent lui demander des comptes. D'autres désirent uniquement s'emparer de sa fortune.

Le couple va être plongé pendant le premier semestre de 1945 dans un véritable tissu d'intrigues, ponctuées de meurtres, de tortures, d'exécutions sanglantes entre groupes rivaux. Le 17 juin 1945, on découvre près de la route Madrid-Burgos le corps calciné d'un homme. La police espagnole qui a pris ses empreintes digitales lors de son arrestation en mai de l'année précédente affirme qu'il s'agit là du cadavre de Samuel Balkanikoff.

Est-ce bien lui, en réalité ?

En tout cas, personne n'a jamais revu Balkanikoff.

Et lequel des deux gangs a finalement mis la main sur la fortune de M. Maurice ?

Celui qui, plus tard, finança la French connection en Amérique du Sud ?

Ou bien celui dirigé par Robert Clément dont la brusque ascension financière lui permit de prendre une part prépondérante dans le Milieu français dès 1945 jusqu'à ce qu'une rafale de mitraillette interrompe sa carrière criminelle ?

Et si certains hauts dignitaires nazis peuvent couler des jours paisibles en Amérique du Sud, n'est-ce pas grâce aux investissements pratiqués par M. Maurice pour leur compte ?

Johnny Coll referma la chemise.

— Qu'en pensez-vous ? interrogea Wenchell Davis.

Johnny Coll poussa un soupir.

— Une vieille affaire qui remonte à trente-cinq ans et

dont, probablement, les protagonistes dans leur majorité sont morts et enterrés. C'est enfoui sous les toiles d'araignée.

— Et, pourtant, Peter voulait en tirer un sujet.

— Etiez-vous prêt à l'accepter ou à le refuser ?

— A l'accepter. En tant qu'éditeur, je le considère comme un *excellent* sujet. Plein de mystère, très rétro, bourré de magouilles ténébreuses. Avec son style fantastique, Peter en aurait fait un suspense haletant avec, en épilogue, des tas de solutions offertes à l'imagination du lecteur.

— Les histoires de nazis sont un peu passées de mode, non ?

— C'est à peine une histoire de nazis, se récria Wenchell Davis. C'est l'histoire d'un juif qui a trahi ses frères de race et a collaboré avec les nazis de la façon la plus ignominieuse. Un sujet neuf !

— D'accord, mais nous ne sommes pas sûrs que cette histoire qui date soit à la base de l'assassinat de Peter Coogan.

— Exact, concéda l'éditeur. En fait, nous ne savons rien et c'est la raison pour laquelle vous vous trouvez ici, Mr. Coll. Accepteriez-vous de mener l'enquête à laquelle n'a pas pu se livrer la police new-yorkaise ?

Johnny Coll fit la moue.

— Exigez-vous une garantie de succès ? s'inquiéta-t-il. Je ne suis pas prêt à vous la fournir. Je tiens à être franc et honnête avec vous. L'enquête à laquelle vous me demandez de me livrer peut se révéler longue et coûteuse. Si votre hypothèse est exacte, c'est-à-dire si Louis Rodgers a perpétré sur la personne de Peter Coogan un meurtre télécommandé, je tiens à insister sur le fait que le monde des tueurs à gages est impénétrable, imperméable à quatre-vingt-quinze pour cent, sinon leur existence même serait en danger et la clientèle n'aurait plus confiance. En vérité, si Louis Rodgers est mort, nous risquons de voir tout lien avec le commanditaire irrémédiablement coupé. Ce barrage risque de bloquer l'enquête dès le départ. Je voudrais que vous en soyez conscient.

Wenchell Davis eut un geste négligent de la main.

— Le temps que prendra cette enquête et l'argent qu'elle coûtera ne constituent pas un problème, Mr. Coll. Ce qui intéresse miss Coogan et moi-même, c'est le résultat. Vous aurez à votre disposition les fonds nécessaires. En outre, je ne suis pas sans influence dans ce pays. Au cas où vous auriez besoin d'un coup de main qui impliquerait une intervention de ma part auprès des autorités, vous pourriez sans fausse pudeur me le demander.

Johnny Coll hocha la tête.

— J'accepte.

Wenchell Davis esquissa un sourire de soulagement.

— Je vous en remercie, Mr. Coll.

— Moi également, renchérit Audrey Coogan d'une voix chaude et vibrante. Du fond du cœur. Si je puis vous être utile à quelque chose, n'hésitez pas à faire appel à moi. Je vous laisserai mes coordonnées.

— Pour le moment, dit Johnny Coll, j'aurai besoin de photocopies de ce synopsis.

CHAPITRE II

Johnny Coll pénétra dans l'immense bâtisse du 1 Police Plaza à Manhattan qui abrite le quartier général du New York City Police Department. Il traversa le vaste hall et gagna l'aire réservée aux cabines d'ascenseur. L'animation était vive et bruyante. Il s'engouffra dans une cabine en compagnie de flics en civil qui discutaient de la montée fantastique des incendies volontaires dans le South Bronx. Il sortit au cinquième étage et tourna à droite. La réceptionniste l'arrêta d'un geste alors qu'il était encore éloigné d'elle de six ou sept mètres.

— Qui voulez-vous voir ? cria-t-elle comme si le feu venait juste d'éclater sous sa jupe.

— Le chef Valladolid.

— Vous avez rendez-vous ?

Du doigt il désigna l'horloge électrique murale.

— Dans quarante-trois secondes je dois être dans son bureau.

— Votre nom ?

— Coll, mon chou. Johnny Coll. Certains me baptisent Johnny Colt. Ne me demandez pas pour quelle raison, je n'en sais rien.

La fille fronçait les sourcils.

— Vous êtes armé ? C'est interdit dans des locaux de police.

— Pourquoi serais-je armé, avec tous ces flics autour de moi pour me protéger ?

Elle grommela quelque chose entre ses dents et enfonça une touche sur son interphone. Elle annonça Johnny Coll en précisant qu'il risquait d'être armé, si bien que Juan Valladolid vint lui-même dans le couloir chercher son visiteur.

— Sacré Johnny ! plaisanta-t-il en lui assenant une bourrade amicale entre les épaules. Toujours en train de flanquer la frousse aux filles ! Entre donc !

Juan Valladolid était le chef des détectives du New York City Police Department. Le titre était peu ronflant de prime abord mais, en réalité, le poste était l'un des plus élevés dans la hiérarchie de la police locale. Il conférait trois étoiles sur les pattes d'épaule de l'uniforme de parade, tout comme les grades de chef du personnel, d'adjoint au chef de la police, de chef-inspecteur, de chef de l'Inspection des services et de chef des patrouilles automobiles. Juan Valladolid commandait trois mille détectives sur un effectif total de trente mille policiers. En dehors du F.B.I., c'était le plus grand rassemblement de détectives de tout le territoire des Etats-Unis.

Juan Valladolid était un P.R., les initiales consacrées en argot de New York pour désigner un Portoricain. En fait, il était un spécimen de la nouvelle composition ethnique de la police de la ville. Durant des décennies, les Irlandais avaient traditionnellement supplanté les autres groupes de population. Ce temps était bien révolu. A présent, plus de la moitié des policiers new-yorkais étaient des Noirs ou des Portoricains, surtout dans les échelons subalternes. En revanche, Irlandais, Juifs et Italiens se partageaient les postes plus élevés. Juan Valladolid était une exception à la règle. Il était le seul Portoricain à être grimpé aussi haut et il le devait à la protection dont il avait bénéficié de la part du père de

Johnny Coll, pourtant un Irlandais bon teint et qui, lui, avait terminé sa carrière comme premier assistant au chef de la police, un grade conférant, celui-là, quatre étoiles sur les pattes d'épaules de l'uniforme de parade.

Juan Valladolid n'avait jamais oublié sa dette à l'égard du père de Johnny Coll, une dette qu'il reportait sur le fils depuis que le vieux Sean Coll était mort cinq ans après avoir pris sa retraite sous les palmiers de Miami Beach. Et, à chaque fois qu'il le pouvait, il aidait Johnny Coll dans ses enquêtes, en lui fournissant des renseignements de première main qui ne compromettaient pas l'action et le progrès de la Justice.

C'était un homme courtaud et trapu à la peau couleur palissandre de Rio. Ses cheveux étaient gris et ondulés et encore fort drus. Des sourcils broussailleux s'arquaient au-dessus d'yeux anthracite. Le nez était fort et écrasé comme celui d'un pugiliste. On n'imaginait pas les lèvres sans cigare et les *mescarolas* que le P.R. fumait depuis son enfance à San Juan de Porto Rico semblaient avoir creusé un trou dans la commissure gauche des lèvres. Les vêtements étaient toujours à la mode mais un brin excentriques et voyants, ce qui détonnait quelque peu au New York City Police Department, un temple du conservatisme. Ses chemises étaient bariolées avec un J brodé sur les manchettes. Habituellement en rouge. Et, par coquetterie, il exigeait que son nom soit prononcé Vallado *liz* au lieu de Valladolid, comme les Castillans le font pour Madrid et également, d'ailleurs, pour la ville de Valladolid en Vieille-Castille. Tout juste s'il n'exigeait pas non plus que l'initiale de son patronyme soit prononcée en B au lieu de V, à l'espagnole. Johnny Coll était persuadé qu'il s'agissait là d'un complexe d'infériorité ethnique qui se traduisait en défi lancé par le biais de l'affirmation emphatique des origines raciales.

Mais, en résumé, et le père de Johnny Coll ne s'était pas

trompé en cela, Juan Valladolid était le meilleur flic que l'on puisse trouver sur la place de New York City.

— Que puis-je faire pour toi, Johnny ? interrogea-t-il après avoir fait asseoir son visiteur et empli deux verres de Kentucky Tavern.

Immédiatement Johnny Coll joua franc jeu :

— Wenchell Davis m'a chargé de retrouver celui qui aurait armé le bras de Louis Rodgers en vue de l'assassinat de Peter Coogan.

Le P.R. fit la grimace.

— Je sais que Davis nous a tarabustés à ce sujet. Une vraie pieuvre. Malheureusement, nous n'avons aucune preuve et le district attorney a décidé que l'action de la Justice était éteinte puisque Louis Rodgers l'était également. Bien sûr, on n'a jamais découvert les mobiles de l'assassinat de Peter Coogan. Mais à quoi ça sert, rétorque le district attorney, puisque l'assassin est mort ?

— Et s'il y avait eu un instigateur à l'assassinat ?

— Le district attorney et le chef de la police ne veulent pas entendre parler de cela. Leurs arguments ? Trop de crimes dans la ville quotidiennement pour que nous perdions notre temps à résoudre des affaires résolues.

— Pourtant il y a eu un instigateur à l'assassinat de Mike LoCicero ?

— « The Swanks » (1) ? Bien sûr. Sinon, à quoi rimerait la guerre des gangs actuelle qui éclabousse de sang les trottoirs de Manhattan, de Brooklyn et du Bronx ?

— Qui est l'instigateur ?

— Joey Cianfarolo dit le Dingue. Son quartier général est dans East New York à Brooklyn. Il a toujours contesté l'autorité de « The Swanks » comme chef de Famille.

— Okay, maintenant une autre question : combien de

(1) En argot U.S. : celui qui porte toujours des vêtements à la dernière mode et de très belle qualité.

temps s'est écoulé entre l'assassinat de Peter Coogan et celui de LoCicero ?

Juan Valladolid gonfla les joues et expira une bolée d'air.

— Une dizaine de jours, à tout casser, répondit-il.

Il avait à peine terminé sa phrase qu'il sut où son visiteur voulait en venir.

— Tu te goures, Johnny, si tu crois que les deux affaires sont liées. Peter Coogan évoluait à des galaxies de distance du monde de LoCicero. Qu'avaient-ils en commun ? Si Joey Cianfarolo est l'instigateur de l'assassinat de « The Swanks », il ne l'est vraisemblablement pas de celui de Coogan. En tout cas, moi je n'y crois pas. Louis Rodgers a exécuté à la file deux « contrats » différents, comme tout bon tueur à gages.

— Etait-ce réellement un tueur à gages, Juanito ?

Le front du chef des détectives se rembrunit quelque peu.

— A vrai dire, répondit-il à contrecœur, il s'essayait à l'être.

— Quelles ont été exactement les circonstances de sa mort ?

— Bon, tu sais que LoCicero avait fondé la Ligue des Américains d'Origine Italienne, la L.A.O.I., en prétendant que ces derniers étaient victimes de discrimination raciale, ce qui à New York paraît étonnant quand on sait qu'ils représentent un quart de la population, mais ça a plu et ça a eu du succès et, du coup, les politiciens de l'Etat ont été obligés de compter avec lui car il était capable de remplir le Yankee Stadium avec ses adhérents et d'en refuser le double aux guichets d'entrée. Lui ne cherchait qu'à asseoir sa propre influence dans la Mafia et, parallèlement, à éviter les ennuis judiciaires. Si on l'avait arrêté, la foule des adhérents de la L.A.O.I. aurait hurlé : « Vous voyez bien qu'il a raison ! Il est victime de la discrimination raciale. » Son cirque durait depuis une dizaine d'années mais en mai dernier il a décidé de frapper un grand coup pour ranimer l'enthousiasme de ses supporteurs. Sa réunion annuelle n'aurait pas lieu au Yankee Stadium mais à Columbus Circle, en plein cœur de Manhattan, comme pour lancer un défi au maire de la ville et lui faire toucher du doigt la force politique qu'il représentait.

— C'est suffisamment récent pour que je m'en souvienne, rappela Johnny Coll. Mais Rodgers dans tout cela ?

— J'y arrive. Il s'est pointé au rassemblement avec une fausse carte de presse accrochée à son blouson et du matériel de reporter photographe professionnel. Accompagné par une fille superbe, noire comme lui. Elle attirait tous les regards. Grâce à sa présence et à celle de la carte de presse, Rodgers est parvenu à se faufiler assez près de l'estrade sur laquelle se tenait « The Swanks », mais pas au-delà tout de même de l'ultime rideau de gardes du corps. Par ailleurs, il avait déjoué des soupçons éventuels en portant pour vêtements un polo et un pantalon de jean si serrés autour du corps que s'il avait porté une arme elle aurait été immédiatement décelable. En outre, les premiers rideaux de gardes du corps avaient inspecté son matériel. Pas d'arme cachée. La fille trimbalait une caméra identique à celle de Rodgers. Une Bolex 35 mm prolongée par un téléobjectif de 200 mm. Prix : 1 500 dollars. Maintenant, on entre dans le domaine des hypothèses : la Bolex de la fille était-elle trafiquée de telle façon qu'elle puisse receler un Colt .32 ? La fille était-elle superbe au point que les premiers rideaux de gardes du corps ne se sont pas donné la peine d'inspecter la caméra ? En tout cas, personne ne se souvient avoir vu la fille passer une arme à Rodgers. Attention, n'oublie pas que parmi les témoins interrogés nombreux étaient les *mafiosi*, et comme ils n'étaient pas fiers d'avoir laissé leur patron se faire mettre en l'air par un sale négro, ils étaient également peu disposés à répondre à nos questions. Par ailleurs, pour que ça ne la foute pas trop mal, « The Swanks » avait hésité à s'entourer de chevaux de retour. En échange, il avait pris pour gardes du corps des jeunes loups anxieux de se faire une réputation. Et comme les caméras de télévision filmaient sans relâche, ces jeunes loups étaient occupés à se trouver dans le champ des prises de vues et à rouler des mécaniques pour que leurs potes en regardant le journal télévisé de 19 heures s'exclament : « Eh ! dis donc, c'est pas Jake-la-Valise de la 8e Rue à Brooklyn qui se tient tout contre « The Swanks » ? Putain de merde, j'aurais jamais cru qu'il aurait grimpé aussi près du patron ! » Et, pendant ce temps-là, ils ne surveillaient pas les individus suspects. Quatre coups de calibre .32 il lui a expédiés, Rodgers, à LoCicero. Deux en pleine poire, une dans le cou, une dans le cœur. A ce moment-là, la fille s'est mise à cavaler. Les caméras de la télévision ont filmé sa fuite.

— Personne ne l'a stoppée ?

— Non.

— On ne l'a pas retrouvée ?

— Si. Dans l'East River, enfouie dans un sac en plastique bourré de roulements à billes. Et uniquement parce que le sac était trop petit. Quand le cadavre s'est mis à gonfler, il a fait péter la texture du sac, et le tout est remonté à la surface, le tout sans les roulements à billes, naturellement.

— Naturellement. Et Rodgers ?

— Abattu sur place et on ne sait pas par qui. Des gardes du corps de LoCicero ? Un second tueur à gages expédié par Joey Cianfarolo et qui a profité de la pagaille indescriptible qui a suivi ? Afin que Rodgers ne parle pas ? Vraisemblable, si l'on considère le sort réservé à la fille. Le coup de serpillière classique. Encore heureux que l'on ait retrouvé le Colt .32 et qu'on se soit aperçu qu'il avait servi à commettre l'assassinat de Peter Coogan !

— Je croyais que c'étaient des flics en uniforme qui avaient abattu Rodgers ?

— Faux. Les policiers du service d'ordre étaient trop loin de l'estrade sur laquelle se tenait « The Swanks ». En outre, si c'était le cas, celui qui l'aurait abattu s'en serait vanté rien que pour avoir des bons points dans son dossier et peut-être même une prime offerte par les lieutenants de LoCicero.

— Une enquête a été effectuée sur les antécédents de Louis Rodgers ?

— Qu'est-ce que tu crois ?

— Résultats ?

— Je disais tout à l'heure que Rodgers s'essayait à être un tueur à gages. Dans le fond, je n'en suis pas si sûr. Peut-être était-ce un tueur à gages fort habile qui savait admirablement cacher son jeu, donner le change, faire croire qu'il n'était qu'un minable gigolo, afin que cette apparence lui serve de couverture. Si c'est le cas, chapeau, il a bien trompé son monde.

L'intérêt de Johnny Coll pour ce que lui contait le chef des détectives ne se démentait pas et il voulait en savoir plus. Après tout, raisonnait-il, Rodgers, commandité ou non, était *officiellement* l'assassin de Peter Coogan. Il convenait donc de connaître le personnage tel qu'il avait été de son vivant.

— Tu as le temps de m'en dire plus sur Rodgers ou préfères-tu que je revienne ? questionna-t-il, conciliant. Je sais que tu es surchargé de boulot.

— Non, liquidons l'affaire tout de suite. Prenons Rodgers au moment où il est abattu à Columbus Circle, quelques secondes après avoir lui-même assassiné « The Swanks ». Que découvre-t-on ? L'arme du meurtre : un Colt .32 volé dans une armurerie de Philadelphie il y a un peu plus de quatre ans. Rien à tirer de ce côté-là. Le contenu des poches du pantalon du jean se révéla maigrelet : un carnet d'adresses et une fausse carte de journaliste professionnel indiquant malgré tout sa véritable identité et une vieille adresse dans Greenwich Village. Le carnet d'adresses en contenait très exactement quatre-vingt-quatorze et chacune d'elles correspondait à une femme. Pour la plupart, elles étaient situées à New Brunswick dans l'Etat de New York, et le reliquat dans divers endroits comme Los Angeles et même Medicine Hat, au Canada. C'était là le truc de Rodgers : il vivait des femmes et, dans leur immense majorité, elles étaient blanches et fort à l'aise financièrement. Très souvent des étudiantes issues de familles riches fréquentant Rutgers University qui se trouve justement à New Brunswick. L'enquête a révélé que Rodgers possédait un immense pouvoir de séduction allié à un baratin terrible et à un culot monstre. Le campus de Rutgers University était son terrain de chasse favori mais il sélectionnait soigneusement les filles qui avaient du fric et qui pouvaient lui offrir l'hospitalité et l'entretenir. Aux autres il proposait de faire le tapin pour lui, mais pas en usant de violence. Au charme et au béguin. Sur le plan physique, c'était un stakhanoviste. Une blonde sculpturale a déclaré à l'un des enquêteurs : *D'un point de vue technique, il était le meilleur baiseur que j'aie jamais eu dans mon lit. Il était monté comme un éléphant.*

Johnny Coll toussota pour interrompre le chef des détectives.

— Comme tu le disais tout à l'heure, c'était peut-être là une couverture ?

— Exactement ! Ces filles l'entretenaient mais pas somptueusement. Pas au point de lui faire cadeau d'une caméra Bolex à quinze cents dollars. Mais elles lui offraient le gîte et cela évitait à Rodgers d'avoir une adresse permanente. En outre, que faisait-il entre deux séjours chez une fille ? Personne n'a pu le déterminer car il y avait des trous énormes dans son emploi du temps.

— Son casier judiciaire ?

— Vierge.

— L'enquête est-elle parvenue à la relier à Joey Cianfarolo ?

— Non. Ce qui nous conduit à penser que c'est Joey qui a armé son bras est le fait que les lieutenants de « The Swanks » revolvérisent ou mitraillent les hommes de Joey comme au bon vieux temps d'Al Capone et que les autres ripostent. Les lieutenants de LoCicero savent que Joey est l'instigateur du meurtre de leur patron. Comment ? Je n'en sais rien.

— Plusieurs questions me viennent à l'esprit, Juanito. D'abord, les tueurs à gages noirs d'une certaine envergure sont plutôt rares. Ensuite, pourquoi Joey Cianfarolo qui est un Sicilo serait-il allé chercher un Noir pour faire le boulot ?

— Afin de détourner les soupçons sur l'instigateur du meurtre, d'abord, car, curieusement, peu après l'assassinat de « The Swanks », une voix anonyme a appelé le *New York Times* et a revendiqué le crime au nom d'une organisation révolutionnaire noire dont personne n'a jamais entendu parler et qui ne s'était jamais manifestée précédemment, pas plus qu'elle ne l'a fait par la suite. L'homme accusait LoCicero d'être un néo-fasciste italien complice de l'attentat à la bombe de la gare de Bologne en Italie qui a fait une centaine de victimes. La deuxième raison pour laquelle Joey aurait fait appel à un Noir est qu'il ne peut pas blairer les Noirs. Il n'avait donc aucun scrupule à le faire descendre sur place par un second tueur après l'exécution du « contrat ».

— Qu'est-ce que l'enquête a déniché dans le passé de Rodgers ?

— En ce qui concerne les dix dernières années, c'est-à-dire la période qui couvre l'existence de l'intéressé entre l'âge de vingt-deux à trente-deux ans, rien sauf les quatre-vingt-quatorze filles dont il avait conservé les noms, adresses et numéros de téléphone. Il a dû se taper des tas d'autres filles mais n'a pas jugé bon de garder leurs coordonnées.

— Elles ont toutes été interrogées ?

— Oui.

— Qu'ont-elles appris aux enquêteurs ?

— Que Rodgers était un type adorable, plein d'humour, un bon vivant, un baiseur fantastique et qu'il semblait toujours avoir besoin de fric.

— On peut difficilement dire qu'il s'agit là du portrait type d'un tueur professionnel. Ont-elles dit s'il se trimbalait avec une arme ?

— Elles ont affirmé qu'il détestait les armes à feu et la violence.

— Dans ce cas, cela confirmerait l'alibi qu'il cherchait à se créer en se présentant comme un pur gigolo.

— Tout à fait.

— Et avant l'âge de vingt-deux ans, quel était le passé de Rodgers ?

— Il étudiait la psychologie à New York University. Il a abandonné ses études quand sa mère est morte et il a entamé sa vie errante. Peut-être avait-il décidé d'appliquer ses notions de psychologie aux femmes avec l'intention de se faire entretenir par elles, ou de les faire tapiner pour son compte. On ne sait même pas, finalement, s'il n'était pas parvenu à se constituer une écurie de putes. Si c'est le cas, il ne faut pas compter sur elles pour se manifester.

— Un père ?

— Mort quand Rodgers avait treize ans.

— Des frères, des sœurs ?

— Non.

— Passons maintenant à la question fric. En a-t-on trouvé dans ses poches en compagnie du carnet d'adresses et de la fausse carte de journaliste ?

— Une vingtaine de dollars.

— Si Joey Cianfarolo l'a payé pour flinguer « The

Swanks », il a dû cacher le fric dans une planque secrète. Peut-être chez la fille retrouvée dans l'East River ?

— Elle s'appelait Sally Webster. Une étudiante de Rutgers University, justement. La dernière en date des conquêtes de Rodgers. Une militante révolutionnaire. On a fouillé sa piaule à New Brunswick au millimètre carré. Rien. Mais nous n'étions pas les premiers. J'imagine que les gars qui avaient flanqué la fille dans l'eau de la rivière étaient passés avant nous.

— Une militante révolutionnaire ? Rodgers faisait de la politique ?

— Sa seule politique consistait à baiser les filles. Rien, apparemment d'un militant révolutionnaire.

— Un ancien Black Panther peut-être ? Ce serait dans cette organisation qu'il aurait appris à tuer et serait devenu par la suite mercenaire ?

— Pas idiot, j'y ai songé.

— En tout cas, la piste semble coupée côté Louis Rodgers et Sally Webster. Venons-en maintenant, si tu as toujours du temps à me consacrer, à l'assassinat de Peter Coogan.

— Par une belle nuit de mai, un peu en avance en chaleur sur la saison, Peter Coogan a cessé de taper à la machine au beau milieu d'une phrase et est allé à la cuisine casser une petite croûte nocturne. Il a ouvert la porte de son réfrigérateur et s'est confectionné un sandwich au salami avec, pour chaque tranche, deux cornichons. L'assassin est arrivé derrière lui. La balle de calibre .32 a pénétré dans la nuque et a expédié la victime contre la porte du réfrigérateur. Lorsque la femme de ménage l'a découvert le lendemain matin, son cadavre était déjà raide et le sang séchait sur le carrelage. Il avait encore entre les lèvres un cornichon et une tranche de salami. Son visage était coincé dans le bac à légumes. Personne n'avait entendu la détonation. Selon toutes apparences, l'assassin était entré par l'une des portes-fenêtres donnant sur le balcon et qui étaient toutes ouvertes en raison de la douce température. Sans doute avait-il gagné le balcon par l'escalier d'incendie extérieur, à l'ancien style. Dans les immeubles modernes on ne construit plus ce type d'escaliers de secours, à cause des facilités qu'ils procurent aux cambrioleurs. L'appartement de Coogan avait été dévasté, pillé. Ne subsistait aucun objet de valeur, pas plus qu'une seule pièce de monnaie. Pourtant, la sœur de la victime, Audrey Coogan, nous a assuré que son frère avait rapporté de ses voyages nombre d'objets d'art. Elle a précisé qu'ils étaient de faible encombrement, donc facilement baluchonnables pour un casseur doublé d'un assassin.

— Pas d'empreintes digitales ?

— Rien d'exploitable.

Ostensiblement, Juan Valladolid consulta sa montre-bracelet.

— Je suis obligé de t'abandonner, Johnny, avertit-il en se levant pour mettre fin à l'entretien. Une ultime question ?

Johnny Coll termina son bourbon et se leva lui aussi. Ses sourcils se froncèrent.

— Après tout, grogna-t-il, peut-être tout le monde fait-il fausse route.

Le chef des détectives le regarda, étonné.

— Dans quel domaine ?

— Légalement, juridiquement, le fait que Rodgers était en possession de l'arme qui a tué Coogan ne prouve pas forcément qu'il était son assassin.

— Exact, mais où cela mène-t-il ?

— A l'instigateur de l'assassinat de « The Swanks ».

— A Joey Cianfarolo ? Il aurait fourni à Rodgers l'arme ayant servi à assassiner Coogan en vue de faire d'une pierre deux coups ? Abattre LoCicero et faire porter le chapeau à Rodgers pour les deux affaires en sachant qu'il ne pourrait jamais se disculper pour la première puisqu'il serait mort ?

— Pourquoi pas ?

— Malheureusement on tourne en rond et on en revient toujours à la même question : qu'est-ce que Cianfarolo et Coogan pouvaient bien avoir en commun ? Pour quelles raisons Cianfarolo aurait-il fait assassiner Coogan ?

— Ils ne se sont jamais rencontrés ?

— On n'en sait rien, à vrai dire. Mais Coogan était toujours par monts et par vaux et jamais, apparemment, du côté de Brooklyn qui est le fief et le repaire de Joey-le-Dingue.

Johnny Coll se dirigea vers la porte capitonnée.

— Merci de tous ces tuyaux, Juanito. Ils m'ont été fort utiles. Si je repense à quelque chose, je me permettrai de te retéléphoner.

Juan Valladolid le retint par la manche.

— Fais gaffe où tu mets tes pieds, Johnny, si tu t'avises d'enquêter sur Cianfarolo. Il déteste les gens curieux et Brooklyn est bourré d'endroits où faire disparaître un cadavre.

Johnny Coll roucoula :

— A condition que le sac en plastique ne soit pas trop petit et n'explose pas quand le cadavre se gonfle d'eau !

— Ça te ferait une belle jambe, connard.

CHAPITRE III

Ce fut à Wenchell Davis que Johnny Coll passa son premier coup de téléphone de la journée.

— Peter Coogan vous a-t-il jamais présenté un synopsis quelconque qui ait trait à Joey Cianfarolo, le *mafioso* de Brooklyn ?

A l'autre bout du fil l'éditeur milliardaire laissa s'écouler quelques secondes. Il réfléchissait. Sa réponse claqua, catégorique :

— Je suis certain que non. Vous avez déjà des indices ?

— Non. Je tâtonne. Et en ce qui concerne un ouvrage *général* sur la Mafia ou le Syndicat du Crime dans lequel Joey Cianfarolo aurait pu être mentionné ?

— Peter ne s'est jamais attaqué à ce sujet. Il faut avouer qu'il est un peu usé. A ce propos, d'ailleurs, je regretterai toute ma vie d'avoir refusé le manuscrit du *Parrain*. J'ai manqué de flair ce jour-là. J'espère que vous, vous n'en manquerez pas dans votre enquête !

— Ça risque d'arriver puisque vous me parrainez !

Il raccrocha sur ce calembour et appela Audrey Coogan.

— Je voudrais visiter l'appartement de votre frère, annonça-t-il.

— Je peux me rendre libre en fin de matinée, proposa-t-elle.

— Parfait. Ensuite je vous invite à déjeuner. Vous pourrez peut-être éclairer ma lanterne sur quelques points obscurs.

— D'accord.

Ils prirent rendez-vous et Johnny Coll s'en alla se doucher et se raser. Une fois habillé, il passa encore quelques coups de fil à ses informateurs habituels et partit pour le rendez-vous avec Audrey Coogan.

L'appartement qu'avait habité le frère de cette dernière était situé à l'extrémité sud de York Avenue, là où l'artère rejoint le quartier élégant de Sutton Place et où le pont de Queensboro enjambe l'autoroute urbaine Franklin Delano Roosevelt qui longe l'East River. L'immeuble était ancien, construit au début du siècle vraisemblablement, mais il avait conservé toute sa superbe. Audrey attendait à l'intérieur de l'appartement. Elle ouvrit dès que Johnny Coll sonna. Elle était habillée dernière mode, dans des tons vifs et gais. Un somptueux bracelet en argent de style inca enserrait son poignet gauche.

— Que faites-vous dans la vie, finalement ? s'enquit-il d'un ton négligent.

— J'ai une grosse boutique de modes dans le Village.

— Ça va bien avec votre personnalité. Comment s'appelle cette boutique ?

— « De bric et de broc. » Dans Bleecker Street.

— J'y passerai un de ces jours. Toutes mes amies adorent les boutiques du Village.

— Vous serez le bienvenu.

— Vos revenus vous permettent de me payer mes honoraires ?

Elle eut un sourire indulgent.

— Vous n'avez pas bien compris l'autre jour. C'est Wenchell Davis qui supporte tous les frais de votre enquête.

— Je vois.

Tout en parlant, Johnny Coll inspectait les lieux autour de lui puis, à pas lents, il visita l'appartement en s'attardant sur le balcon, sur les portes-fenêtres, sur la cuisine, sur le réfrigérateur qu'il ouvrit et referma plusieurs fois. A l'intérieur il restait encore un pot de cornichons sérieusement entamé. Il se plaça dans la position de la victime puis dans celle du tireur en retournant sur le balcon et en s'approchant à pas de loup de la porte de la cuisine. Audrey le regardait faire, les yeux plissés par l'intérêt, en triturant la pièce de vingt pesos mexicains en or qui pendait entre ses seins au bout d'une chaîne. Ensuite il alla jeter un coup d'œil à l'escalier de secours extérieur. Effectivement, admit-il, le tueur pouvait avoir suivi aisément ce chemin. Classique. Il revint dans l'appartement.

— Où est le bureau dans lequel travaillait votre frère ? questionna-t-il.

— Suivez-moi.

Les traces du pillage subsistaient.

— J'ai essayé tant bien que mal de remettre de l'ordre, précisa-t-elle comme si elle éprouvait le besoin de chercher des excuses et d'expliquer le désordre ambiant. Et puis, dans trois ou quatre jours, les déménageurs vont venir et emporter le tout. Je fourrerai cela dans le grenier de ma maison de Long Island. J'attache une valeur sentimentale aux souvenirs et j'aimais beaucoup Peter. Je tiens à conserver chacun des objets qui faisaient partie de sa vie.

Il hocha la tête avec compréhension.

— J'aimerais examiner de très près le contenu de ce bureau. Si vous voulez, nous pouvons déjeuner de bonne heure. Vous me laisserez les clés de l'appartement et j'opérerai tout à mon aise durant l'après-midi.

— D'accord, mais pour le déjeuner, ne m'emmenez pas dans un restaurant brésilien, cela me rappellerait de trop tristes souvenirs.

— Promis. Vous aimez la cuisine française ?

— J'adore. En fait, je la préfère à la cuisine brésilienne. Mais Peter était tellement fou de celle-ci que je l'accompagnais sans rechigner.

Pour le déjeuner, Johnny Coll choisit *La Grillade* au coin de la 8ᵉ Avenue et de la 51ᵉ Rue. Des souvenirs sentimentaux s'attachaient à ce choix. Au temps où il était étudiant et que dans le groupe d'amis auquel il appartenait quelqu'un se découvrait plus riche que d'habitude, il invitait tous les autres au restaurant et, inévitablement, c'était dans cet établissement qui, à l'époque, s'appelait *Le Caneton* à cause de ses spécialités rouennaises. La salle depuis avait pris du galon et même des étoiles, et *La Grillade* était devenu, surtout le soir, l'un des endroits à la mode.

Comme Wenchell Davis payait ses honoraires à un taux royal, Johnny Coll décida de traiter Audrey Coogan somptueusement.

— Une bouteille de Comtes de Champagne Taittinger 1973, commanda-t-il d'emblée au maître d'hôtel.

Plus tard, après les hors-d'œuvre, il entama les choses sérieuses :

— Combien de temps avant sa mort a eu lieu votre dernière rencontre avec votre frère ?

— Une semaine environ.

— Paraissait-il soucieux ? Semblait-il avoir peur de quelque chose ou de quelqu'un ?

Elle secoua la tête avec tristesse.

— Au contraire. Il était très détendu, très gai, très content de lui. Il parlait beaucoup de ce synopsis qu'il avait remis à Wenchell.

— Vraiment ? Il a fourni des détails ? Expliqué comment il avait mené son enquête sur ce personnage déterré du passé ?

— Non. Je sais qu'il avait dû voyager en Europe, en France, en Espagne, au Portugal, et au Mexique aussi.

— Au Mexique ? Pourquoi puisque ce Balkanikoff serait mort à Madrid en 1945 ?

— Je ne sais pas, je n'ai pas approfondi la question. Pour être franche avec vous, j'aimais beaucoup Peter mais pas du tout ce qu'il écrivait. Il le savait et ne s'étendait pas sur les sujets qu'il traitait. On peut être frère et sœur et ne pas avoir les mêmes goûts littéraires. De toute façon, je lis plutôt les femmes telles que Carson McCullers, Jacqueline Susann, Patricia Highsmith, Erica Jong ou Mary McCarthy.

— Féministe à tous crins ?

— Pas du tout. Une simple question de goûts littéraires.

Elle leva sur lui un regard clair et lumineux.

— Une féministe à tous crins deviendrait un jour ou l'autre une lesbienne, ajouta-t-elle. Et vous remarquerez que je n'ai pas cité Kate Miller. Croyez-moi, je suis hétérosexuelle à cent pour cent.

Elle vida sa coupe de champagne et la tendit par-dessus la table pour qu'il la remplisse. Cette fois, ses yeux étaient un peu moqueurs.

— Vous voulez faire un test ? proposa-t-elle.

Il ne se démonta pas :

— Ce soir ? suggéra-t-il. Lorsque j'irai vous restituer les clés de l'appartement de votre frère ?

— Vous aimez les langoustines sautées à la poêle, à l'huile d'olive avec de l'ail, des échalotes, des tomates, des olives hachées, et des grains de maïs ? Ma spécialité.

— Ça devrait être succulent. J'apporterai le Comtes de Champagne Taittinger.

Il capta dans le regard de la jeune femme un bref éclat de concupiscence mais elle baissa très vite les yeux.

— Vous avez d'autres questions à me poser ? interrogea-t-elle pour détourner le cours de la conversation.

— Joey Cianfarolo. Votre frère vous a-t-il jamais parlé de Joey Cianfarolo ?

— Le gangster de Brooklyn ? Je suis sûre que non. Pour autant que je sache, Peter n'a jamais pris la Mafia pour sujet d'un ouvrage.

— C'est ce que Wenchell Davis m'a confirmé. Malgré tout, l'avez-vous entendu témoigner d'un intérêt quelconque pour le sujet ?

— J'avoue ne pas me souvenir.

— Votre frère devait avoir un agenda bourré d'adresses et de numéros de téléphone ?

— Emporté comme des tas d'autres choses.

— Comment le savez-vous ?

— Quand la femme de ménage a découvert le corps, c'est moi qu'elle a appelée. Pas la police. Réflexe normal. Elle avait travaillé un temps chez moi et était passée chez Peter sur ma recommandation. Question de convenance. Son domicile était plus proche de l'appartement de Peter que du mien. Ce qui fait que j'ai vu démarrer l'enquête après m'être précipitée là-bas et avoir appelé la police. On m'a demandé d'essayer de faire une liste des choses disparues. Je me suis attelée à la tâche mais la liste était forcément incomplète. Cependant, je me souvenais de cet agenda, un très bel agenda à la couverture en cuir de Russie. Je l'avais offert à Peter pour un anniversaire.

— Auriez-vous une copie de la liste fournie à la police ?

— Ce soir, chez moi, promit-elle.

— L'appartement tout entier était dévasté ou bien simplement le bureau que s'était réservé votre frère ?

— L'appartement tout entier.

Le déjeuner une fois terminé, Audrey remit les clés de l'appartement et Johnny Coll retourna à l'immeuble de York Avenue avec une idée bien précise en tête : la fouille minutieuse du bureau de Peter Coogan. La bibliothèque que ce dernier avait constituée était importante et comprenait de nombreux ouvrages. Il était impossible de dire si certains d'entre eux avaient été subtilisés par le tueur tant les rayons étaient surchargés. Dans leur immense majorité, c'étaient des livres d'histoire contemporaine remontant au plus tard à un demi-siècle. Aucun n'avait trait à la Mafia ou au Syndicat du Crime. Les biographies étaient nombreuses mais aucune ne racontait l'existence d'un gangster célèbre ou d'un *capo mafioso*. En revanche, celles sur les nazis occupaient une place notable.

Des armoires, des classeurs métalliques, contenaient une documentation constituée d'articles de presse, de reproductions dactylographiées d'interviews, de notes manuscrites, parfaitement sériés et catégoriés. Peter Coogan avait été un professionnel consciencieux et méticuleux, c'était flagrant.

Johnny Coll décrocha le combiné du téléphone, entendit la tonalité et fut heureux de constater que la sœur de l'écrivain assassiné n'avait pas fait couper la ligne. Il appela Wenchell Davis.

— Pouvez-vous me citer tous les titres des ouvrages que Peter Coogan a publiés dans votre maison d'édition ? interrogea-t-il dès qu'il l'eut au bout du fil.

En même temps il attirait à lui un bloc et un crayon bleu épargnés par le raz de marée qui avait dévasté la pièce.

— Je peux les citer de mémoire, répondit l'éditeur.

— Je vous écoute.

Il nota sur le bloc les renseignements qu'on lui fournissait, remercia et raccrocha. Il passa ensuite le restant de l'après-midi à vérifier la documentation de Peter Coogan. Il retrouva les matériaux qui avaient servi à confectionner les précédents ouvrages de l'auteur mais ne découvrit pas le plus petit morceau de papier ayant trait à Balkanikoff, le personnage principal du synopsis soumis à l'approbation de Wenchell Davis.

Peter Coogan l'avait-il rédigé en se fiant uniquement à sa mémoire ? s'interrogea-t-il. Peu vraisemblable,

conclut-il. Bien sûr, il restait la bibliothèque. Il consulta
sa montre-bracelet. Il était trop tard pour se lancer dans
une exploration plus détaillée des ouvrages qu'elle contenait car il était l'heure de prendre la route pour se rendre
au rendez-vous fixé par Audrey Coogan dans son appartement de Long Island. Il abandonna les lieux après avoir
soigneusement refermé à clé et rejoignit le parking où il
avait laissé sa voiture.

L'heure de pointe était passée mais le pont de Queensboro était encore fort encombré par les banlieusards qui
rentraient chez eux dans Queens et au-delà, si bien qu'il
arriva en retard. Il avait eu le temps quand même de
s'arrêter dans une boutique de vins et spiritueux qu'il
connaissait bien et qui jouxtait l'hospice pour vieillards
qui occupe le pâté d'immeubles sur Sutton Place entre la
58ᵉ et la 59ᵉ Rue. Il y fit l'emplette d'un carton de trois
bouteilles de Comtes de Champagne Taittinger 1973. Il
ignorait combien de temps durerait la soirée chez Audrey
et trois bouteilles constituaient vraiment le minimum
pour créer une ambiance euphorique. Et Audrey, justement, n'avait-elle pas besoin d'une ambiance euphorique
pour chasser le chagrin d'avoir perdu son frère ?

Dès qu'il mit le pied dans l'appartement de la jeune
femme, il sentit immédiatement la bonne odeur qui
s'échappait de la cuisine. L'ail y prédominait.

— Ça me rappelle une excellente histoire, préambula-
t-il pendant qu'il ouvrait le carton aux trois bouteilles de
champagne. La mère d'une de mes amies était italienne
et cuisinait abondamment avec de l'huile d'olive, de la
tomate et de l'ail, en laissant ouverte la fenêtre au-dessus
de l'évier. Un jour, juste avant le déjeuner, elle entend
sonner à sa porte. C'est le superintendant de l'immeuble.
Elle ouvre. « Savez-vous, Mrs. Nicarratta, attaque-t-il,
que je cherche une locataire pour l'appartement au-
dessus du vôtre, actuellement vacant ? » « Et alors, en
quoi cela me concerne-t-il ? » répond abasourdie

Mrs. Nicarratta. « Justement, j'en avais une à l'instant »,
précise le superintendant. « Malheureusement, quand
elle a ouvert la fenêtre de la cuisine, elle a respiré les
odeurs d'ail qui montaient de la vôtre et s'est enfuie sur-
le-champ ! Rendez-moi service, Mrs. Nicarratta, je vous
en supplie, évitez de faire de la cuisine à l'ail tant que je
n'aurai pas trouvé de locataire pour l'appartement du
dessus ! »

Audrey Coogan éclata de rire.

— Je n'ai pas les mêmes problèmes ici.

— Tant mieux, mais mon problème pour le moment,
c'est un seau à glace et les glaçons qui vont dedans.

— Une minute.

Le dîner se révéla succulent et délectable. Audrey
Coogan était incontestablement, malgré ses airs de
femme affranchie des contingences dans lesquelles, si
l'on se fiait aux reproches à la mode dans le monde
féministe, les hommes se complaisaient à reléguer le sexe
dit faible, une cuisinière hors pair avec une tendance
certaine au raffinement. Les mets qu'elle avait préparés
recélaient le je-ne-sais-quoi en plus. Et, dans un autre
domaine, et comme cela s'était passé pour le déjeuner, le
champagne accrochait mille paillettes brûlantes dans ses
yeux.

A minuit Johnny Coll regretta de n'avoir pas fait
l'emplette d'un second carton de Taittinger.

Audrey et lui étaient assis l'un contre l'autre sur un
canapé panoramique, semi-circulaire, aux coussins pro-
fonds et moelleux. Les coupes étaient à demi pleines et le
fond de la troisième bouteille de champagne se morfon-
dait sous l'éclairage orangé de la lampe aux formes
tarabiscotées comme un cobra prêt à frapper.

Audrey, avait-il découvert, possédait un redoutable
arsenal de sourires à la gamme déconcertante. La variété
en était infinie. Du sourire à la Joconde en passant par les
demi-sourires à peine esquissés, ceux contraints, plissés,

ceux en demi-teintes, en clair-obscur, en fondu-enchaîné,
ceux pincés, narquois, ironiques, paillards, lascifs, lubri-
ques ou faussement puérils, mais tous étaient ensorce-
leurs, et à la fois mystérieux et tendres. Le dernier en
date contenait toute la luxure du monde.

— Un disque ? proposa-t-elle. Nous n'avons même pas
accompagné notre soirée d'un peu de musique.

— Nous n'avons pas mieux à faire ? grogna Johnny
Coll en l'attirant à lui.

Elle se dégagea sans brusquerie et sourit avec indulgence.

— Une bossa nova ?

Il secoua la tête.

— C'est brésilien. Souvenez-vous, pas de cuisine brésilienne et pas de musique brésilienne non plus, j'imagine.

Elle se renfrogna.

— C'est vrai, j'oubliais...

Il se leva.

— Laissez-moi faire le choix moi-même.

Le râtelier à disques était aussi fourni que la réserve
professionnelle d'un disc-jockey dans une boîte à disco,
mais en beaucoup plus varié. Johnny Coll se sentait
d'humeur rétro. Aussi plaça-t-il sur la platine un disque
vieux de vingt ans avec toute une série de blues exécutés
magistralement par Louis Armstrong accompagné par le
saxo ténor de Lester Young.

> *Gimme a kiss to build a dream on*
> *And my imagination*
> *Will make that moment live on...*

Déjà Audrey était dans ses bras. Tout de suite elle se
colla à lui.

— J'adore cette musique et j'adore aussi être déshabil-
lée pendant que je danse, murmura-t-elle à son oreille.

Il acquiesça en lui décochant une œillade assassine.

— Très bien, nous n'allons donc pas danser joue contre joue mais ventre contre ventre afin que mes mains soient libres.

Celles-ci avaient commencé à s'activer sérieusement sur les vêtements de la jeune femme. Cette dernière fit de même avec ceux de son partenaire.

Les cordes vocales rauques et éraillées de Louis Armstrong lançaient : *Gimme your love before you leave me* quand tous deux se retrouvèrent entièrement nus.

— Sommes-nous obligés d'attendre la fin du disque ? interrogea-t-il, sarcastique. Ou bien tentons-nous d'accompagner le tempo de la batterie ?

Elle joua le jeu :

— Le *blues* est un peu lent. Il demeure dans le *moderato*. J'aime bien que, sur la fin, le rythme s'accélère.

— Alors, procédons par paliers successifs, *moderato, andante, allegretto et allegro ?*

— Avec un *staccato* final ?

— En *fortissimo*.

Elle l'enlaça et il la pénétra sans effort. Ni l'un ni l'autre ne se souciaient plus de la musique. Johnny Coll souhaitait faire durer le plaisir très longtemps. Aussi observa-t-il les règles qu'il avait édictées : *moderato, andante, allegretto et allegro*. Audrey était souple comme une liane et ses mouvements lascifs épousaient les siens à la perfection. Puis, brusquement, elle se mit à frissonner, à trembler, ses ongles griffèrent la nuque de l'homme qui était en train de la posséder, ses gémissements devinrent plus douloureux, et il sut que c'était le moment de passer à l'échelon supérieur.

Elle hurla en couvrant la voix de Louis Armstrong qui grasseyait :

I can't give you anything but love, baby...

CHAPITRE IV

Johnny Coll était installé dans le fauteuil dans lequel Peter Coogan avait œuvré durement devant sa machine à écrire. Il lisait et relisait la liste que lui avait remise Audrey le matin même après leur folle nuit d'amour. Elle comprenait surtout des objets d'art, c'est-à-dire tous ceux qu'Audrey avait remarqués et admirés chez son frère, mais bien peu de choses ayant appartenu au bureau dans lequel avait travaillé Peter Coogan. La jeune femme en avait elle-même donné l'explication : elle n'aimait pas le genre de littérature qu'écrivait son frère et, partant, s'était peu intéressée à ce qui y avait trait. Le carnet d'adresses et de numéros de téléphone à la couverture en cuir de Russie figurait en bonne place sur la liste mais uniquement parce qu'Audrey en avait fait cadeau à Peter Coogan pour un anniversaire et qu'elle s'en était souvenue lorsque la police lui avait demandé d'établir la liste dont un exemplaire avait été adressé à la compagnie d'assurances.

Johnny Coll se prit à réfléchir.

Un enquêteur sérieux ne pouvait éliminer d'emblée le fait que Louis Rodgers, si c'était réellement lui qui avait commis l'assassinat, ait pu agir pour des motifs sordides : le vol d'objets d'art. Sur la liste, Audrey avait indiqué leur valeur : environ trente mille dollars. Peut-être avait-elle exagéré afin de tirer plus de la compagnie d'assurances. Mais même en supposant que sa déclaration soit le reflet de l'exacte vérité, le voleur n'aurait guère pu tirer plus de cinq à six mille dollars d'un receleur pour des objets d'art valant trente mille dollars. Le tout était de savoir si Louis Rodgers était capable d'assassiner pour cinq ou six mille dollars. Combien avait-il touché pour tuer « The Swanks » ? Eu égard aux circonstances, à la personnalité de la cible, aux moyens de fuite réduits, vraisemblablement un acompte de cent mille dollars pour un montant total de deux cent cinquante mille. On racontait que c'était là le montant du « contrat » qui avait été versé pour liquider Carmine Galante (1). « The Swanks » LoCicero était de la même envergure que Galante. La somme payée pour l'abattre devait approximativement être identique.

A ce stade du raisonnement, se posaient plusieurs questions.

Si Rodgers était l'assassin de Peter Coogan et qu'il ait fauché les objets d'art indiqués sur la liste, qu'en avait-il fait ? Les avait-il vendus à un fourgue ? Dans ce cas, où avait-il planqué l'argent ? La même question se posait pour l'avance sur le « contrat » à exécuter sur la personne de « The Swanks » LoCicero. Où avait-il planqué l'argent ? Il se pouvait aussi qu'il ait remis les objets d'art au commanditaire du meurtre si ce dernier avait été téléguidé. L'ennui était que s'orienter dans cette direction ne menait nulle part. En revanche, tenter de déterminer dans quel endroit il avait planqué l'argent reçu pour le « contrat » LoCicero pouvait se révéler payant. Voyons, Rodgers était un baiseur de première. Il vivait aux crochets des filles, ce qui lui permettait de loger dans des lieux qui n'étaient pas loués à son nom, donc difficilement identifiables. Etait-il possible qu'il ait plan-

(1) Assassiné le 12 juillet 1979 au restaurant *Joe and Mary*, à Brooklyn.

qué le fric chez l'une de ces filles ? A son insu, par exemple ? Mais laquelle parmi les quatre-vingt-quatorze listées dans le carnet d'adresses découvert dans les poches du tueur à gages ? A moins que Rodgers n'ait pas inscrit son nom dans le carnet, par prudence ? Quelle était la dernière de ses conquêtes ? La police le savait-elle ? Et avait-elle retrouvé l'adresse de Sally Webster avant qu'on la jette dans les eaux polluées de l'East River ?

La réponse était oui. Johnny Coll se souvenait que Juan Valladolid lui avait précisé que la piaule de la jeune femme était à New Brunswick et qu'elle avait été fouillée. On pouvait compter sur les flics officiels pour ne rien laisser au hasard. Si le fric s'était trouvé chez Sally Webster, ils l'auraient découvert. De toute façon, Louis Rodgers était certainement plus astucieux que cela. Il n'aurait pas planqué l'argent chez une fille qui se compromettait avec lui dans l'assassinat de « The Swanks » LoCicero. Trop risqué.

Il convenait, conclut-il, d'apporter des réponses à toutes ces questions mais, auparavant, il avait une autre tâche à accomplir : inspecter la bibliothèque de Peter Coogan à la recherche d'ouvrages ayant trait à Balkanikoff.

Il se mit immédiatement à la tâche car il savait que l'entreprise serait longue sans être cependant ardue. Procéder par élimination était la première chose à faire car il était flagrant que certaines œuvres ne se reliaient en aucun cas à la personnalité du juif apatride qui avait trahi ses coreligionnaires et frères de race et avait collaboré avec leurs pires ennemis uniquement par esprit de lucre.

Il termina sa prospection à neuf heures du soir. Dans aucun ouvrage n'était mentionné Balkanikoff. Les quelques dizaines de livres dans lesquels il aurait pu figurer ne mentionnaient pas son nom. C'étaient surtout des documents sur la Seconde Guerre mondiale ou sur les nazis, ou sur la collaboration avec l'ennemi dans les territoires occupés par les Allemands.

Johnny Coll avait faim et soif, et il éprouvait aussi une irrésistible envie de faire l'amour avec Audrey. Il lui téléphona :

— Ton réfrigérateur est garni ? questionna-t-il.

Elle répliqua d'un ton moqueur :

— Mon réfrigérateur est plein mais mon lit est vide.

— J'arrive.

Il raccrocha.

Au bout du fil la voix de Juan Valladolid était railleuse :

— Tu ne sembles pas faire mieux que la police officielle, Johnny ! s'exclama-t-il.

Johnny Coll roucoula :

— C'est vrai, je l'avoue bien humblement, je n'en suis qu'aux balbutiements, mais attends que j'aie terminé mon point fixe !

— Tu voudrais décoller mais c'est dur.

— Je ne veux pas faire perdre son temps à l'honorable chef des détectives du New York City Police Department, alors j'attaque de plein fouet et en plein front : sur les quatre-vingt-quatorze filles listées dans le carnet d'adresses de Louis Rodgers, quelle était celle qui avait vu Rodgers le plus récemment ?

Un rire narquois lui répondit.

— Est-ce que tu imagines quelles sont les fonctions exactes d'un chef des détectives ? Un flic qui a sous ses ordres les trois mille détectives de New York City ? Réveille-toi, mon vieux. Je reçois les rapports de synthèse mais j'ai passé l'âge de faire des enquêtes sur le terrain. Pour répondre à ta question, je ne m'en souviens pas.

— Où se trouve la réponse ?

— Celui qui a mené l'enquête sur l'assassinat de « The Swanks » est le lieutenant Duff O'Liehan du 22ᵉ commissariat, puisque le meurtre a eu lieu à Colombus Circle (1). Mais il a pris du galon et vient d'être muté comme capitaine au 9ᵉ commissariat dans la 5ᵉ Rue Est. Je lui passe un coup de fil pour prendre rendez-vous pour toi et te rappelle. Ton numéro ?

Johnny Coll lui donna celui d'Audrey. La jeune femme était partie travailler dans sa boutique de modes et Johnny Coll traînaillait dans l'appartement en réfléchissant à l'affaire que Wenchell Davis lui avait confiée.

Quand le P.R. eut raccroché, Johnny Coll s'installa dans un fauteuil et attendit patiemment que le chef des détectives lui téléphone. Il n'eut guère à attendre qu'une vingtaine de minutes.

— Va tout de suite au 9ᵉ commissariat. Duff O'Liehan t'y attend.

— Merci, Juanito.

— Et n'oublie pas de renvoyer l'ascenseur pour les renseignements que je te fournis. Prélève une partie des somptueux honoraires qu'on doit te verser et refile-la aux œuvres de bienfaisance de la police new-yorkaise !

Le Portoricain raccrocha et Johnny Coll quitta l'appartement d'Audrey. Il faisait un temps splendide. Le ciel était pur et bleu et le soleil chauffait dur. Au volant de sa voiture, Johnny Coll gagna le bas de Manhattan.

L'immeuble qui abritait le 9ᵉ commissariat dans la 5ᵉ Rue Est était aussi décrépit que ses voisins. Il datait du xixᵉ siècle et la patine du temps lui avait collé une couche de crasse, de suie, de morne tristesse qui s'alliaient harmonieusement avec les bâtiments compris dans les quartiers que couvrait la juridiction du commis-

(1) La juridiction du 22ᵉ commissariat couvre la totalité de Central Park et Lew les artères périphériques dont Columbus Circle.

sariat. A une époque, ces quartiers avaient été le domaine de juifs et de Slaves pauvres et misérables. Il ne restait guère de survivants de cette ère. Ceux qu'on pouvait encore dénicher étaient d'un âge canonique et aussi pauvres que le jour où ils avaient débarqué sur les docks de l'Office d'Immigration à Ellis Island. Les générations suivantes avaient été composées de Noirs et de Portoricains et l'étaient encore. C'était une population laborieuse mais s'y glissaient néanmoins des éléments marginaux : drogués, alcooliques, fugueurs et fugueuses, loubards, clochards. Un jour, on avait même découvert que certains de ces derniers avaient élu domicile au printemps sur le toit même du commissariat.

La juridiction couverte par le 9e commissariat était la plus petite de Manhattan mais aussi la plus peuplée et la plus dangereuse.

Malgré son air délabré de l'extérieur, l'immeuble abritait des services modernes : garages, stands de tir, une unité d'anthropométrie, une section de détectives spécialisés dans les diverses branches de répression du Crime, un laboratoire, une antenne médicale, des services administratifs, des salles de douches, des archives remontant jusqu'à 1880 et des cellules de détention.

Le capitaine Duff O'Liehan était un Irlandais au visage craquelé par les intempéries, qui trahissait les longues heures de patrouille à pied au temps où il était flic débutant avant qu'il accède aux échelons supérieurs et grimpe la hiérarchie jusqu'au grade de capitaine, ce qui était fort enviable. C'était un colosse aux yeux durs de flic blanchi sous le harnais, que rien ne pouvait plus étonner, même un cadavre découpé en tranches minces dans les conditions les plus horribles et les plus épouvantables.

— C'est grâce à votre père, attaqua-t-il d'emblée, que l'on m'a décerné la médaille d'Honneur du New York City Police Department.

Johnny Coll cligna de l'œil, complice.

— Vous la méritiez au moins ? Ou bien n'était-ce qu'un passe-droit de sa part parce que vous étiez son chouchou ?

— Les passe-droits avec votre père se traduisaient par un peu plus de coups de pied au cul que quiconque d'autre. Que puis-je faire pour vous ? Le chef Valladolid m'a dit que vous vous intéressiez à Louis Rodgers ?

— En partie, répondit Johnny Coll prudemment car il ne tenait pas à mêler toute la police new-yorkaise à son enquête sur les origines de l'assassinat de Peter Coogan. C'est vous qui avez mené l'enquête sur la mort de LoCicero ?

— Oui, au temps où j'étais au 22ᵉ commissariat. J'étais encore lieutenant et je commandais la brigade spéciale constituée pour élucider l'affaire et remonter à l'instigateur du meurtre.

— Joey Cianfarolo ?

— On n'a rien pu prouver contre lui.

— Les quatre-vingt-quatorze filles du carnet d'adresses ?

— En effet, on les a interrogées à fond. On n'a rien découvert, sauf que Rodgers était un sacré baiseur.

— Vous avez fouillé leurs domiciles ?

— Je pense bien ! On cherchait des affaires ayant appartenu à Rodgers et, entre autres choses, le fric que Joey Cianfarolo aurait versé à l'avance si c'était lui l'instigateur du coup, ou quelqu'un d'autre ayant intérêt à la disparition de « The Swanks ».

Johnny Coll sourit en son for intérieur. Il s'en était douté. Les flics officiels avaient fait leur boulot consciencieusement. Comme au temps de son père.

— Quel était le plus court espace de temps entre la dernière fois où l'une de ces filles avait vu Rodgers et le jour de sa mort ?

— Plus de trois mois.

Johnny Coll fit la grimace.

— Vérifié et revérifié, ajouta Duff O'Liehan.

— Et Sally Webster ?

— Apparemment, il vivait avec elle, mais on n'a rien trouvé non plus chez elle, rien qui présente quelque intérêt.

— A-t-on pu déterminer si Rodgers faisait de la politique ? Je mentionne cela à cause de son association avec une militante révolutionnaire comme Sally Webster.

— Il s'en foutait. Le fric et le cul, c'étaient là ses seuls soucis.

— Selon vous, la piste serait complètement coupée côté Rodgers pour quelqu'un qui voudrait retrouver son commanditaire ou une planque qu'il se serait aménagée ?

— Complètement. A mon avis, les quatre-vingt-quatorze filles du carnet d'adresses étaient des filles que Rodgers considérait comme des grognasses tout juste bonnes à se faire baiser et à qui pomper du fric. Un leurre, de la poudre aux yeux. C'était la raison pour laquelle il portait le carnet d'adresses sur lui au moment de l'assassinat de LoCicero. Si les choses tournaient mal, il avait là quatre-vingt-quatorze témoins prêts à assurer qu'il était un bon garçon qui n'avait pas de chance et qu'il fallait aider financièrement dans la vie, indépendamment du fait qu'il baisait comme un dieu. Les choses ont tourné mal mais pas de la façon envisagée par lui. Ce n'est pas la police qui lui est tombée sur le râble mais les tueurs de Cianfarolo. Les Sicilos n'ont toujours éprouvé que mépris pour les négros.

— L'enquête a-t-elle déterminé si Rodgers était en cheville avec un fourgue ?

— Un fourgue ? Pourquoi, grands dieux ? Rodgers n'a jamais été un casseur ! En ce qui concerne la planque dont vous parliez tout à l'heure, sûr, Rodgers devait en avoir une, mais ignorée de tous. On n'est pas parvenu à foutre la main dessus. Dommage. Le fric payé en avance pour l'exécution du « contrat » LoCicero s'y trouve peut-être. Un jour ou l'autre, il ne sera pas perdu pour tout le monde.

Johnny Coll était assailli de sombres pensées. Toutes les voies se bouchaient devant lui. Peut-être faisait-il fausse route en se concentrant par trop sur la piste Louis Rodgers ? Pourquoi ne pas essayer une autre direction ?

Il posa encore quelques questions au capitaine O'Liehan mais son impression première se confirma. Ce n'était pas au 9e commissariat qu'il allait en apprendre plus. Il remercia l'officier de police et s'en alla.

* * *

— Peter avait des amis ?

Audrey stoppa le mouvement qui amenait à ses lèvres la coupe de Taittinger. Elle baissa les yeux sur le liquide pétillant en esquissant une moue morose.

— Un seul. Je n'ai jamais compris la fascination qu'il exerçait sur Peter. Pourtant ils étaient dissemblables, et d'âge et de mœurs.

Johnny Coll découpa en deux une langoustine, l'enroba dans la sauce à l'ail et à la tomate et s'enquit :

— Qui ?

— Seymour Draper.

Il ouvrit de grands yeux étonnés.

— L'écrivain ?

— Oui.

Comme un galet il fit rouler dans sa tête la question suivante. Elle était délicate à poser. Mais nécessaire.

— Peter était homosexuel ?

— Pas du tout ! protesta avec indignation Audrey. C'est ce que j'ai voulu dire en précisant que Peter et Seymour Draper étaient dissemblables de mœurs. Quant à l'âge, Peter aurait pu être son fils.

— Seymour Draper est un très grand écrivain. Peter éprouvait peut-être à son égard l'admiration d'un confrère moins doué, cette remarque n'étant nullement péjorative en ce qui concerne le talent littéraire de ton frère.

— J'ai dit tout à l'heure que c'était de la fascination.

— Les ressorts en sont les mêmes. Ils étaient très intimes ?

— Je crois que oui.

Audrey se décida à vider sa coupe de Taittinger pendant que Johnny Coll mastiquait les morceaux de langoustine. Il posa sa fourchette, avala une gorgée de champagne et attaqua à nouveau :

— Peter n'était pas homosexuel, okay. Il était célibataire, alors parlons de ses conquêtes féminines. Des noms à me citer ?

Audrey plissa les lèvres avec dédain.

— Aucun, répondit-elle sèchement. Pour la bonne raison que Peter est resté absent des Etats-Unis plus d'une année pour se livrer à son enquête sur Balkanikoff. De toute façon, il n'entretenait pas de liaisons durables. C'était l'homme d'une nuit, à ce que j'ai toujours compris.

— Tu as rencontré quelques-unes de ses conquêtes ?

— Au saut du lit, les yeux brouillés de sommeil, dégustant les œufs brouillés du breakfast. Je serais incapable de citer un seul prénom. Mais il avait du goût. Toujours des jolies filles.

— L'intérêt de la police s'est porté dans cette direction ?

— Bien sûr. Mais le lit de la rivière était sec. Personne à se mettre sous la dent. Et le carnet d'adresses et de numéros de téléphone en cuir de Russie s'était volatilisé.

— Revenons à Seymour Draper. Il était réellement le *seul* ami de Peter ?

— Oui. Les autres étaient de simples relations. A mon avis, il devait y avoir quelque chose de trouble dans l'amitié que Seymour Draper portait à Peter. Peut-être le vague espoir qu'un jour Peter se laisse convaincre que le sexe comporte deux faces et que la seconde vaut la peine d'être explorée. Plus vieillissants sont les homosexuels, plus leur prosélytisme se fait pesant, m'a-t-on assuré.

— Tu as abordé ce sujet avec Peter ?

— Il m'a ri au nez. Sardoniquement. L'amitié de Seymour Draper, selon lui, était désintéressée.

— La police a-t-elle interrogé Seymour Draper après l'assassinat de Peter ?

— Oui. Sur mon initiative.

Johnny Coll sourit en son for intérieur. Il était flagrant qu'Audrey détestait l'écrivain à succès. En femme qu'elle était, elle avait dû éprouver des craintes en ce qui concernait les abîmes dans lesquels, soupçonnait-elle, Seymour Draper voulait entraîner son frère. Ceci ajouté au dédain qu'elle affichait à l'égard des conquêtes féminines de ce dernier supposait, peut-être, un vague sentiment incestueux de sa part, plus que probablement inconscient. Les relents de soufre se paraient parfois du voile pudique du sentiment fraternel et protecteur.

— Et qu'a donné l'interrogatoire ? poursuivit-il en remplissant de champagne les deux coupes.

— Rien. Objectivement, je ne crois pas que Seymour Draper ait fait exécuter Peter parce qu'il refusait de coucher avec lui.

Johnny Coll fronça les sourcils.

— Pourtant, objecta-t-il, ce n'est pas un mobile à écarter totalement. Ça s'est vu dans le passé !

— Ce serait contraire à ma thèse de l'espoir que j'exposais à l'instant. Seymour Draper, en faisant assassiner Peter, perdait toute chance de le voir verser dans l'homosexualité.

— Exact. En revanche, un écrivain à succès comme lui disposait des moyens financiers de se payer un tueur à gages.

Audrey demeura bouche bée.

— Je n'avais pas songé à cela, avoua-t-elle.

— Ça ne signifie pas pour autant qu'il ait fait assassiner Peter. Nous sommes en train de le couvrir de boue. Peter était meilleur juge que nous et il t'a affirmé que leur amitié était sincère et désintéressée.

— Son opinion pouvait être partiale et faussée par la fascination que Seymour Draper exerçait sur lui.

— Notre écrivain à succès était présent aux obsèques ?

— Naturellement. Son chagrin paraissait immense. Il m'a aussi adressé une très belle lettre de condoléances, très sensible, mais trop bien tournée pour ne pas sentir le professionnel de la littérature. Celle de la femme de ménage qui a découvert le corps de Peter m'a plus touchée.

— C'est le fruit de tes préjugés à l'encontre de notre estimé homme de lettres.

Johnny Coll termina rapidement son assiettée de langoustines à la sauce tomate aillée.

— Succulent, félicita-t-il.

— Il y a un *Jubilee Cherries* comme dessert, annonça-t-elle, triomphante.

Il ouvrit des yeux grandiloquents.

— Quelque chose de ta composition ? s'émerveilla-t-il.

— Pas exactement. La recette du chef d'un grand restaurant de San Francisco. De l'ice-cream avec des cerises confites flambées au Grand Marnier et au Kirsch.

*
* *

Johnny Coll lisait avec intérêt la rubrique littéraire de l'*U.S. World and News Report* consacrée à la sortie du dernier ouvrage publié par Seymour Draper.

Chant d'adieu pour les sauterelles. *Par Seymour Draper. Random House. 396 pages. 12 dollars 85.*

Le titre de cet ouvrage est suggestif, car l'auteur semble adapter ses couleurs à son élément. On peut affirmer que plusieurs Draper existent. Le premier est l'hôte assidu des interviews télévisées de la chaîne A.B.C., au cours desquelles il distille ses souvenirs et ses fantasmes. La dernière en date de ses déclarations fracassantes : « J'ai connu Sirhan et Robert Kennedy, et j'ai connu aussi Lee Harvey Oswald et John F. Kennedy ; les assassins et les victimes. Les chances qu'il existe au monde un autre individu qui ait connu ces quatre personnes à la fois sont de l'ordre d'un milliard contre un. »

Le second Draper est le merveilleux journaliste aux reportages inédits. N'est-il pas parvenu jusqu'à pénétrer dans la prison où sont détenus les assassins de Sharon Tate pour les interviewer et nous livrer l'année dernière leurs déclarations ? En rééditant ainsi son exploit d'il y a quinze ans avec son best-seller Perpétré de sang-froid.

Le troisième Draper est l'auteur du Chant d'adieu pour les sauterelles. *C'est un recueil de ses souvenirs sur Hollywood et, plus particulièrement, sur ses étoiles disparues. Clark Gable, Tyrone Power, John Wayne, Errol Flynn, Marilyn Monroe, Gary Cooper, Humphrey Bogart, Joan Crawford, et bien d'autres. Le ton en est empreint d'humanité, de tendresse, de nostalgie. Le regret ourle chaque coin de page, l'anecdote claque, sèche et pétillante, le style est toujours aussi net, précis, percutant, les portraits sont brossés par un maître florentin. Parce que les protagonistes sont tous morts, Draper a dilué son acide sulfurique coutumier dans de l'eau de source ou dans un fleuve de miel. Au choix. Il ne décoche aucun trait, aucune flèche.*

Seymour Draper vieillirait-il ?

Johnny Coll rangea l'*U.S. World and News Report* dans le compartiment à gants, examina le cadran de sa montre-bracelet et décida qu'il était l'heure d'aller au rendez-vous que lui avait fixé l'homme de lettres. Ce dernier habitait dans un immeuble cossu de Park Avenue à hauteur de la 63ᵉ Rue. Johnny Coll était en avance et avait garé sa voiture dans un parking public à six dollars l'heure, qui était situé à deux blocs de l'immeuble. Il en sortit et gagna sans hâte Park Avenue. Dans le hall veillaient des gardes privés armés de pistolets et de talkies-walkies. L'insécurité était grande à Manhattan et les immeubles de luxe des quartiers résidentiels se dotaient de moyens de surveillance exceptionnels. Johnny Coll se fit annoncer et, de derrière son comptoir, le concierge lui désigna la batterie d'ascenseurs.

— 4ᵉ étage, porte C.

Un éphèbe extraordinairement beau, aux traits asiatiques, à la veste blanche et au pantalon rouge ouvrit la porte après que Johnny Coll eut sonné. Il le fit entrer dans un salon décoré dans un style moderne agressif et tellement outrancier que les dents de Johnny Coll en grincèrent. Mais il n'eut guère le temps d'épiloguer en son for intérieur sur les goûts de l'occupant des lieux en matière artistique car, bientôt, Seymour Draper fit son apparition. C'était un homme petit et mince aux yeux perçants, à la silhouette un peu raide, affligé d'une calvitie galopante, d'une avalanche de tics sur le visage, vêtu d'une robe de chambre bordeaux à brandebourgs qui s'arrêtait à la limite des genoux pour démasquer des bas de pyjama couleur corail. Son regard inquisiteur examina attentivement le visiteur.

— Si je me fie à ce que vous m'avez dit au téléphone, attaqua-t-il soudain, je pourrais vous être utile à résoudre l'énigme de la mort de ce pauvre Peter ? Je reste néanmoins sceptique. J'ai dit à la police tout ce que je savais, c'est-à-dire bien peu.

Johnny Coll sourit avec indulgence.

— Vous n'avez pas dit à la police tout ce que vous saviez, rectifia-t-il. Vous n'avez fait que répondre aux questions qu'on vous a posées. C'est différent.

Seymour Draper hocha la tête.

— Vous insinuez que les bonnes questions ne m'ont pas été posées ?

— Possible.

L'écrivain alla s'asseoir sur le sofa bleu électrique, baissa les yeux sur ses ongles manucurés qu'il étudia avec soin tout en encourageant :

— Je vous écoute.

— Quel était le principal sujet d'intérêt de Peter avant sa mort ?

— Un synopsis qu'il avait remis à son éditeur, Wenchell Davis, celui qui vous paie pour mener cette contre-enquête.

— Il vous en a parlé ?

— Il ne parlait que de cela. Son enthousiasme était communicatif, on n'y résistait pas.

— Je viens de lire la rubrique littéraire de l'*U.S. World and News Report* qui est consacrée à la sortie de votre dernier ouvrage, *Chant d'adieu pour les sauterelles,* et l'on affirme que trois Draper existent, dont le reporter et l'écrivain. Qu'est-ce que le reporter et l'écrivain pensent du synopsis de Peter Coogan ?

— L'écrivain n'en pense rien car un synopsis n'est pas un ouvrage littéraire. En revanche, le reporter que je suis épisodiquement a chaudement félicité Peter pour le travail de bénédictin effectué avant de construire son synopsis. Il n'est pas facile d'enquêter sur des affaires vieilles de trente-cinq ans et plus. Les témoins, la plupart du temps, ont disparu, l'accès aux archives est ardu, la mémoire des gens s'est émoussée, le contexte des événements de l'époque n'est pas toujours obligatoirement présent à l'esprit du chercheur, ce qui peut conduire à fausser son jugement. Peter, apparemment, était parvenu à surmonter nombre de ces pièges.

— Disposait-il d'une nombreuse documentation ?

Seymour Draper leva les yeux de ses ongles manucurés

et fixa Johnny Coll avec une stupéfaction mêlée d'un léger dédain.

— Naturellement! Qu'est-ce que vous croyez? Ce genre de travail exige un monceau de notes manuscrites, de photocopies de documents. Des tonnes de papier! Peter en avait trois valises pleines! Quand il est revenu ici en janvier dernier, il s'est précipité chez moi absolument terrifié!

— Pourquoi?

— La douane à Kennedy Airport avait retenu ses bagages pour inspection complète.

— Pour quelles raisons?

— Une facétie stupide à laquelle Peter s'était livré auprès des douaniers. Dans un restaurant huppé de Paris, on lui avait remis à la fin de son dîner un pot en terre cuite contenant un vaste assortiment d'herbes aromatiques destinées à la cuisine, tels que thym, laurier, basilic, coriandre, sarriette, aneth ou ciboulette. Un don rituel aux clients dans ce restaurant spécialisé dans la cuisine méditerranéenne. Peter l'avait fourré dans une des valises contenant sa documentation. Arrivé à Kennedy, les douaniers le prient d'ouvrir ses bagages, tombent sur le pot et lui demandent ce qu'il contient. Peter répond : Grass (1). Il plaisantait, évidemment, en comptant sur le sens de l'humour qu'il prêtait à tort aux douaniers de Kennedy. Ceux-ci en étaient totalement dépourvus en réalité, et ont confisqué tous les bagages de Peter pour un examen complet.

Johnny Coll s'esclaffa.

— Ils les lui ont restitués?

— Au bout de trois jours. Peter était certain qu'ils avaient lu ses notes de fond en comble pour s'assurer

(1) Grass = herbe, mais, surtout dans son acceptation actuelle en anglo-américain, de la drogue (marijuana, kif ou chanvre indien). Le terme approprié pour les herbes aromatiques culinaires est : herbs.

qu'il ne s'agissait pas, en fait, d'une correspondance entre trafiquants de drogue.

— Lorsqu'il a récupéré sa documentation, qu'en a-t-il fait ?

Seymour Draper regarda Johnny Coll comme s'il avait affaire à un retardé mental.

— Il l'a rangée chez lui comme il se doit, à portée de la main. C'était son outil de travail dont il se serait servi dès que Wenchell Davis aurait accepté le synopsis et Wenchell Davis adorait le synopsis. Peter n'avait à craindre aucun ennui de ce côté-là.

— Vous étiez un ami intime de Peter, m'a assuré sa sœur. A votre avis, pourquoi a-t-il été assassiné ?

— Un meurtre sordide comme il s'en commet tant quotidiennement à Manhattan. N'oubliez pas que la police a retrouvé son assassin, un certain Rodgers. Voici ma thèse. Rodgers a tué parce qu'il avait besoin d'argent, ce qui explique le vol d'objets de valeur chez Peter. Vous me rétorquerez que ce même Rodgers a plus tard assassiné « The Swanks » LoCicero, ce qui a dû lui rapporter beaucoup d'argent. Mais ce n'est que *plus tard*. Au moment où il a tué Peter, il était vraisemblablement dans le besoin, terriblement, et ignorait alors que sous peu le « contrat » LoCicero allait lui tomber du ciel.

— Vous rejetez la thèse du meurtre commandité ?

— Qui avait intérêt à la disparition de Peter ? Je ne vois pas qui.

— Cette enquête à laquelle il s'était livré pour rédiger son synopsis ?

Seymour Draper haussa les épaules avec mépris.

— Balkanikoff est mort à Madrid en 1945. C'est une vieille histoire. C'est comme si vous me disiez que Jack l'Eventreur voudrait se venger de quelqu'un qui enquête sur ses activités passées. Je n'y croirais pas.

— La documentation afférente à Balkanikoff est la seule qui ait disparu de chez Peter.

L'homme de lettres sursauta.

— La police ne m'a rien dit de tel.

— Parce qu'elle ignorait son existence. Le temps qu'elle se mette en branle, qu'elle déploie ses forces et son enquête, Rodgers a descendu LoCicero et elle a découvert que l'arme utilisée par Rodgers était celle-là même qui avait servi à tuer Peter. L'action de la Justice était éteinte puisque l'assassin était mort et elle ne s'est pas donné la peine de rechercher le mobile du meurtre de Peter ou, plutôt, elle a déduit que le vol était le mobile, à cause des objets de valeurs disparus. Une conclusion hâtive, à mon avis. Sur deux points. D'abord, le mobile, ensuite l'identité de l'assassin. Ce n'est pas parce que l'on détient l'arme d'un crime que l'on est forcément l'auteur de ce même crime. Je reconnais bien volontiers que le New York City Police Department est débordé, ce qui explique que l'on ne remue pas la vase lorsque l'eau paraît limpide, mais Wenchell Davis me paie justement afin d'aller plus loin.

Les tics ravageaient le visage de Seymour Draper.

— Hélas! s'exclama-t-il d'une voix éplorée. Je ne peux guère vous aider dans votre tâche! Je ne sais rien d'autre!

— Quand avez-vous vu Peter pour la dernière fois avant sa mort?

— La veille.

— Paraissait-il soucieux? Vous a-t-il fait part de craintes quelconques?

— Non.

— De menaces, de chantage?

— Absolument pas. Il était enthousiaste comme à son habitude, parlait de louer une maison calme et paisible à Key West pour y rédiger son ouvrage dès que Wenchell Davis lui donnerait le feu vert.

— Avait-il déjà déniché cette maison calme et paisible?

— Pas encore.

— Avez-vous personnellement jeté un coup d'œil à cette fameuse documentation ayant trait à l'enquête dans le passé menée sur Balkanikoff ?

Seymour Draper secoua la tête.

— Non. Peter et moi ainsi que quelques autres amis nous rencontrions plutôt chez moi que chez lui. Je ne me souviens pas d'avoir mis les pieds à son domicile depuis au moins deux ans.

Johnny Coll se leva.

— Je vous remercie. Peut-être aurais-je un jour besoin d'autres précisions. Puis-je vous contacter à nouveau ?

— Tout ce qui peut conduire à élucider la mort de Peter ne peut que m'agréer, Mr. Coll. C'était un ami très cher dont le souvenir me hantera toujours. Si vous estimez que le crime n'est pas aussi simple qu'il paraît à première vue, n'hésitez pas, foncez et découvrez la vérité !

*
* *

L'officier des douanes à Kennedy Airport paraissait tout droit sorti du manuel pour douaniers stagiaires. En le voyant on se demandait s'il n'allait pas exiger la facture de la montre suisse que vous portiez au poignet. C'est ainsi que réagit Johnny Coll en pénétrant dans le bureau et en découvrant le gros homme à la chemise bleu ciel frappée de l'écusson à hauteur de l'épaule. Le personnage respirait la méfiance et la suspicion. A la lisière de son bureau, entre deux piles de papiers, une plaque dorée indiquait en lettres noires : Superintendant James R. Redfield. Un peu à contrecœur il se leva et tendit la main à Johnny Coll.

— Asseyez-vous, invita-t-il d'une voix qui avait tendance à déraper vers les aigus. Le chef des détectives

Juan Valladolid a insisté pour que je vous reçoive. Okay, que puis-je faire pour vous ?

Johnny lui relata l'incident des bagages de Peter Coogan au mois de janvier précédent. Le récit arracha un sourire au chef douanier.

— Je m'en souviens, admit-il en se détendant quelque peu. C'est le genre de choses que l'on n'oublie pas et qui font partie des histoires que l'on raconte aux bleus. C'est moi en compagnie de deux de mes adjoints qui ai fouillé les valises, pièce par pièce.

— Vous avez lu les documents ?

— Naturellement. Tommy, c'est l'un des deux adjoints qui étaient avec moi, était persuadé que ce tas de papiers était codé. Il croyait à une correspondance entre trafiquants de drogue. En réalité, ce Peter Coogan était un plaisantin qui voulait rire à nos dépens. Mal lui en a pris. On a foutu le bordel dans ses papiers. Ça a dû lui prendre des semaines pour les remettre en ordre. La Douane des Etats-Unis n'aime pas qu'on se moque d'elle.

— La plaisanterie était bien innocente.

— Peu importe. La seule chose que l'on demande aux gens à leur arrivée ici, c'est de nous dire s'ils ont quelque chose à déclarer. Pas à nous sortir des conneries de jeux de mots. Pour cela nous avons des cracks professionnels à la télé.

— Vous vous souvenez de ce que vous avez lu ?

Redfield se gratta le derrière de l'oreille.

— Ça, je reconnais que c'était plutôt intéressant. On se repassait les feuillets, Tommy, Earl et moi. L'histoire de ce juif qui avait trahi ses frères et qui avait amassé une fortune immense. Je suis sûr que ça ferait un chouette film, d'autant qu'il se faisait descendre à la fin.

— Vous revient-il à l'esprit certains détails qui pourraient faire supposer que celui qui avait rédigé ces notes courait un danger quelconque, certaines remarques marginales, par exemple ?

L'œil du chef douanier se fit incertain.

— Je ne me souviens pas mais je ne crois pas. Ça ressemblait à du travail d'historien, c'est tout.

Johnny Coll hocha la tête avec compréhension.

— Pourrais-je rencontrer Tommy et Earl ?

CHAPITRE V

Les steaks sortis du barbecue étaient tendres et saignants à souhait. Le vin pour les accompagner était un bourgogne rouge de Californie, un Paul Masson grand cru.

— Amusant, commenta Wenchell Davis pour l'édification d'Audrey Coogan et de Johnny Coll, comme les Américains se sont découvert une folle passion pour le vin depuis quelques années, alors que cette boisson, auparavant, était méprisée et réservée aux alcooliques désargentés.

— Les viticulteurs californiens ont su matraquer l'opinion publique par le biais de la publicité, offrit Audrey.

— A cela, renchérit l'éditeur, il faut ajouter un certain snobisme pour tout ce qui est européen. L'Europe est même parvenue à importer chez nous son football. Pourtant le nôtre paraissait être une forteresse bien gardée.

— Il l'est encore, assura Johnny Coll, et n'est pas près d'être détrôné.

Tous les trois mangèrent en silence jusqu'à ce que leurs steaks soient terminés. A nouveau Wenchell Davis emplit les verres de bourgogne de Californie et, d'un ton négligent, demanda :

— Vous avez enregistré quelques progrès, Mr. Coll ?

Ce dernier fit un récit complet de ses activités en omettant cependant de mentionner les liens qui s'étaient tissés entre lui et Audrey.

L'éditeur arborait une mine déçue.

— Où cela nous mène-t-il ?

— Plusieurs thèses s'opposent, expliqua Johnny Coll. Celle du crime crapuleux soutenue par Seymour Draper, l'ami intime de Peter, et par le New York City Police Department. Audrey et vous croyez au meurtre commandité en partant de la théorie que Rodgers était un tueur à gages appointé plus tard pour assassiner LoCicero, et que son arme avait servi également à tuer Peter, ceci à condition que ce soit bien lui qui l'ait utilisée la première fois, ce qui n'est pas prouvé. Dans ce cas, qui a commandité le meurtre ? A première vue, on pourrait logiquement imaginer que c'est Joey Cianfarolo dit le Dingue, l'instigateur présumé de l'assassinat de LoCicero. Mais pour quelles raisons ? Rien ne liait Peter à ce *capo mafioso*. Les activités de la Mafia n'intéressaient pas Peter et il n'envisageait pas d'écrire sur elle. Par ailleurs, il avait été éloigné des Etats-Unis depuis plus d'une année et son retour était récent. Il n'avait guère eu le temps d'indisposer quelqu'un à son égard. C'est cela, le facteur temps, qui me fait penser que si quelqu'un a téléguidé sa mort, c'est à cause de quelque chose qui s'est passé en dehors des Etats-Unis et, tout naturellement, vient à l'esprit l'enquête qu'il a menée sur Balkanikoff.

— Mais c'est du passé ! se récria Audrey. Ce Balkanikoff est mort en 1945 !

Johnny Coll leva les bras en signe de désespoir.

— Je le sais bien, concéda-t-il, mais quoi d'autre se mettre sous la dent ?

Wenchell Davis le fixait, l'œil grave.

— D'emblée vous excluez Joey Cianfarolo ? fit-il d'un ton sévère.

Johnny Coll vida son verre de bourgogne de Californie.

— Oui, répondit-il. Je ne crois pas que ce soit lui le commanditaire, mais même si je me trompe, c'est cuit à l'avance.

Wenchell Davis fronça les sourcils.

— Pourquoi ?

— Réfléchissez, bon Dieu ! s'échauffa Johnny Coll. Vous me voyez sollicitant de Joey le Dingue des éclaircissements sur la mort de Peter ? Il est probable qu'il m'accorderait une interview. Tout miel, tout sucre. « Comment ? Moi, Joey Cianfarolo, responsable de la mort d'un éminent écrivain ? Ça va pas, non ? C'est à cause de mon nom à consonance italienne que vous me soupçonnez ? Comme si ce n'était pas suffisant que l'on m'accuse de l'assassinat de mon bon ami « The Swanks » LoCicero que j'adorais comme un frère ! Enfin il est heureux, lui ! Il est près de Dieu le Père, tandis que moi je souffre de la calomnie dans cette Vallée de Larmes, alors que je suis un bon citoyen qui travaille honnêtement dans l'importation d'huile d'olive en provenance de Sicile ! Et si mon casier judiciaire n'est pas vierge, c'est à cause de quelques peccadilles fortement exagérées par des gens qui me veulent du mal parce que je suis d'origine italienne ! C'est dur d'être catholique et italien aux Etats-Unis, croyez-moi ! Regardez ce qu'ils ont fait à Kennedy parce qu'il était catholique ! Une conspiration, Mr. Coll ! Si ça continue, je vais retourner au Vieux Pays ! »

Audrey et Wenchell Davis esquissaient un vague sourire amusé.

— Et on ne tirera rien de Joey Cianfarolo, conclut-il. Imaginez-vous qu'il puisse s'incriminer lui-même ? Passons maintenant aux preuves qui pourraient être réunies contre lui. Quelles preuves puisque Rodgers est mort ? Les preuves n'existent pas. Demeure le mobile.

Wenchell Davis triompha :

— Le mobile, justement ! Vous l'éliminez d'emblée en

éliminant Joey Cianfarolo! Voyons, reprenons ce que vous avez dit tout à l'heure : « le fait d'être en possession de l'arme d'un crime ne prouve pas forcément que l'on est l'auteur de ce crime », d'accord ?

— D'accord.

— Imaginons le scénario suivant : Rodgers n'est pas l'assassin de Peter mais Cianfarolo lui fournit l'arme pour tuer LoCicero et cette arme est celle utilisée pour assassiner Peter. LoCicero une fois exécuté, Cianfarolo fait abattre Rodgers sur place. Il a d'une pierre fait deux coups. Comme disent les truands, Rodgers porte le chapeau pour les deux assassinats mais il n'en reste pas moins que c'est Cianfarolo l'instigateur des deux.

— Encore une fois, qu'est-ce qui reliait Peter à Cianfarolo ?

— A vous de le découvrir, mon cher, vous êtes payé pour cela.

Johnny Coll n'était pas du tout convaincu. Il avait déjà soupesé dans son esprit la thèse que l'éditeur venait de lui exposer. De ce côté-là, Wenchell Davis ne lui avait rien appris de nouveau. Certes, la thèse était séduisante mais, tout simplement, il n'y croyait pas et, surtout, il savait pertinemment que si le *capo mafioso* était le vrai responsable du crime, la piste pour remonter jusqu'à lui était déjà déblayée.

Wenchell Davis lui remplissait à nouveau son verre. Il but et soudainement une pensée lui traversa l'esprit. Immédiatement il se reprocha vertement de n'y avoir pas songé plus tôt. Pourtant, c'était lumineux !

Il se leva d'un bond.

— Je peux utiliser votre téléphone ?

Audrey et Wenchell Davis le regardaient, surpris.

— Naturellement, acquiesça ce dernier.

Johnny Coll demanda aux renseignements le numéro de téléphone du 9ᵉ commissariat dans la 5ᵉ Rue Est. Lorsqu'il l'obtint, il le composa et demanda à parler au capitaine Duff O'Liehan. Naturellement, en raison de l'heure tardive, l'officier de police était absent. Néanmoins, sans trop rechigner et parce que Johnny Coll déclara qu'il avait des tuyaux importants à fournir au capitaine et à lui seul, on lui communiqua le numéro de téléphone personnel. Cette fois, ce fut l'épouse qui décrocha et d'un ton peu aimable l'avertit qu'il lui faudrait attendre plusieurs minutes que son mari sorte de sous sa douche. Johnny Coll patienta, aidé par le verre de bourgogne de Californie qu'Audrey venait de déposer sur le guéridon.

— Ouais ? grommela enfin l'Irlandais à l'autre bout du fil.

Johnny Coll commença par se confondre en excuses un peu mielleuses afin d'amadouer l'adversaire. Il savait par expérience que les flics détestaient être dérangés chez eux, urgence ou pas urgence. Son père n'avait pas fait exception à la règle.

— Bon sang, grogna O'Liehan, les privés ne se reposent jamais ? Où vous croyez-vous ? Dans un roman de Chandler ?

— Une question cruciale que nous n'avons pas abordée, capitaine, éluda Johnny Coll de son ton le plus aimable. L'arme de Rodgers a-t-elle servi à d'autres meurtres que ceux de Coogan et de LoCicero ?

— Quatre autres, selon les vérifications balistiques du F.B.I., mais en dehors de notre juridiction et même en dehors de l'Etat. L'arme avait servi six fois, ce qui nous a fait conclure que Rodgers était un tueur à gages.

— Vous avez des détails sur ces quatre autres meurtres ?

— Sommaires.

— Mais encore ? Dans quels Etats ?

— Illinois, Pennsylvanie, Louisiane et Wisconsin. Respectivement, Chicago, Pittsburgh, Shreveport et Milwaukee.

— Les victimes ?

— Réparties équitablement, pas de guerre des sexes, deux hommes, deux femmes. Ne m'en demandez pas plus, c'est tout ce que je sais, j'ignore la personnalité des victimes. La juridiction du 9e commissariat me suffit sans que j'aie à aller m'occuper des meurtres commis à Chicago, à Pittsburgh, à Shreveport et à Milwaukee ! Et une autre fois choisissez une heure décente pour m'appeler !

A l'autre bout du fil O'Liehan raccrocha bruyamment. Johnny Coll reposa le combiné avec satisfaction et, immédiatement, fit part à Audrey et à l'éditeur de sa conversation téléphonique avec l'officier de police. Dès qu'il eut terminé Wenchell Davis avança :

— Où ça nous mène ?

— Nous avons quasiment la preuve que Rodgers était un tueur à gages un peu négligent, avec des réflexes d'amateur. Il conservait par devers lui l'arme qui lui avait précédemment servi. Ce ne peut être Cianfarolo qui lui a remis le pistolet. Trop dangereux et hors des habitudes des gens de la Mafia ! Ils frappent et s'empressent aussitôt de se débarrasser de l'arme susceptible plus tard de les incriminer. Rodgers, parce que c'était un Noir, ne possédait pas les réflexes siciliens. C'est dans la nature des Noirs d'être insouciant et un peu superstitieux. Lui conservait son arme. Il y attachait peut-être une sorte d'amour fétichiste. Ceci dit, Mr. Davis, vous êtes le client. Si vous estimez qu'il existe un lien entre la mort de Peter d'une part et, d'autre part, Joey Cianfarolo et les quatre meurtres de Chicago, de Pittsburgh, de Shreveport et de Milwaukee, je me lance immédiatement sur cette piste.

— Mais sans y croire ?

— Sans y croire.

— Vous estimez que la mort de Peter a quelque chose à voir avec l'enquête sur Balkanikoff ?

— Je pencherais plutôt pour cette hypothèse. Savez-vous quelle est l'origine de l'intérêt porté par Peter à cette affaire ? Est-ce par hasard ? En lisant un ouvrage historique, une coupure de presse ? Peter était trop jeune pour avoir connu la période de la Deuxième Guerre mondiale. Il s'y est donc intéressé par un biais quelconque.

Wenchell Davis fit un effort de réflexion.

— Pour autant que je me souvienne, répondit-il enfin, c'est au cours d'une conversation avec quelqu'un rencontré à Madrid que l'idée a germé.

— Vous connaissez l'identité de cette personne ?

— Non.

Johnny Coll se tourna vers la jeune femme :

— Audrey ?

Elle secoua la tête.

— Je n'ai aucun renseignement à ce sujet, ni sur la genèse de l'idée ni sur l'identité de cette personne.

Wenchell Davis reprit la parole :

— Un jour, Peter est parti pour l'Europe avec sa machine à écrire, des blocs de papier et ses crayons. Il a réapparu plus d'un an plus tard avec son synopsis. Je n'en sais pas plus.

— Avec le synopsis et une tonne de documentation, fit remarquer Johnny Coll. Or, justement, cette documentation a disparu de chez lui en même temps que les objets de valeur. Si Rodgers était le cambrioleur doublé d'un assassin assoiffé d'argent que vous supposez qu'il était, pourquoi diable irait-il s'encombrer de papiers qui ne représentent aucun intérêt pour lui, et pourquoi uniquement ceux-là ?

Wenchell Davis allumait un gros cigare et en tirait des bouffées voluptueuses. La fumée qui l'enveloppait ouatait les rides creusées sur son front par la réflexion.

— Vous en tenez donc pour l'hypothèse Balkanikoff, remarqua-t-il enfin.

— Oui.

— Mais ce traître est mort depuis trente-cinq ans ! protesta-t-il.

— Au cours de son enquête, Peter est peut-être tombé sur quelque chose d'autre ? Quand on remue un passé sordide, la fange remonte à la surface.

L'éditeur abdiqua :

— D'accord. Faites comme bon vous semble. Comment allez-vous opérer ?

— Vous m'avez fourni des photocopies de synopsis, ce qui déblaie considérablement le terrain en ce qui concerne la personnalité et les activités de Balkanikoff. Je n'ai donc pas à me livrer à une enquête serrée sur le personnage comme Peter l'a fait. Il reste néanmoins quelques points à éclaircir.

— Lesquels ?

— Dans son synopsis, Peter met l'accent sur le fait que la fabuleuse fortune de Balkanikoff n'a jamais été retrouvée et il suppose qu'elle a été récupérée ou par des nazis ou par des gangs français. Intéressant, non ? Ne serait-ce pas là un point de départ non négligeable ?

— En trente-cinq ans, une fortune même fabuleuse se dilapide vite si l'on n'y prend pas garde, objecta Wenchell Davis. Et si elle demeure intacte, il est difficile d'en retrouver la trace.

Les contres systématiques de l'éditeur commençaient à agacer quelque peu Johnny Coll. Il lui lança :

— Vous avez des « nègres » dans votre écurie d'écrivains ?

— Quelques-uns, pourquoi ?

— Et si je vous fournissais de la matière pour faire écrire par quelqu'un d'autre un ouvrage basé sur le synopsis rédigé par Peter ? La documentation a disparu mais je peux en réunir une partie. Audrey et vous y trouverez votre compte. L'ouvrage n'aura peut-être pas la patte de Peter, mais un bon nègre devrait en tirer le meilleur parti possible.

Un sourire ravi fleurit sur les lèvres de l'éditeur.

— Pas idiot, concéda-t-il. Je suis même prêt à me montrer généreux. Droits d'auteur à partager en quatre, moi, vous, le nègre et Audrey héritière de Peter.

— Les premiers pas d'un détective privé dans la littérature, railla amicalement Audrey.

Johnny Coll lui décocha un clin d'œil de connivence et s'adressa à l'éditeur :

— J'aurai besoin d'une attestation de votre part certifiant que je travaille pour le compte de votre maison et que j'effectue des travaux de recherche. Une attestation en anglais, en français et en espagnol. Pour la plupart, les bibliothèques nationales n'ouvrent leurs portes et leurs archives qu'aux étudiants, aux professionnels de la littérature et aux chercheurs, pas au simple public qui voudrait consulter des ouvrages anciens.

— Vous l'aurez, assura Wenchell Davis.

CHAPITRE VI

L'atmosphère était silencieuse, entièrement vouée à la lecture. Les gens autour de Johnny Coll étaient plutôt jeunes, dans une tranche d'âge évoluant entre vingt et trente ans. Les femmes étaient plus nombreuses que les hommes. Chez ces derniers, la barbe et les cheveux longs dominaient et, chez tous, la paire de lunettes. L'éclairage dans cette salle de la prestigieuse Bibliothèque Nationale de la rue de Richelieu à Paris était chiche et jaunâtre mais nécessaire à cause de la situation de l'endroit et du temps gris sombre et maussade qui régnait sur la capitale française. Le bois des tables était poli par des milliers de coudes et l'usure des frottements, et parfois éraflé par un ongle ou taché par une fuite de stylo. Ici le recueillement était de rigueur et même le bruit de la circulation dans la rue de Richelieu n'osait interférer avec la concentration qui emprisonnait les cerveaux. Le regard de Johnny Coll capta le geste d'une fille en jean qui collait son chewing-gum sous le plateau de la table derrière laquelle elle était assise. Elle tourna la tête, le fixa, rougit et, prestement, retira la boule de gomme qu'elle appliqua au dos d'un cahier déjà copieusement rempli de notes manuscrites.

Johnny Coll hocha la tête, amusé, et se replongea dans

la lecture de l'ouvrage qu'il avait déniché après mille recherches dans le catalogue de la bibliothèque.

En Espagne, Balkanikoff eut une étrange fin. Tous ses biens français étaient sous séquestre ; mais comme on ne pouvait les vendre en son absence, les services de contre-espionnage avaient envoyé à Madrid une équipe de six agents pour le ramener. Ils devaient opérer à l'insu des autorités espagnoles, qui cherchaient à empêcher les règlements de comptes, surtout quand il s'agissait de comptes en banque. On sut que Balkanikoff cherchait un appartement. On lui fixa rendez-vous dans une villa de la banlieue de Madrid. On l'attendait dans le couloir : il fut cravaté et on le piqua pour l'endormir, afin de le mettre dans le coffre d'une voiture et de franchir ainsi la frontière. Avait-il le cœur fragile ? La piqûre fut-elle mal faite ou trop forte ? Il mourut entre les bras de ces Français, comme si c'étaient des disciples du docteur Petiot. Ils véhiculèrent le cadavre dans un lieu désert et, après l'avoir arrosé d'essence, y mirent le feu. Ses restes ne furent pas moins identifiés par la belle Hilda. Les Espagnols emprisonnèrent trois des agents du commando, les trois autres s'étaient réfugiés à l'ambassade de France.

Johnny Coll attira à lui son bloc-notes et son crayon à bille. Il commençait à avoir une assez bonne idée des diverses catégories de gens qui s'étaient intéressés soit à la personne de Balkanikoff, soit à son butin. Sur la première page du bloc il traça :

1) Truands français ayant appartenu à la Gestapo française de la rue Lauriston durant l'occupation allemande et ayant réussi à s'enfuir en Espagne à la Libération de la France. Ex-bande Bonny-Lafont. Dont deux gangsters célèbres : Pierrot-le-Fou et Georges Boucheseiche mêlé plus tard à l'enlèvement du leader progressiste

marocain Ben Barka pour le compte des Services Spéciaux du Maroc.

2) Truands français ayant opté pour la Résistance durant l'occupation allemande. Membres les plus éminents : les trois frères Quadracini de Marseille.

3) Robert Clément. Commissaire à la Direction de la Surveillance du Territoire en 1945. Envoyé en Espagne pour traquer les collaborateurs français qui s'y étaient réfugiés. Soupçonné d'avoir surtout traqué les plus fortunés dont Balkanikoff. Des années plus tard, Clément devait abandonner la police et verser dans le banditisme. Dans un premier temps il travailla justement pour les trois frères Quadracini à Marseille, puis devint leur rival en s'associant avec le Milieu parisien. Les Marseillais le firent abattre près de Marignane le 5 février 1965.

4) Les agents de la D.G.E.R. du colonel Passy, les Services Spéciaux français de l'époque, prédécesseurs du S.D.E.C.E. qui traquaient, parallèlement à la Direction de la Surveillance du Territoire, les Français ayant collaboré avec l'ennemi.

5) Les S.S. réfugiés en Espagne.

A ce sujet, Johnny Coll se reporta à un autre passage de l'ouvrage qu'il venait de consulter. On y lisait :

... Un autre mystère entoure le départ de Balkanikoff en Espagne. On a dit avec des arguments qui méritent considération que les bijoux, l'or et les pierres précieuses qu'il avait transportés en Espagne ne lui appartenaient pas ou, du moins, que sa propre part était bien faible comparée à celle de ceux qui le téléguidaient. Ces derniers étant les services allemands qui durant quatre ans avaient mis la France au pillage. Balkanikoff aurait donc été une couverture dont la mission en Espagne consistait à mettre en sécurité dans un pays neutre le butin accumulé de 1940 à 1944, puisque la défaite allemande était alors consommée.

Ce trésor était destiné à assurer la survie des dignitaires nazis et de leurs sbires en exil.

A l'appui de cette thèse : la découverte de la C.I.A. dans l'après-guerre d'environ quinze cents sociétés commerciales créées avec des fonds nazis et disséminées dans le monde avec une prédominance en Syrie, au Liban, en Amérique du Sud, à Hong-Kong, à Singapour et même aux Etats-Unis, au Canada et en Australie.

Balkanikoff n'aurait-il pas été l'une de ces courroies de transmission des fruits du pillage de la France ?

Johnny Coll consulta sa montre-bracelet. Il était temps d'aller déjeuner, décida-t-il. Il reporta l'ouvrage et sortit de la Bibliothèque Nationale un peu avant midi afin d'éviter de ne trouver aucune table libre dans un restaurant après la ruée du déjeuner. Il choisit un petit bistrot dans la rue Chabanais et se contenta du menu et d'un quart de vin rouge. Pendant tout le repas, Balkanikoff occupa son esprit. Un détail l'intriguait. En juin 1944, Balkanikoff avait franchi la frontière espagnole en compagnie de son épouse Hilda, une Allemande dont on ne disait pas si elle était juive ou non. Et, après la mort du traître, on ne parlait plus d'elle. Qu'était-elle devenue ? Dans son synopsis, Peter Coogan n'avait pas abordé la question. Hilda avait-elle été exécutée elle aussi ? Plus tard, par exemple ? Mais pourquoi le voile du silence s'était-il refermé sur elle ? Ou bien était-elle restée vivante et détenait-elle partie ou totalité de la fortune si odieusement amassée ? Ou encore était-elle restée en vie mais complètement démunie parce qu'on avait dépouillé son mari du butin amené de France ? Etait-elle morte dans la misère ?

Par ailleurs, qu'étaient devenus les protagonistes de l'affaire si l'on exceptait Robert Clément assassiné quinze ans plus tôt ? Les frères Quadracini, par exemple ?

Il acheva son déjeuner, s'attarda sur une succession de

cafés et, vers quatorze heures, sortit du restaurant pour aller prendre un autobus dans la rue du Quatre-Septembre qui le mena rue Réaumur à deux pas de l'immeuble de *France-Soir*. Son bagou, son accent américain et l'attestation signée par Wenchell Davis lui ouvrirent les portes de la section « archives » du journal. Deux heures plus tard il connaissait par cœur le sort qui avait été réservé aux trois frères Quadracini de Marseille. Le premier, Dominique, avait été abattu à coups de Colt .45 par deux motards alors qu'il faisait le plein d'essence à une station Total à Mazargues. Trois mois après la mort de Robert Clément. Le second, Nonce, avait été scié en deux par une rafale de mitraillette alors qu'il présidait aux destinées de son cabaret de luxe, le *Bosphore*, en plein cœur de Marseille, et quatre ans après la mort de son aîné. Le dernier, Justin, se mourait d'un cancer à la gorge à la centrale pénitentiaire de Poissy.

Johnny Coll doutait fortement que le dernier des Quadracini ait quelque chose à voir avec la mort de Peter Coogan. En revanche, d'autres questions affluaient à son esprit. Entre quelles mains était passé le butin de Balkanikoff ? Ceux qui s'en étaient emparés étaient-ils ceux-là mêmes qui plus tard avaient fait assassiner Peter Coogan parce que, sans qu'il s'en rende réellement compte, sinon il l'aurait mentionné dans son synopsis, il était tombé sur un lourd secret et sur des sources de fortune douteuses aux origines inavouables ? Peter Coogan avait-il pioché dans cette direction ? Dans l'affirmative, c'était évidemment un sujet dangereux, de la dynamite à l'état pur susceptible de transformer l'enquête de l'écrivain en détonateur.

Comment savoir ?

Des tas de gens en dehors de Robert Clément et des frères Quadracini avaient pu mettre la main sur le butin. Des truands français de la Gestapo française, ceux qui plus tard avaient financé la *French Connection* à partir du Brésil ? Des truands français ayant au contraire opté pour la Résistance ? Des agents de la D.G.E.R. ? Des S.S. ?

Ou bien Hilda était-elle tout simplement parvenue à le conserver pour elle seule ?

Il soupira. Sa tâche dans la section des archives de *France-Soir* n'était pas terminée. Sur son bloc-notes il avait deux noms de truands français ayant appartenu à la Gestapo de la rue Lauriston. Qu'étaient-ils devenus, ceux-là ? Il fouilla encore à la rubrique patronymique. La première fiche était volumineuse. Elle concernait Pierrot-le-Fou. Mort en novembre 1946. Il s'empressa de replacer la fiche dans son logement avant de s'emparer de celle concernant Georges Boucheseiche. Les renseignements les plus récents dataient de quinze ans. Le truand avait été impliqué dans l'enlèvement en octobre 1965 du leader progressiste marocain Ben Barka et avait pris l'avion pour Casablanca le premier novembre. L'année suivante il était condamné aux travaux forcés à perpétuité par contumace pour sa participation à cette affaire. Plus tard, on avait signalé sa trace en Europe, en Afrique et surtout au Maroc, mais on croyait généralement qu'il avait été liquidé par les Services Spéciaux marocains comme ses complices.

Exit Georges Boucheseiche, comme Pierrot-le-Fou, pensa Johnny Coll en remettant cette seconde fiche en place. A moins que ce soit lui le détenteur du butin Balkanikoff, qu'il soit toujours vivant et que Peter Coogan ait découvert sa retraite ? s'interrogea-t-il quand même. Oui, mais même si c'était le cas, pourquoi l'ex-gestapiste l'aurait-il fait assassiner ? Que risquait-il ? La condamnation aux travaux forcés à perpétuité n'avait de valeur que pour autant qu'il remette les pieds en France pour purger la contumace. Tant qu'il restait à l'étranger, il était sauf. A moins, bien sûr, que sa retraite soit en France mais, en tel cas, il avait toujours la ressource de fuir à nouveau à l'étranger. Mais le souhaitait-il ?

Johnny Coll grimaça. L'ampleur de la tâche qui lui était dévolue était incommensurable. Il existait tant de filières à remonter. Il ne pouvait compter vraiment que sur sa chance et son flair.

Il abandonna la section des archives du journal et ressortit dans la rue, une des plus animées de Paris. Il dépassa l'alignée de la rue Saint-Denis le long de laquelle s'écoulait le flot continu des badauds ou des amateurs d'étreintes tarifées, et se réfugia dans une immense brasserie anonyme du boulevard Sébastopol. Il opta pour un demi de bière et se prit à réfléchir. Avec une rare intensité son esprit se laissait emporter par la conviction que c'était uniquement sa chance et son flair qui lui permettraient de progresser dans sa contre-enquête, sans pour autant tout de même lui garantir le succès final. Dans le passé, flair et chance avaient été ses deux alliés et son optimisme naturel lui assurait que selon toute probabilité ils seraient cette fois encore dans son camp. Il ne se faisait aucune illusion. Il aurait fortement besoin des deux car la tâche s'annonçait ardue. En outre, il ne savait même pas si, dans le fond, il suivait la bonne piste. Et si c'était Wenchell Davis qui avait raison ?

Il se reprit. La pire des choses à faire était de se laisser envahir par le doute ou par le pessimisme.

La fille qu'il avait remarquée la veille en train de coller son chewing-gum au plateau de sa table était à la même place. Imperturbablement elle mastiquait sa boule de gomme, penchée sur un manuscrit ancien bariolé d'enluminures. Le regard de Johnny Coll l'abandonna et plongea dans l'ouvrage qu'il consultait. Il avait trait à la fuite des nazis en 1945. Un passage avait retenu l'attention de Johnny Coll. En lisant le synopsis de Peter Coogan, il avait été frappé par l'énorme paradoxe que constituait la collaboration du juif Balkanikoff avec les Allemands occupant la France, et sa trahison à l'égard de ses frères de race persécutés. Etait-ce un cas individuel ? Mais voilà que, de l'ouvrage qu'il parcourait, d'autres exemples du même ordre surgissaient :

... en octobre 1944, le docteur Mengele fit libérer du camp d'Auschwitz sa jeune maîtresse juive, Wilma. Il l'envoya à Varsovie préparer sa fuite. Wilma ne mit guère de temps à faire jouer ses relations au sein de la pègre juive collaboratrice de la capitale polonaise. Son cousin Hil Tauber était le roi du marché noir et son propre frère avait été le chef du « service d'ordre » collaborateur du ghetto. Ce fut donc sans difficulté qu'elle obtint de faux papiers pour Mengele et pour elle-même, faux papiers qui devaient puissamment aider leur fuite en Espagne en 1946...

Johnny Coll abandonna ce passage attristant pour passer à celui qui avait trait aux activités des réfugiés S.S. en Espagne. Dans leur immense majorité, ils étaient arrivés dans ce pays après la mort de Balkanikoff survenue en juin 1945. Auparavant, ils avaient cheminé à travers l'Autriche et l'Italie du Nord, de couvent en couvent, et, pour la plupart, s'étaient embarqués à Gênes clandestinement sur des cargos espagnols, portugais ou panaméens. Ceux qui se trouvaient à Madrid durant l'année qu'y avaient passée Balkanikoff et son épouse étaient en réalité des agents placés là dès l'été 1944, c'est-à-dire dix mois avant la chute définitive du IIIe Reich. Ils appartenaient quasiment tous au *Sicherheitsdienst* et leurs missions étaient variées : espionnage, préparation de bases de repli en cas de défaite de leur pays, contacts avec l'Amérique du Sud et ses consulats, annihilation des agents alliés, investissements financiers. Plus tard, tous avaient émigré au Brésil, en Argentine, au Chili, en Bolivie et au Paraguay.

Là encore, une multitude de noms cités. Comment savoir ? Apparemment, Peter Coogan, si l'on se fiait à ce qui était écrit dans le synopsis, n'avait pas poussé les choses trop loin dans ce domaine, sans doute découragé par l'ampleur de la tâche ou parce que cette orientation n'intéressait pas directement l'affaire Balkanikoff. En tout cas, se souvenant de sa promesse à Wenchell Davis de lui fournir de la documentation, Johnny Coll prenait une foule de notes comme il l'avait fait précédemment à la Bibliothèque Nationale et à la section « archives » du journal *France-Soir*.

Lorsque l'heure de la fermeture arriva, il restitua les ouvrages empruntés et suivit jusque dans la rue la foule des consultants mêlée à celle des employés de la Bibliothèque qui se déversait dans la rue de Richelieu. Il prit un taxi et se fit conduire à son hôtel, le *Concorde-Lafayette*. Une fois dans sa chambre, il fouilla dans l'une de ses valises et en sortit la bouteille de Kentucky Tavern achetée à la *duty-free shop* de Kennedy Airport. Il se versa une large rasade de bourbon, s'assit dans un fauteuil et médita.

Un point l'intriguait de plus en plus : quel avait été le sort de Hilda après la mort de son mari ?

La meilleure façon de tenter de le découvrir était encore de se rendre à Madrid. Peter Coogan y avait séjourné au cours de sa longue enquête qui avait duré plus d'un an. Il était vrai, se souvint-il, que l'écrivain avait probablement consacré la plus grande partie de cette année à effectuer des recherches sur la vie qui avait été celle de Balkanikoff avant son départ définitif pour l'Espagne. Cette période n'intéressait pas Johnny Coll. Il était persuadé que tout s'était noué à Madrid avec la mort du traître.

Il vida son verre et appela l'opératrice de l'hôtel après avoir consulté sa montre-bracelet. Avec le décalage horaire, il était quatorze heures à New York. Il fournit le

numéro de téléphone de Wenchell Davis et obtint très
vite la communication. A l'éditeur il fit part de ses
intentions. L'autre maugréait au bout du fil :

— J'ai comme l'impression depuis notre dernière
entrevue que vous allez vous retrouver dans une impasse.

Johnny Coll coupa court. L'esprit de contradiction de
son client l'agaçait. Il acheva la courte conversation en
lui fournissant l'adresse de l'hôtel où il pourrait le
joindre à Madrid. Il raccrocha et rappela peu après la
standardiste pour lui communiquer le numéro d'Audrey.
La jeune femme se montra plus chaleureuse que l'éditeur.

— Qu'as-tu déniché à Paris ? s'informa-t-elle.

— J'ai surtout coupé des branches pourries, c'est-à-
dire éliminé les pistes de ceux qui ne pouvaient avoir fait
le coup parce qu'ils étaient morts depuis trop longtemps.

— Et ce que tu as conservé après élimination te mène
à Madrid ? poursuivit-elle.

— Je vais y rechercher la veuve de Balkanikoff. Souviens-toi, ton frère n'en parlait pas dans le synopsis.
Qu'est-elle devenue ?

— S'il n'en parlait pas, objecta-t-elle avec logique,
c'est qu'il ignorait ce qu'elle est devenue. Si l'on admet
ton hypothèse qui consiste à dire que Peter a déterré au
cours de son enquête quelque chose mettant en danger
l'existence de quelqu'un au point de l'inciter à faire
assassiner Peter, ce ne peut donc être elle.

— En surface, tu as raison, mais les implications sont
peut-être plus subtiles que ton raisonnement d'apparence inattaquable. Et comme je n'ai pas de plaque de
béton sur laquelle poser mes pieds, je suis obligé de me
fier à ma chance et à mon flair.

— Prends garde, tout de même. L'espèce à laquelle
appartenait Rodgers a peut-être des représentants en
Espagne...

CHAPITRE VII

Johnny Coll éprouvait l'impression de s'être transformé en rat de bibliothèque. A la Casa de Velasquez à Madrid, l'équivalent de la Bibliothèque Nationale à Paris, il consultait fiévreusement les collections de journaux pour l'année 1945. Tous relataient la découverte du cadavre calciné de Balkanikoff près de la route Madrid-Burgos. Nulle part il n'était fait mention de Hilda, sauf dans l'un des périodiques, *A.B.C.*, dans lequel le dernier paragraphe de l'entrefilet précisait :

... L'épouse de la victime, qui est enceinte, a eu une défaillance lorsque la nouvelle lui a été annoncée. Elle a immédiatement été transportée à la clinique Los Santos Angeles de Dios...

Johnny Coll nota soigneusement le renseignement. Enfin un point positif. Il poursuivit néanmoins sa quête dans les éditions suivantes. L'information datait de juin. Lorsqu'il eut épuisé le second semestre 1945, il passa deux autres journées à prospecter les collections de journaux pour l'année 1946 mais, pas plus dans *A.B.C.* que dans quelque autre périodique, il ne découvrit une mention quelconque ayant trait à Balkanikoff ou à son épouse. L'affaire paraissait avoir été enterrée tout comme le cadavre du trafiquant de marché noir.

Le troisième jour, il consulta l'annuaire téléphonique

en craignant un peu que la clinique de Los Santos
Angeles de Dios ait disparu depuis 1945. Ses craintes,
cependant, étaient mal fondées. L'établissement était
répertorié et son adresse suggérait une situation géographique dans l'un des quartiers les plus huppés de
l'agglomération madrilène. Johnny Coll téléphona,
apprit que la clinique était une dépendance d'un couvent
tenu par des religieuses de l'ordre des Sœurs Augustines
de l'Hôtel-Dieu et, finalement, il parvint à obtenir un
rendez-vous avec la mère supérieure pour la fin de
l'après-midi.

A l'heure du rendez-vous, une religieuse l'introduisit
dans un bureau au dépouillement monacal, immunisé
contre les rayons du soleil et dans lequel flottaient des
relents d'un parfum qui n'était pas de l'encens mais que
Johnny Coll ne parvint pas à identifier. C'était une de ses
lacunes, d'ailleurs, la difficulté à parvenir à identifier un
parfum d'origine végétale. A maintes reprises, les filles
avec lesquelles il était sorti et avait couché l'avaient
raillé à cet égard.

La mère supérieure était d'un âge canonique et sa peau
en était translucide. Sans doute avait-elle obéi aux
recommandations des papes Jean XXIII et Paul VI et
avait-elle décidé d'entrer dans son siècle car elle ne
portait pas la tenue de son ordre. En lieu et place, une
robe très stricte, de couleur gris foncé, au col officier. Sur
sa poitrine, aussi plate que l'électroencéphalogramme
d'un agonisant, une croix en ivoire brinquebalait, agitée
par les remous d'une toux sèche et persistante. Le cheveu
était rare et blanc jaunissant, l'œil bleu et délavé, et la
chair sous la peau translucide quasi inexistante, ce qui
accentuait la protubérance des os.

Quand elle parla, Johnny Coll reconnut les inflexions
étudiées et aristocratiques du plus pur castillan, ce qu'il
remarqua car l'espagnol qu'il parlait était plutôt celui de

l'Amérique latine, déformé, écorché et teinté d'idiomatis-
mes indiens.

— Que puis-je faire pour vous ?

La voix était sourde mais recelait encore une vigueur
intacte.

— Je ne sais si vous pourrez m'aider, répondit Johnny
Coll en s'asseyant sur la chaise austère qu'on lui désignait. Je suis à la recherche de renseignements relatifs à
une personne hospitalisée dans la clinique que vous
gérez.

Il s'autorisa un rire léger comme pour effacer le
caractère dément de la phrase qu'il allait prononcer.

— L'ennui, voyez-vous, c'est que cette hospitalisation
date de 1945. Je doute fortement que vous ayez conservé
les archives de cette époque, mais l'Espérance n'est-elle
pas l'une des trois vertus théologales ?

Un bref clignement d'œil complice de la part de la
religieuse lui fit comprendre qu'elle appréciait cette
référence au droit canon.

— Vous m'intriguez, répondit-elle, d'autant qu'il n'y a
guère quelqu'un est venu me voir avec un préambule
presque identique au vôtre ?

— Vraiment ?

— Quelle est cette personne qui suscite tant d'intérêt
de votre part trente-cinq ans plus tard ?

— Une certaine Hilda Balkanikoff.

La mère supérieure hocha la tête.

— Je m'attendais à ce que vous me citiez ce nom.

— Pourquoi ? A cause de ce quelqu'un qui est venu
vous voir avec un préambule presque identique au mien ?
Ce quelqu'un ne s'appelait-il pas Peter Coogan ?

— Vous le connaissez ? s'exclama-t-elle.

— Je n'ai pas eu le temps de le connaître. Il a été
assassiné à New York avant que nous ayons eu l'occasion
de nous rencontrer. Le crime n'a jamais été complètement élucidé. Je mène une contre-enquête à ce sujet, en

refaisant le chemin qu'il a suivi avant de retourner à New York pour s'y faire assassiner.

Le visage de la mère supérieure demeurait serein, indifférent. Peut-être l'approche de sa propre mort la rend-elle insensible à celle des autres, pensa-t-il. Ou bien estimait-elle que mourir était une chance puisque le bénéficiaire se trouvait projeté d'un seul coup dans le seul Royaume auquel elle croyait ?

C'est d'un ton incrédule qu'elle formula sa question :

— Pourquoi croyez-vous que cette Hilda Balkanikoff ait quelque chose à voir avec l'assassinat de Mr. Coogan ?

— Je ne crois rien, je tâtonne, je cherche désespérément. Comme je vous l'ai dit, je refais le chemin qu'il a suivi. J'essaie de voir si au cours de l'étude qu'il a conduite pour écrire son prochain ouvrage, il n'aurait pas soulevé une pierre sous laquelle se serait lovée une vipère qui l'aurait frappé par la suite. Une vipère ou un cobra...

— Je comprends.

— Qu'avez-vous dit à Peter Coogan au sujet de Hilda Balkanikoff ?

La mère supérieure se laissa aller contre le dossier droit et inconfortable de son siège.

— Comme vous l'avez fort justement remarqué tout à l'heure, expliqua-t-elle, nous ne tenons pas d'archives de nos malades excédant quelques années. Sinon, nous serions débordées. C'est par le plus grand des hasards que j'ai pu fournir quelques renseignements à Mr. Coogan au sujet de Mme Balkanikoff. Il se trouve en effet que j'ai bien connu cette personne. En 1945 j'exerçais au service maternité de notre établissement. Nous savions toutes l'affreux malheur qui l'avait frappée. La mort terrible de son mari. Vous êtes au courant ?

— Je le suis.

— Mme Balkanikoff attendait un enfant. Le choc l'a fait accoucher prématurément, mais sa fille était viable.

Johnny Coll écoutait de toutes ses oreilles.

— Une fille ?

— Oui. D'un commun accord nous l'avons prénommée Anna. Je précise, d'un commun accord, car Mme Balkanikoff était de confession israélite. Anna est certes un prénom hébreu mais c'est aussi celui de la mère de la Sainte Vierge.

— L'enfant a vécu ?

— Oui. Je poursuis. Une des raisons pour lesquelles je me souviens bien de Mme Balkanikoff, c'est qu'elle semblait avoir très peur et que par mon entremise elle a supplié la mère supérieure de l'époque de lui accorder refuge et asile dans notre communauté.

Elle ferma les yeux et parut se recueillir.

— La mère supérieure, Reincarnacion del Cristo, était une sainte qui avait consacré sa vie à pratiquer la charité enseignée par le Christ. Elle a accepté. Que cette âme qui souffrait appartînt à une religion autre que la nôtre et responsable de la mort de Notre Seigneur Jésus-Christ ne constituait pas un handicap ni un obstacle pour elle. Mme Balkanikoff a été admise dans notre communauté. Elle n'était pas démunie de biens matériels, particulièrement des bijoux et des pierres précieuses, ce qui lui a permis de payer son entretien et celui de sa fille. Je dois dire aussi qu'elle faisait des dons fréquents et généreux à nos œuvres.

Johnny Coll s'abstint de faire remarquer que ces bijoux et ces pierres précieuses avaient été acquis au prix du sang, des souffrances et de la mort d'innombrables Français et de juifs.

— Elle ne travaillait pas au sein de notre communauté, continuait la mère supérieure d'un ton rêveur. Elle s'occupait uniquement de sa fille. Elle avait une chambre à part et jouissait d'une position privilégiée. Je lui rendais souvent visite. Nous avions tissé certains liens affectifs, quoique, je dois le reconnaître, je fusse parfois rebutée par son extrême réserve et les zones d'ombre que je décelais en elle. Par exemple, elle ne parlait jamais de son mari mort ni de la vie qu'elle avait menée avant son arrivée en Espagne. C'est en conversant avec moi qu'elle a très sérieusement amélioré son espagnol qui était assez rudimentaire à son entrée chez nous. Mais elle a toujours conservé un lourd accent germanique. C'est donc en raison de ces liens que j'entretenais avec elle que j'ai été surprise par sa fuite, surprise et choquée. Elle n'avait prévenu personne, ni moi ni la mère Reincarnacion del Cristo.

Johnny Coll plissait les yeux, immensément intéressé par ce qu'il entendait.

— Sa fuite ? répéta-t-il. Quand cela se passait-il ?

— C'était un peu après le troisième anniversaire d'Anna, donc au cours de l'été 1948.

— Et elle s'est enfuie avec sa fille sous le bras sans rien dire à personne ?

— Non. Elle nous a laissé sa fille.

La voix de la mère supérieure s'était hérissée d'arêtes. Johnny Coll sursauta et la regarda avec des yeux incrédules.

— Elle n'est jamais revenue ?

— Jamais. A côté du lit d'Anna elle avait placé un sac contenant le reliquat de ses bijoux et de ses pierres précieuses, j'imagine, avec un mot en mauvais espagnol nous priant de l'excuser et nous demandant de nous occuper d'Anna, des affaires urgentes et impérieuses l'appelant ailleurs.

— Elle a donné de ses nouvelles par la suite ?

— Annuellement un virement d'argent. Par l'intermédiaire du Banco de Comercio y Expancion. Jamais de lettres.

— Qu'est devenue Anna ?

— Puisque sa mère était en fuite, nous avons jugé bon de la baptiser et de lui donner une éducation catholique afin de l'intégrer à notre communauté. Nous avions pris à cet égard l'avis du lieutenant Francisco Alvarez Mendoza qui a approuvé notre décision.

— Le lieutenant Francisco Alvarez Mendoza ?

— Il appartenait à la Seguridad. Il faisait surveiller Hilda Balkanikoff, mais cette surveillance n'a pas empêché cette dernière de parvenir à s'enfuir.

— Pour quelles raisons la faisait-il surveiller ?

— Il affirmait que c'était pour sa sécurité et lui éviter d'être assassinée comme son mari.

— Donc, durant trois années, de 1945 à 1948, cette surveillance policière s'est exercée sur Hilda Balkanikoff ?

— Oui.

— Et quel a été plus tard le sort d'Anna ?

Il fronça les sourcils et calcula.

— Voyons, elle aurait aujourd'hui... trente-cinq ans ?

— Elle *a* trente-cinq ans, rectifia la mère supérieure d'un ton aigre.

— Qu'est-elle devenue ?

Brusquement le visage de la vieille femme se fripa, l'œil plongea dans le vague et la bouche se durcit. Son ton se fit incertain lorsqu'elle parla à nouveau.

— Elle semblait avoir la vocation... Nous lui avions fait prononcer ses vœux... Les vœux simples, pas les vœux solennels, si bien que, heureusement, elle n'est pas devenue une moniale...

— Heureusement ? interrogea Johnny Coll, surpris par la résonance de l'adverbe dans la bouche de la mère supérieure.

Elle se raidit, cherchant à reprendre contenance, mécontente de l'instant de faiblesse dont elle venait de témoigner devant cet étranger. Sa main balaya l'air comme pour écarter des fantômes gênants, son œil se rétrécit et sa bouche déjà durcie se contracta.

— Elle nous a quittées en débauchant quelques-unes de nos sœurs, c'est tout ce que j'ai à vous dire.

Sa voix grinçait.

— Où se trouve-t-elle à présent ? insista-t-il.

— Ce n'est pas moi qui vous l'apprendrai ! Allez donc voir Alvarez Mendoza, il vous renseignera !

A présent elle criait, s'agitait en crispant les doigts sur le tissu de sa robe sévère trop grise comme l'univers ambiant, comme le décor austère de la pièce, comme le ciel maussade de cette pluvieuse journée madrilène. Johnny Coll était envahi par l'étonnement. Pourquoi, brutalement, cette crise ? L'âge en était-il la cause, l'âge ajouté à la rancune contre Anna ? Il se leva.

— Où puis-je trouver cet Alvarez Mendoza ? demanda-t-il d'une voix douce.

Elle détourna le regard.

— Il a pris sa retraite, répondit-elle. Interrogez la Seguridad.

Il fit demi-tour et sortit. Il n'était pas mécontent des renseignements qu'il avait glanés là.

Dès le lendemain, il s'attela à la tâche de retrouver le lieutenant Francisco Alvarez Mendoza mais il lui fallut trois jours de rendez-vous fastidieux, coupés par le week-end, pour parvenir au but. Dans l'intervalle, il avait été trimbalé d'un bureau à l'autre, d'un officier subalterne à un officier supérieur, de service en service, il avait été minutieusement interrogé, ses papiers et, entre autres choses l'attestation délivrée par Wenchell Davis, avaient été examinés dans le moindre détail et ses intentions passées au peigne fin.

Francisco Alvarez Mendoza avait gravi les échelons de la hiérarchie depuis 1945. Il avait pris sa retraite avec le grade de colonel. Il était loin le temps où il n'était que simple lieutenant. C'était un Madrilène pur sang et cent pour cent qui n'avait pu supporter de s'éloigner de la capitale pour profiter des bienfaits de la retraite. Aussi résidait-il dans le quartier bourgeois de Salamanca en compagnie d'une gouvernante qui ressemblait à une duègne peinte par Goya. C'était un homme de grande taille, sec, noueux, au visage osseux, au nez busqué, dont la personne dégageait une impression de puissance soigneusement contrôlée. Sa voix était enrouée et rocaillait sur les gutturales. Il portait un costume civil démodé et le ton de sa cravate était aussi neutre que l'expression de ses yeux noir anthracite.

— Un certain Mr. Peter Coogan est déjà venu me voir à ce sujet, énonça-t-il d'une voix bienveillante. Voyons, il y a quelque temps de cela...

Johnny Coll s'empressa de le mettre au courant du sort qu'un assassin avait réservé à l'écrivain et expliqua les raisons de sa présence à Madrid, en précisant qu'il avait déjà rencontré la mère supérieure de Los Santos Angeles de Dios.

— Elle a refusé de m'en dire plus sur Anna Balkanikoff mais a suggéré que vous pourriez peut-être combler les vides.

Alvarez Mendoza eut un rire très bref dans lequel son interlocuteur crut discerner un soupçon de paillardise.

— Un bordel, voilà ce qu'a monté Anna Balkanikoff en compagnie des quelques jeunes religieuses qu'elle est parvenue à entraîner avec elle. Leur astuce, c'est de se présenter à la clientèle habillées en nonnes et non pas en tenues suggestives comme c'est le cas la plupart du temps. Ça excite l'amateur, ça le fait bander. Le bordel d'Anna a un succès fou et est protégé par de hautes personnalités. Naturellement, au temps du Vieux, une chose pareille n'aurait pu se produire, mais avec le roi et son régime laxiste, la licence des mœurs est devenue une institution d'Etat. Avec le Vieux, on aurait foutu ces putes de luxe en cabane ! Tout comme les producteurs de films pornos !

— Abandonnons Anna Balkanikoff pour l'instant si

vous le voulez bien. Dites-moi, pourquoi vous intéressiez-vous tant à sa mère entre 1945 et 1948 au point de la faire surveiller ?

L'officier en retraite emplit deux verres de valdepenas et en poussa un en direction de son visiteur.

— Il faut vous souvenir de l'ambiance de l'époque, répondit-il, quoique, naturellement, vous soyez trop jeune pour être au fait de ces choses. Les Alliés avaient gagné la Seconde Guerre mondiale. L'Espagne, bien qu'étant restée neutre durant le conflit, était considérée comme une alliée naturelle de l'Allemagne à cause de l'idéologie officielle considérée comme proche de celle des vaincus. Notre pays était bourré de réfugiés politiques en provenance des pays qui avaient perdu la guerre ou de ceux qui les avaient aidés dans les territoires occupés par l'Allemagne. Diplomatiquement, l'Espagne était isolée. On reprochait aux Alliés de n'avoir pas envahi notre pays afin de renverser le régime du Vieux. Un des prétextes pour cette intervention : l'asile que nous avions offert aux nazis en fuite.

« Naturellement, il était du devoir de la Seguridad de surveiller ces réfugiés. L'Espagne était en équilibre précaire. Il était par conséquent inutile que ces réfugiés, par des actes irréfléchis et irresponsables, ajoutent à la situation embarrassante dans laquelle nous nous trouvions. Et, justement, une des cibles de nos ennemis était le couple Balkanikoff. Deux traîtres au pays qui leur avaient donné l'hospitalité, la France, et à leurs frères de race et de religion. Et puis il y avait cette fortune fabuleuse. Où était-elle passée ? Balkanikoff était mort mais rien ne permettait de penser que son butin avait été récupéré par ceux qui l'avaient assassiné. Et ce butin constituait justement un pion important dans la stratégie diplomatique du gouvernement pour sortir de son isolement. Imaginez que nous ayons retrouvé ce butin. Nous l'aurions restitué à la France comme gage de notre bonne volonté, à la France qui avait fermé ses frontières avec nous à l'époque.

« Or Hilda Balkanikoff était bien vivante, elle. Elle disposait de bijoux et de pierres précieuses, elle pouvait aussi bien être en possession de la totalité du butin, avons-nous raisonné. Elle pouvait connaître les coffres de banque, les cachettes, dans lesquels son mari avait réparti le fruit de son pillage et, peut-être aussi, une partie du trésor des S.S. Vous comprenez ? La surveillance de Hilda Balkanikoff faisait partie d'un plan plus vaste destiné à procurer au gouvernement des gages de bonne volonté à l'égard des vainqueurs de la guerre, c'est-à-dire la restitution des biens pillés en Europe occupée. »

— Vous êtes parvenus à ce but ?

— Ce fut un échec total, non seulement en ce qui concerne Hilda Balkanikoff mais aussi pour ce qui est de tous les autres qui étaient l'objet d'une surveillance identique. Ensuite, la guerre froide a battu son plein, les Américains ont signé des accords avec nous, l'Espagne est sortie de son isolement diplomatique et mes collègues et moi avons été affectés à d'autres tâches.

— La mère supérieure m'a précisé qu'après la fuite de Hilda Balkanikoff le couvent recevait annuellement des virements d'argent pour l'entretien d'Anna, par l'intermédiaire du Banco de Comercio y Expancion. Vous avez enquêté dans cette direction ?

— Naturellement. Mais il m'a été impossible de remonter jusqu'à la source véritable. L'argent arrivait au Banco de Comercio y Expancion après avoir cheminé à travers un entrelacs de banques chinoises d'Extrême-Orient disséminées à Singapour, à Bangkok et à Hong Kong. Et un banquier chinois est encore plus taciturne et renfermé qu'un banquier suisse !

— Vous n'avez aucune idée de l'endroit où Hilda a pu s'enfuir ?

— Non. Le seul indice que nous ayons eu, c'est qu'elle a franchi la frontière hispano-portugaise près de Guarda. Au Portugal sa trace s'est évanouie.

— On ne l'a plus jamais revue et on n'a plus jamais entendu parler d'elle ?

— Non.

— Et le butin ?

— Nous n'avons pas mis la main dessus, je vous l'ai dit tout à l'heure.

— En possession de qui pourrait-il être, selon vous ?

— Peut-être bien après tout, et malgré nos doutes de l'époque, en possession de ceux qui ont assassiné Balkanikoff.

— Plusieurs factions se disputaient la palme pour se l'approprier. Laquelle l'a emporté à votre avis ?

— Un policier français de la D.S.T. qui opérait clandestinement ici en compagnie de truands marseillais. Un certain Robert Clément.

— Hélas il est mort depuis quinze ans ! regretta Johnny Coll avant de goûter au valdepenas.

— Je l'ai appris. Ma thèse, c'est que Clément s'est emparé de la plus grosse partie du butin mais qu'il en restait suffisamment à Hilda pour avoir les moyens de s'enfuir après avoir laissé passé trois ans afin d'attiédir l'attention dont elle était l'objet. Elle ne tenait que modérément à sa fille et l'a abandonnée pour ne pas s'encombrer d'un enfant au cours des pérégrinations qui l'attendaient.

— Quelle est votre thèse sur l'assassinat de Balkanikoff ?

— D'après notre enquête, Balkanikoff aurait été contacté à Madrid par un certain Lucien Prévôt, membre de la Gestapo française durant l'occupation allemande et recherché à ce titre pour espionnage, tortures et assassinats, et réfugié ici sous un faux nom. Espérant obtenir sa grâce, ce transfuge serait entré en relations avec l'équipe de la D.S.T. dirigée par le commissaire Clément pour proposer ses bons offices. Afin de donner un échantillon de ses talents, il aurait projeté d'enlever Balkanikoff en vue de le livrer à la police française dans quelque coin discret proche de la frontière.

« Prévôt était connu de Balkanikoff et, bien que très méfiant, ce dernier aurait accepté un rendez-vous dans une villa de Carabanchel et s'y serait rendu. En ce faisant, Prévôt « doublait » Balkanikoff mais, parallèlement, il était « doublé » par Clément qui attendait dans la villa avec son équipe pour prendre les choses en main car le principal souci de Clément et de ses hommes n'était pas qu'une justice dure et pure passe sur Balkanikoff mais qu'il leur livre son butin. Sous l'effet de la torture, il a dû avouer. Ensuite, il ne restait plus qu'à le liquider. Clément ne pouvait se permettre de ramener en France un homme qui, c'était certain, aurait livré à la Justice française l'identité du nouveau détenteur du butin. »

— Qu'est devenu ce Prévôt ?

— Enfui au Portugal et, de là, en Amérique du Sud.

— Tout ce que vous venez de me raconter, vous l'avez dit à Peter Coogan ?

— Oui.

— Et au sujet d'Anna ?

— Aussi. Avec l'adresse pour goûter aux délices de son bordel.

— Quelle est-elle ?

Alvarez Mendoza esquissa un bref sourire triomphant comme si, toujours, il avait su que la conversation aboutirait à cette question et il se leva pour s'emparer d'un crayon et d'un bloc-notes. Il griffonna sur la première page, l'arracha du bloc et la tendit à son visiteur.

— Amusez-vous bien.

Johnny Coll fourra le morceau de papier dans sa poche et interrogea encore :

— Le cadavre, vous êtes sûr que c'était bien Balkanikoff et pas quelqu'un d'autre ?

Une moue sévère ourla les lèvres de l'officier en
retraite.

— Bien sûr. Certes, le cadavre était calciné, ce qui
compliquait l'identification. Mais l'année précédente
nous avions arrêté Balkanikoff et son épouse à leur
arrivée en Espagne en provenance de France. Nous
avions établi leurs fiches anthropométriques avec beaucoup de soin comme toujours. Celle de Balkanikoff
correspondait tout à fait, sans erreur possible, aux
constatations effectuées sur le cadavre, les empreintes
digitales étant exclues évidemment. Mais le reste de la
gamme anthropométrique correspondait au-delà de tout
doute.

— Revenons à Anna. Dès son adolescence a-t-elle fait
l'objet d'une surveillance afin de savoir si sa mère tentait
de reprendre le contact avec elle ?

Alvarez Mendoza hocha négativement la tête.

— Non. Les raisons qui avaient conduit à surveiller
Hilda Balkanikoff n'existaient plus en raison de la
conjoncture diplomatique nouvelle. Peu à peu nous nous
sommes désintéressés de cette affaire. J'étais vaguement
tenu au courant par la mère supérieure de Los Santos
Angeles de Dios de l'existence que menait Anna au
couvent, mais uniquement parce qu'au temps de la
surveillance de sa mère j'avais entretenu des liens privi-
légiés avec cette religieuse. C'est tout. Plus tard, évidemment, j'ai été au fait de la mise sur pied du bordel, mais
j'étais déjà à la retraite. Pour conclure cet entretien, et si
vous voulez être au courant du fond de ma pensée, je
doute fort que les raisons qui ont conduit à assassiner
Peter Coogan aient trouvé leur origine ici. Examinez les
choses une par une. Balkanikoff est mort en 1945, son
épouse s'est enfuie en 1948, leur fille mène une vie de
débauche en plein jour et n'a rien à craindre d'une

publicité quelconque. Quant au fameux butin, Robert Clément se l'est plus que probablement approprié et Robert Clément est mort en France il y a quinze ans. *Madre de Dios,* comment trouver dans tout cela une motivation quelconque qui ait pris sa source ici ?

Johnny Coll vida le verre de valdepenas. Ensuite il alluma une Pall Mall et tira quelques bouffées rapides. Alvarez Mendoza l'observait, attendant ses commentaires sur ce qu'il venait d'assener.

— Savez-vous si Peter Coogan est allé voir Anna ? demanda Johnny Coll. Dans le synopsis dont je vous ai parlé, il n'est pas fait mention de son existence et le chapitre Hilda est à peine ébauché.

Alvarez Mendoza haussa les épaules.

— J'ignore s'il est allé la voir. En tout cas, je le lui ai conseillé.

Son regard dévia et s'imprégna d'une lueur trouble.

— Il paraît que ça en vaut la peine...

CHAPITRE VIII

Elles étaient huit. Chacune d'elles portait un numéro. Un macaron de couleur orange épinglé au-dessus du sein gauche. Les numéros ne couraient pas d'un à huit, remarqua Johnny Coll. Ils s'étageaient de trois à quatorze. Manquaient l'un, le deux, le six, le huit, le neuf et le treize. Elles étaient assises dans une pièce qui ressemblait à un cloître moyenâgeux. Le décorateur avait effectué là un travail fantastique, estima-t-il, admiratif. Elles étaient assises et plongées dans la lecture d'un ouvrage qui paraissait être une bible ou un livre de prières, à la couverture noire et fatiguée. Elles étaient uniformément vêtues de robes grises qui descendaient jusqu'aux chevilles, cintrées à la taille et moulantes autour du buste afin de mettre les seins en exergue. Le tissu s'arrêtait à la naissance de la gorge. Leurs têtes étaient coiffées d'un voile noir qui retombait au milieu des omoplates. Un bandeau d'un blanc immaculé ceinturait le front. Les visages étaient sages, rêveurs, sereins, comme s'ils appartenaient à un autre monde. Autour de leur cou était passé un rosaire en buis dont la croix se perdait aux confins du nombril.

Elles n'étaient pas assises sur des chaises mais sur un banc en bois dont chaque extrémité se relevait en forme de rostre, ce qui suggérait quelque tradition antique perpétuée jusqu'au xxᵉ siècle. Plaqué contre le mur au-dessus de leurs têtes un rectangle de bois peint en jaune mettait en relief des lettres noires en caractères gothiques composant un rotrouenge écrit en castillan ancien datant du temps de la *Reconquista* sur les Maures.

En face du banc en bois aux extrémités en forme de rostre, des stalles, jouxtant un confessionnal, semblaient attendre une assemblée de chanoines gras à lard. Leur succédaient un lutrin et un harmonium derrière lequel nul artiste n'officiait. Néanmoins, derrière la paroi vitrée masquant Johnny Coll, les graves accents d'un chant grégorien emplissaient le couloir. Il reconnut *adoro te devote, latens deitas.* Au temps de son enfance, il fréquentait le catéchisme de l'église Saint Malachy's dans la 49ᵉ Rue Ouest et ce morceau avait été le chant favori du père Kirkpatrick, un autre Irlandais bon teint.

— Vous voyez, vous avez un grand choix, murmura Anna Balkanikoff dans son dos.

— En effet.

· — Elles sont jeunes et jolies.

Elles l'étaient, incontestablement.

— Vous êtes amateur de voyeurisme ? s'enquit-elle.

Il fonça dans la brèche qu'elle lui ouvrait :

— Vous offrez aussi ce genre de plaisirs ?

— Bien sûr. Suivez-moi.

Elle le précéda le long du couloir. En dehors des accents du chant grégorien, l'atmosphère était peuplée d'odeurs d'encens. Celles-là, Johnny Coll les reconnaissait. C'était celles qui régnaient en maîtresse dans l'église Saint Malachy's. Anna Balkanikoff ouvrit une porte sur un autre couloir dans lequel elle s'engagea. Il marchait sur ses talons. A l'extrémité du boyau elle fit coulisser un panneau découvrant ainsi une vitre que Johnny Coll identifia immédiatement comme une glace sans tain dont le recto s'encadrait dans le mur d'une chambre aussi nue qu'une cellule monacale. Un couple s'y ébattait. L'homme, pourvu d'une barbichette ridicule, s'était dépouillé de tous ses vêtements tandis que sa partenaire avait conservé sa robe, son rosaire et son voile de fausse nonne. La robe était retroussée et rabattue sur les reins, dénudant des fesses rebondies et couleur ivoire dans lesquelles s'activait l'homme avec une fougue et une générosité qui arrachaient à sa peau une multitude de filets de sueur. Ses mains étaient crispées sur les hanches de la jeune femme et il paraissait ahaner, la bouche ouverte sur des dents tartrées, la barbiche tremblotante dissimulant en partie un goitre hideux qui boursouflait sa gorge. La fille se retenait des deux mains au montant antérieur du lit et roulait des yeux outrancièrement implorants que n'aurait pas désavoués une vedette de Hollywood au temps du muet. Sur l'un des murs blanchis, à la chaux était inscrite une devise en latin, *Ad vertices,* dont la traduction, se souvint Johnny Coll, signifiait *Vers les cimes.* Haletant, les yeux fous, le goitre vacillant, les jambes raidies par l'effort, les reins cambrés, l'homme grimpait, grimpait, grimpait vers les cimes. Lorsqu'il les atteignit enfin, sa bouche se distendit, il bava et s'effondra sur le dos de la fille.

— Ça vous plaît ? interrogea Anna Balkanikoff d'un ton neutre.

— Sauf que le partenaire masculin n'est pas très excitant. A un moment j'ai craint l'incident cardiaque. Vous devriez faire installer un électrocardiographe avant de laisser des clients de cet âge se livrer à des ébats trop glorieux pour leur génération.

Elle éluda :

— Vous avez fait votre choix parmi les filles tout à l'heure ?

— Les numéros onze et quatorze me plaisaient assez...

Elle remit le panneau en place et, dans la pénombre du couloir, esquissa un faible sourire.

— Vous avez bon goût, félicita-t-elle. L'une et l'autre se valent. Vous êtes un compliqué ?

— Non, plutôt le collégien boutonneux.

— Alors, prenez le quatorze. Elle est douce, compréhensive et maternelle.

Il se rapprocha d'elle.

— A la réflexion, je ne prends ni l'une ni l'autre.

Elle eut l'air surpris.

— Sur qui d'autre se porte votre choix ? questionna-t-elle d'un ton dans lequel il décela un brin d'impatience.

— Sur vous.

Elle se raidit.

— Je ne suis pas disponible.

Cette fois le ton était sec et sans réplique.

— Est-ce une question de prix ? railla-t-il. Je ne suis pas désargenté...

— J'ai dépassé le stade des moissons et des vendanges. *Ars longavita brevis.*

Il traduisit spontanément le vieil aphorisme d'Hippocrate :

— L'art est long, la vie est courte. Vous avez dit adieu à l'art de l'amour ?

— Puisque vous comprenez le latin, méditez cette pensée d'Horace : *Est modus in rebus* (1).

— Est-ce sur le conseil de votre mère que vous avez abandonné l'art de l'amour, que vous ne l'exercez plus mais que vous le gérez quand il est pratiqué par d'autres ?

A dessein il avait imprimé à sa voix un ton dur et sévère. Dans la pénombre il la vit sursauter et se reculer contre le mur.

— Qui êtes-vous ? balbutia-t-elle.

Il s'approcha à la toucher.

---

(1) Il existe une mesure en toutes choses.

— Menez-moi dans un endroit où il fasse clair et où nous puissions avoir un entretien amical, exigea-t-il.

En même temps il lui saisit le poignet gauche et le serra très fort. Elle essaya de se dégager mais il maintint sa prise avec fermeté.

— Vous avez bien un bureau dans lequel vous tenez votre comptabilité, le nombre de passes quotidiennes, le fichier avec les goûts particuliers des clients, leurs préférences, leurs jours de visite, leurs horaires. Allons-y, montrez-moi le chemin.

A contrecœur elle obéit. Tous deux longèrent le couloir en sens inverse et rejoignirent une rotonde où elle obliqua sur la droite. Peu après elle ouvrit une porte et Johnny Coll à sa suite pénétra dans une pièce somptueusement meublée qui n'avait rien du dépouillement monacal. Seul un très beau crucifix attestait qu'Anna Balkanikoff n'avait peut-être pas perdu tout sentiment religieux. Après tout, songea Johnny Coll, le Christ ne s'était-il pas penché sur le sort de la prostituée qu'était Marie-Madeleine ?

Elle alla s'asseoir dans le superbe fauteuil qui trônait derrière un bureau en acajou style Ferdinand VII et interrogea d'une voix furieuse :

— Quelle est la véritable raison de votre visite ici ?

— Vous vous souvenez d'un certain Peter Coogan ?

Elle demeura impassible.

— Un écrivain américain, c'est ça ? répliqua-t-elle.

— Oui. Il est mort assassiné à New York. J'enquête sur ce crime. J'ai toutes les raisons de penser, bluffa-t-il, que l'origine du meurtre remonte à quelque chose qu'il a découvert ici à Madrid à l'époque à laquelle il vous a rencontrée.

— En quoi suis-je concernée ?

— Vous figurez parmi les gens avec lesquels il a eu des contacts.

Elle haussa les épaules.

— Il enquêtait sur la mort de mon père en 1945 et sur la disparition de ma mère. Je n'ai rien pu lui apprendre à ce sujet. Je ne me souviens même pas à quoi pouvait bien ressembler ma mère. Elle m'a abandonnée lorsque j'avais trois ans.

— Vous n'avez plus jamais eu de contacts avec elle depuis ?

— Jamais.

— Elle n'a pas cherché à entrer en relations avec vous par un biais quelconque ?

— Non. Et c'est ce que j'ai dit à Mr. Coogan. Je regrette qu'il ait eu cette fin affreuse. Maintenant, je crois que cela clôt notre entretien, non ? Vous perdez votre temps ici, cherchez ailleurs.

Elle semblait sûre d'elle. L'expression sur son visage s'était faite hautaine, dédaigneuse. Johnny Coll marcha jusqu'à la fenêtre, en ouvrit les battants, laissa son regard errer sur le très beau parc qu'on devinait mal entretenu à cause des entrelacs de plantes et la hauteur inquiétante des mauvaises herbes. Il se tourna à nouveau vers la jeune femme.

— En dehors des questions sur votre père et sur votre mère, Peter Coogan a-t-il abordé d'autres sujets avec vous au cours de votre entretien ?

— Non. Il s'est contenté des réponses que je lui ai données. Au contraire de vous.

— Semblait-il préoccupé, inquiet ou, à l'opposé, enthousiaste comme s'il avait déniché quelque chose auquel il ne s'attendait pas ?

— Il paraissait normal, c'est tout. Il m'a paru intelligent, courtois et urbain, ce qui ne semble pas être tout à fait votre cas.

— Lui comme moi enquêtait sur un assassinat. La différence, c'est que pour lui la victime était morte depuis trente-cinq ans. Il en est tout autrement en ce qui me concerne. Là, réside essentiellement la différence.

Peter Coogan faisait œuvre d'historien. Il ne cherchait pas à ce que le châtiment s'abatte sur les assassins de votre père. Ma motivation ne procède pas de la même approche.

— Vous êtes quoi ? Un détective privé ?

— Exactement.

Elle tapotait avec impatience le bois du somptueux bureau Ferdinand VII sans quitter Johnny Coll des yeux.

— Je ne peux rien vous apprendre, finit-elle par dire en se levant. Désolée.

Il lui dédia son sourire le plus enjôleur.

— De toute façon, j'ai été ravi, complimenta-t-il d'un ton exquis, de découvrir ce nid douillet, charmeur, aux mille joies cachées, et veuillez m'excuser de n'en avoir pas grappillé les attraits, mais... *Malesuada fames...* (1)

Il était trois heures du matin. La rue était déserte et mal éclairée. L'arc au néon à chaque extrémité dispensait une lumière jaunâtre et maigrelette. Cela arrangeait parfaitement les affaires de Johnny Coll. Il rangea la voiture de location, une B.M.W., le long du trottoir dans l'un des rares créneaux libres, et en sortit. Dans la journée il avait fait l'emplette d'un gros cordage et de crochets métalliques qu'il avait lui-même adaptés au cordage. A ces accessoires il avait ajouté une torche électrique et une panoplie d'outillage style bricoleur du dimanche. Il avait enfermé le tout dans le coffre de la 604 avant de se rendre Avenida Jose Antonio, près de la Plazza de España. Au dernier étage d'un immeuble cossu il avait frappé à la porte de Manolito. L'Espagnol était un homme qui avait déjà vécu les trois quarts d'un siècle dont un tiers passé à la prison modèle de Madrid pour

_____

(1) La faim est mauvaise conseillère.

des délits divers dont le plus sérieux avait été sanctionné par une peine de trois ans d'incarcération. Johnny Coll l'avait connu quelques années plus tôt et l'avait engagé comme informateur pour une affaire dont les ramifications se perdaient dans le Milieu madrilène. Manolito était un expert dans ce domaine. Mais ce jour-là la visite de Johnny Coll avait un tout autre but, celui de faire l'acquisition d'une arme. Celui qu'à New York on avait baptisé Johnny Colt se sentait tout nu sans un pistolet sous son aisselle, bien qu'il sût pertinemment que les lois espagnoles étaient beaucoup moins laxistes qu'à New York où l'on dispensait les permis de port d'arme avec plus de libéralisme à condition de n'avoir jamais été condamné.

— Calibre ? avait demandé Manolito sans s'étonner.

— Si possible neuf millimètres.

— J'ai un très bel échantillonnage. SIG SAUER P. 220, Beretta Brigadier, Tokagypt 5, M.A.C. 50, Colt Commander, M.A.B. P 15, SIG 210-2. Et aussi des revolvers. Smith et Wesson modèles 10 et 13 chambrés en .38 Special, Ruger Blackhawk en 9 millimètres parabellum...

— Le canon est trop long. Je vais plutôt me laisser tenter par un Smith et Wesson. Son encombrement est minimal.

— Poids : 970 grammes, avait récité Manolito en spécialiste qu'il était. Longueur hors tout : 18 centimètres. Longueur du canon : 10 centimètres. Poids détente : un kilo et demi, organes de visée fixes avec montage spécial d'anneaux grenadière, cartouches Wad-Cutters, prix vingt mille pesetas.

Johnny Coll avait payé sans barguigner et était reparti avec, pour quelques milliers de pesetas supplémentaires, un holster en mauvais cuir dans lequel il avait logé l'arme qu'au préalable il avait soigneusement vérifiée, se souvenant que Manolito avait enregistré sur son casier judiciaire trois ou quatre condamnations pour escroque-ries et abus de confiance.

Il calcula soigneusement son coup et lança vers le haut du mur le cordage terminé par les crochets. A la troi-sième tentative, ces derniers mordirent dans la pierre. Il tira avec force sur le cordage pour s'assurer que la prise était stable puis il grimpa jusqu'au faîte du mur. Du coude il balaya les tessons de bouteilles aux arêtes tranchantes et se hissa sur la surface plane. Ensuite il intervertit les crochets et laissa le cordage retomber de l'autre côté du mur. Il descendit et atterrit sur du terrain herbeux.

Ce n'était pas sans arrière-pensée qu'il était allé ouvrir la fenêtre du bureau lors de son entrevue avec Anna Balkanikoff. Il prévoyait déjà ses initiatives ultérieures et voulait s'assurer de la disposition des lieux en même temps que situer quelques points de repère par rapport à l'endroit où se localisait le bureau.

En slalomant à travers les arbres, en fauchant au passage les herbes qui montaient haut, il atteignit la pelouse et se retrouva à la perpendiculaire de la maison qui servait de bordel sophistiqué. Nulle lumière n'y brillait. Il écouta, tous sens tendus. Les feuillages bruis-saient. Quelques rares échos de la circulation nocturne madrilène vinrent mourir dans ses oreilles. Il alluma la torche électrique, en promena le faisceau autour de lui et repéra la borne ancienne équipée d'un gros anneau en fonte qui, peut-être en des temps immémoriaux, avait servi à y enrouler la bride de chevaux appartenant à quelque Grand d'Espagne. Il alla se placer tout contre la borne, face à la maison, éteignit la torche et avança à pas comptés, une main tendue en avant. Ses doigts touchè-rent le mur et il s'arrêta. La fenêtre était à dix centimè-tres sur la gauche. Il enfila les gants tout en salivant abondamment avant de sortir de sa poche le paquet de savon noir mou et malléable. Il cracha à plusieurs reprises sur le savon et, après avoir d'un coup de torche électrique repéré la position exacte de l'espagnolette, il appliqua le savon devenu à demi liquide sur le carreau de verre qui la jouxtait en en recouvrant toute la surface. Ensuite il attendit sans impatience que l'air de la nuit séchât l'enduit. Après un délai raisonnable il décocha un coup de poing à la force contrôlée dans le carreau et les débris de verre tombèrent à l'intérieur sans produire de bruit fracassant. C'était là le côté positif de cette technique du savon humide que les truands américains avaient baptisée du surnom de la « potion de la mère Casey ».

Il tourna l'espagnolette et ouvrit la fenêtre. Sans grand effort il passa par-dessus l'appui et se retrouva à l'intérieur. Il ralluma la torche électrique et inspecta les lieux. Son premier objectif fut le somptueux bureau Ferdinand VII. Les tiroirs n'en étaient pas fermés à clé. Il les explora. Un gros agenda était empli de noms, d'adresses, de numéros de téléphone. Sans doute des clients du bordel, estima-t-il. Les mêmes noms se retrouvaient dans un second agenda répertoriés par ordre alphabétique. Il s'amusa à lire quelques notations en regard de l'identité du client :

Juan Garcia Menendez : adepte du triolisme. Carmencita et Dolorès sont ses préférées.

Jaime Herandez Molina : vient toujours accompagné d'un garçon. Se fait sodomiser durant coït avec Rosita ou Dolorès ou Gabriela ou Conchita.

Pedro Turron Vidal : Voyeur exclusivement.

Isidoro Vera Perez : Se fait fouetter par Gabriela.

Carlos Blanco Dual : Adepte du sadomasochisme. Instruments de torture moyenâgeux. Partenaires préférées : Antonia et Juanita. Le matin de très bonne heure : entre 7 et 8.

Luis Queipo Ibanez : Matières fécales. Préférences : Carmencita, Maria-Concepcion, Maruja.

Jose Diaz de Llano : Lavements. Uniquement le jeudi après-midi à 14 heures 30. Chambre numéro 4. Retirer le crucifix avant son arrivée. Ça le complexe terriblement.

Johnny Coll eut une moue d'écœurement. Toutes les dépravations cachées s'étalaient là dans cet agenda, sous la plume appliquée, un peu enfantine, d'Anna Balkanikoff.

Le contenu des tiroirs comprenait encore des liasses de factures, des livres de comptes, des correspondances commerciales et aussi des lettres avec une association catholique basée à Zurich et qui s'intitulait : *Mouvement apostolique par l'Amour physique.* Une notice insistait sur la nécessité d'introduire l'acte sexuel comme moyen d'apostolat et de conversion des masses au catholicisme. Une lettre signée par le directeur du Mouvement, le père Rudolf Weingarten, félicitait Anna Balkanikoff pour son initiative audacieuse de prosélytisme religieux par le biais des relations sexuelles. A cette lettre était attachée par un trombone métallique une coupure de presse découpée dans un périodique madrilène précisant que le père Rudolf Weingarten avait été excommunié par le Saint-Siège à cause de ses prises de position hérétiques.

Lorsqu'il eut achevé la fouille des tiroirs du bureau Ferdinand VII, Johnny Coll dut bien s'avouer qu'il avait fait chou blanc.

Restaient d'autres meubles. Des classeurs métalliques qui détonnaient quelque peu dans ce décor xixᵉ siècle.

De sous sa chemise il sortit la trousse d'outillage achetée dans la journée, sélectionna pinces, tournevis et tenailles et entreprit de forcer les classeurs. La tâche était relativement facile et le bruit occasionné guère détectable de l'extérieur.

Quatorze dossiers contenaient les curriculum vitae de Dolorès, Carmencita, Gabriela, Antonia, Juanita, Maria-Concepcion, Maruja, Rosita, Conchita, Inès, Severina,

Mercédes, Julia et Isabel, les filles qui travaillaient sous les ordres d'Anna Balkanikoff. Aucune n'était âgée de plus de trente ans et toutes étaient des anciennes nonnes du couvent de Los Santos Angeles de Dios. Dans chaque dossier était glissé un relevé de compte bancaire datant du début du mois et, en s'imprégnant du chiffre vertigineux de la colonne crédits, on devinait aisément qu'il était plus rentable d'assouvir les désirs charnels d'une riche clientèle madrilène que de se consacrer au service de Dieu, même si ce choix comportait le risque d'une excommunication.

C'est tout au fond du niveau inférieur du troisième classeur que Johnny Coll dénicha la récompense de ses efforts de la nuit. Des avis de virement émis par le Banco de Comercio y Expancion de Madrid, huit en tout, pour chacun des huit derniers mois. On y lisait :

BANCO DE COMERCIO Y EXPANCION
Siège Social : 18 Avenida Jose Antonio, Madrid.
En faveur de : Anna Balkanikoff
           Compte courant : JHL 17638
Provenance : Bank Dagang Negara
           Jalan Muhamad Husni
           Jakarta, Indonésie.
           Compte : 779 MO 1978
Montant : Deux mille dollars U.S. (2 000)
Contrevaleur : Cent quarante-huit mille deux cent qua-
           tre-vingt-quatre pesetas (148 284)

Les huit avis étaient identiques en ce qui concernait le libellé. Seules les dates changeaient. Johnny Coll recourut à nouveau aux tiroirs du bureau Ferdinand VII et examina les livres de comptes et les relevés bancaires. Nulle part ne figurait une mention quelconque du Banco de Comercio y Expancion. La banque couramment utilisée par Anna Balkanikoff était le Credito Nacional de Barcelona, agence de Madrid.

Dans un coin, Johnny Coll avait repéré une photocopieuse. Il la brancha et reproduisit chacun des avis de virement avant de fourrer les photocopies dans sa poche et d'éteindre la machine. Il poursuivit ses recherches mais ne découvrit rien d'autre d'intéressant. Il s'assit alors dans le fauteuil qu'avait occupé Anna Balkanikoff lors de leur entrevue et réfléchit sur la meilleure manière d'exploiter l'indice qu'il venait de dénicher et qui rejoignait les déclarations de la mère supérieure du couvent de Los Santos Angeles de Dios. Il ne doutait pas un seul instant que ces envois d'argent soient le fait de Hilda Balkanikoff. Elle avait peut-être abandonné sa fille à l'âge de trois ans mais elle continuait de subvenir à ses besoins. Sans doute ignorait-elle que sa fille avait découvert un moyen très lucratif de gagner beaucoup d'argent, un moyen vieux comme le monde auquel recouraient certaines femmes sans scrupules.

Par ailleurs, le montant des virements, deux mille dollars suggérait que l'expéditeur ou l'expéditrice se trouvait à l'abri du besoin. On ne se séparait pas de deux mille dollars mensuellement sans souci si des ressources beaucoup plus importantes n'étaient pas à portée de la main. Etait-ce le reliquat de la fortune de son mari, ou sa totalité, dont disposait Hilda Balkanikoff si c'était elle qui était à l'origine des virements périodiques ?

Comment en savoir plus ?

Johnny Coll réfléchissait intensément.

Brusquement il eut une idée. Elle n'était pas sensationnelle, elle valait ce qu'elle valait, mais présentait le mérite d'être constructive et de peut-être aboutir à quelque chose de concret. Il fouilla à nouveau dans les tiroirs du bureau Ferdinand VII. Quelques milliers de pesetas y traînaient. Il les fourra dans la poche qui contenait déjà les photocopies. Son geste avait pour but d'accréditer la thèse du simple cambriolage crapuleux afin de détourner l'attention d'Anna Balkanikoff sur les véritables motivations de cette intrusion nocturne. Ce fut ensuite au tour d'un certificat de vaccination ancien dont les seules pages tamponnées étaient celles relatives aux vaccinations contre la variole et le choléra. Il rejoignit les pesetas et les photocopies.

Satisfait de lui, Johnny Coll remit tout en place et referma les classeurs et les tiroirs du bureau Ferdinand VII avant de récupérer ses outils et sa torche électrique. Le savon noir, il l'abandonna sur place. Ses mains, sous les gants, transpiraient. Il repassa la fenêtre et refit en sens inverse le chemin qui l'avait amené là, mais il se trompa quelque peu dans son orientation et dut suivre la face intérieure du mur d'enceinte sur une dizaine de mètres avant de retrouver le cordage. Il grimpa jusqu'au faîte, inspecta la rue qui était aussi déserte et aussi peu éclairée que lors de son arrivée et se hissa sur la surface plane. Rapidement il intervertit les crochets et se laissa glisser sur le trottoir. Après plusieurs tentatives il parvint à déloger les crochets de leur prise et il courut jusqu'à la voiture de location. Promptement il démarra et s'éloigna à toute vitesse du lieu de ses exploits nocturnes.

De retour à son hôtel, il procéda à une petite formalité avant de se doucher et de se coucher. Précédemment il avait fait l'acquisition d'enveloppes de papier kraft, de papier à lettres et timbres pour envoyer un rapport écrit complet à Wenchell Davis sur ses activités à Paris et à Madrid, destiné à compléter la conversation téléphonique qu'il avait eue avec lui. Il prit une des enveloppes, la timbra largement et enfouit à l'intérieur les quelques milliers de pesetas qu'il avait dérobés lors de son expédition chez Anna Balkanikoff. Il la cacheta et alla s'emparer de l'annuaire téléphonique pour y chercher l'adresse de la Croix-Rouge.

CHAPITRE IX

Manolito examinait attentivement le certificat de vaccination.

— Facile, grogna-t-il.

— Tu connais quelqu'un qui pourrait imiter la signature ? demanda Johnny Coll avec espoir.

— Je connais, fit l'Espagnol d'un air mystérieux. L'ennui, c'est qu'il est un peu cher.

— Qu'il soit cher ne constitue pas un problème, mais est-ce qu'il travaille rapidement ?

Manolito redressa la taille et fronça les sourcils d'un air ombrageux comme si son interlocuteur venait de prononcer quelque parole offensante.

— C'est un artiste.

Sarcastique, Johnny Coll répliqua :

— Justement, les artistes sont connus pour travailler plutôt lentement.

— Pas lui.

— Alors, faisons-lui confiance. On peut aller le voir ?

— Non, il est préférable de lui téléphoner au préalable. Ce n'est pas n'importe qui, c'est un artiste.

Johnny Coll désigna le poste téléphonique posé sur la commode.

— Ne perdons pas de temps.

Soudain l'Espagnol eut l'air absent, puis il se mit à bégayer quelques chiffres avant de rugir :

— Non, c'est le 422, 88 deux fois ! Le truc pour s'en souvenir !

Johnny Coll arqua un sourcil.

— Le truc pour s'en souvenir ?

— Bien sûr ! Quatre fois vingt-deux, ça fait quatre-vingt-huit ! J'aime pas les choses écrites, ça rend que des mauvais services...

Johnny Coll sourit avec indulgence.

— Et quelquefois ça mène à la prison modèle ! Dépêche-toi de téléphoner.

Manolito s'exécuta. Il parla brièvement en un argot madrilène que Johnny Coll ne comprit qu'à moitié et raccrocha. Son expression était énigmatique. D'une main il tapotait la tranche du carnet de vaccinations contre le bois de la commode sur laquelle était posé le poste téléphonique.

— Alors ? s'impatienta Johnny Coll.

— Cinquante mille pesetas. Payables d'avance.

— C'est d'accord. Quand le rencontre-t-on ?

— Il ne veut traiter qu'avec moi. Il se méfie des étrangers. Que doit-il faire exactement ?

D'une autre enveloppe de papier kraft Johnny Coll sortit une dizaine de pages blanches et vierges.

— Reproduction de la signature qui figure sur le certificat de vaccinations, dicta-t-il. A huit centimètres, très exactement, du bord inférieur de la feuille de papier et au centre de celle-ci. Ces instructions doivent être respectées à la lettre. En outre j'ai besoin d'un cachet officiel authentifiant la signature. Timbre humide de la Policia, de la Guardia Civil ou de la Seguridad. Au choix.

Manolito cligna des yeux.

— Facile, répéta-t-il.

— Ton ami dispose de faux tampons dans son arsenal ?

L'Espagnol arbora un air horrifié.

— Pas des faux, des vrais ! Fauchés par des nationalistes basques et revendus pour se faire un peu d'argent.

— Tu te portes garant de la bonne exécution du travail ?

— Je le jure, *generalissimo* ! L'argent ?

Johnny Coll sortit une liasse épaisse de sa poche en se remémorant d'avoir à demander à Wenchell Davis des subsides supplémentaires. Son enquête en Europe lui coûtait cher. Il compta les coupures et les tendit à Manolito. Ce dernier qui, de l'œil, comptait en même temps que son visiteur, eut l'air choqué lorsqu'il reçut le dernier billet de banque.

— Mes honoraires ne sont pas compris dans la transaction, fit-il remarquer.

Johnny Coll était persuadé qu'au contraire l'escroc avait déjà augmenté le prix réclamé par le faussaire. Néanmoins il ne marchanda pas :

— Combien ?

— Je prends habituellement vingt pour cent.

Johnny Coll compta encore dix mille pesetas et les lui remit avant de poser sur la commode les dix feuilles blanches replacées dans leur enveloppe.

— Tu as juré que ton artiste travaillait rapidement, rappela-t-il. Quand le tout sera-t-il prêt ?

— Il a demandé quarante-huit heures de délai pour se familiariser avec la signature. Après-demain à dix-sept heures ?

L'homme apporta la touche finale à la bombe qu'il était en train de confectionner. Son intention était d'en diriger toute la force explosive verticalement et il la modelait en conséquence. Aux alentours de minuit, il s'estima satisfait. Il enfila son blouson, plaça la bombe à l'intérieur ainsi que sa trousse d'outillage, et remonta la fermeture Eclair. Il sortit de l'appartement et descendit dans la rue. Sa Volvo était garée à une dizaine de mètres devant la boutique de modes. Il s'installa derrière le volant et démarra. Il apporta beaucoup d'attention à ne pas dépasser la vitesse autorisée car il ne tenait pas à se faire arrêter par un policier trop vigilant ou trop zélé.

A trois ou quatre cents mètres de sa destination, il découvrit un créneau et y gara la Volvo avant de poursuivre sa route à pied. A courte distance du parking, il ralentit et observa les environs. Il y avait certes du monde mais personne ne lui prêtait attention.

Il s'engouffra dans le parking.

Il lui fallut dix bonnes minutes pour repérer la voiture une BMW de couleur verte, rangée l'avant contre le mur. Il s'avança jusqu'à toucher la carrosserie et regarda autour de lui. Personne. Rapidement il s'allongea sur le sol à côté des roues sans souci de tacher ses vêtements qu'à dessein il avait choisis parce qu'ils étaient vieux et sales et il sortit de sous son blouson la bombe qui lui avait donné tant de mal. Il la poussa sous les roues et lui adjoignit la trousse à outillage ouverte pour exposer les instruments. Entre ses dents il plaça la torche électrique qui n'était qu'un cylindre d'un centimètre de diamètre. Ensuite il se glissa sous la voiture, la nuque face au mur. L'espace était restreint alors que la carrure de l'homme était impressionnante. Il lui fallait donc procéder avec un minimum de mouvements. Avec du fil électrique de couleur noire, il attacha la bombe à l'axe transversal. En pressant ses dents sur le bouton actionneur de la torche il pouvait à loisir allumer ou éteindre celle-ci. Pour le moment il la maintenait allumée car le pinceau lumineux lui servait à vérifier la position de la bombe.

Un bruit de moteur. Il s'arrêta net et ses dents éteignirent la torche. Il se força à contrôler sa respiration. C'est à peine si dix centimètres séparaient sa tête de la sous-structure de la BMW et il commençait à éprouver des difficultés à inspirer et à expirer uniquement par le nez.

Des bruits de musique. Des voix. Hommes et femmes. Natalie Cole, la fille du grand Nat « King » Cole, chantait *From now on you're only someone that I used to love,* reconnut-il en sentant les gouttes de sueur ruisseler sur ses joues. La chanson mourut. Une portière claqua. Puis une autre et une troisième. Il entendit des commentaires approbateurs sur la soirée que les deux couples venaient de passer.

Des bruits de pas. Il se raidit. La sueur lui cuisait les yeux et l'extrémité de la torche entre ses dents le forçait à saliver abondamment. Il avait l'impression que les paroles prononcées par les deux hommes et les deux femmes lui étaient hurlées dans les oreilles. A présent il apercevait le bas des jambes, les chaussures. L'une des deux femmes avait des jambes au galbe parfait, admira-t-il. Une bouffée de désir lui embrasa les tripes. C'était toujours ainsi lorsqu'il était plongé dans l'action qui allait conduire au meurtre. Dans ces cas-là et à condition qu'il en eût la possibilité il se masturbait et retrouvait ensuite la plénitude de ses moyens intellectuels et physiques. Qui donc prétendait que la masturbation obscurcissait le cerveau ? Malheureusement, dans les circonstances présentes, et à cause de l'exiguïté de l'emplacement dans lequel il devait se mouvoir, il lui était difficile de libérer le flot qu'il sentait affluer dans son ventre et que comprimait le tissu serré du jean.

Les jambes et les chaussures disparurent. Les voix moururent après que la porte qui conduisait aux cabines d'ascenseur eut claqué. Il se remit au travail. A présent il reliait l'explosif au câble du compteur de vitesse et il s'aperçut vite que ce qui à l'origine lui avait paru comme une ample longueur de fil électrique se révélait maintenant à la limite du nécessaire. Il était ennuyé car il ne voulait surtout pas que la bombe puisse glisser ou même tomber. Lorsqu'il eut terminé, il vérifia soigneusement l'assise de l'explosif. Il était fermement maintenu en place même si pour sa satisfaction personnelle il eût préféré disposer d'une longueur supplémentaire de fil électrique et l'enrouler autour de l'axe transversal. Avant de ressortir de sous la BMW, il contrôla la position du bouton commutateur. Trois encoches lui servaient de logement au gré des circonstances : « ouvert », « fermé » et « sécurité ». Cette dernière avait la fonction d'un cran de sûreté sur un pistolet automatique. Il s'aperçut qu'il avait oublié tout simplement d'actionner le bouton commutateur. Il le fit glisser dans la position « ouvert ». Ensuite avec du sparadrap emprunté à la trousse d'outillage, il bloqua le fil électrique tout autour de l'encoche « ouvert » afin que si le fil se déplaçait, il ne repousse pas le commutateur dans une des deux autres encoches, ce qui aurait été catastrophique puisque la bombe alors n'aurait pu fonctionner.

Il put enfin ranger la torche électrique et respirer tout à son aise tout en récupérant la trousse à outillage et en l'enfouissant dans son blouson. Ceci fait, il écouta. Aucun bruit ne lui parvenait. Rapidement, il se glissa hors de l'étroit espace, se releva en brossant machinalement ses vêtements et il courut vers la sortie du parking. Personne ne remarqua sa présence en ces lieux. Il regagna la Volvo, s'y engouffra, démarra et, inconsciemment, se dirigea vers les quartiers chauds de la ville. Il laissa la Volvo dans une rue fort éclairée où elle ne risquait pas de se retrouver stripteasée. Dans le coffre arrière il avait déposé la trousse à outillage et la torche électrique. Les mains dans les poches du blouson, il gagna la rue où s'alignaient les bars louches et les cabarets où l'alcool qu'on servait s'apparentait à l'acide sulfurique. Entre une sex-shop et un cinéma porno, il repéra une jolie brune, très jeune et outrageusement fardée. Elle exposait des cuisses nues. Son excitation grandit. De jolies cuisses bien dessinées et des traits outrageusement fardés le mettaient immédiatement sur orbite. A l'expression de ses yeux, la fille reconnut le client conquis à cent pour cent. Elle se déhancha et descendit les trois marches en haut desquelles elle était perchée.

— Tu viens ? invita-t-elle.

Sa gorge était trop nouée par l'exacerbation du désir pour qu'il puisse répondre. Il lui agrippa la taille et remonta avec elle les trois marches de l'escalier.

Johnny Coll consulta sa montre-bracelet. Il était un peu en avance sur l'heure de rendez-vous fixée par Manolito. Aussi décida-t-il de flâner le long des rues. Madrid était une des plus belles capitales du monde et il aimait son atmosphère très particulière. Il démarra et pressa le bouton de l'autoradio. Natalie Cole, la fille du fabuleux Nat « King » Cole, chantait *From now on you're only someone that I used to love,* son grand succès au hit-parade, succès qui faisait le tour du monde. Dehors, la journée finissante était belle. Il baissa la vitre et laissa l'air frais pénétrer à l'intérieur de la voiture. De sa chambre d'hôtel il avait téléphoné à la compagnie aérienne espagnole Iberia pour qu'on lui établisse un billet de première classe à destination de Jakarta. Il allait voyager par Iberia jusqu'à Rome et, de là, prendre une correspondance à destination de l'Indonésie sur un vol K.L.M.

L'homme dans la Volvo parvint à chasser de son esprit les délices de la nuit passée avec la prostituée. Une véritable experte, avait-il reconnu avec enthousiasme, qui connaissait à fond tous les aspects de l'art de l'amour malgré son jeune âge. Comment s'appelait-elle déjà ? Inès ? Dolorès ? Mercédès ? Añès ? Peu importait après tout. Le principal était qu'elle lui avait rendu un fier service. Grâce à elle son esprit et son corps étaient apaisés et pouvaient se tendre jusqu'à leur extrême limite dans l'accomplissement de la mission.

Sa main droite abandonna le volant et s'empara d'un objet en métal qui avait la forme d'un champignon et était posé sur le siège passager. Il le caressa et le remit en place avant de déloger l'allume-cigares qu'il laissa tomber sur le siège passager. Le cylindre de l'objet métallique possédait très exactement les dimensions de l'allume-cigares. Il s'en empara à nouveau et l'emboîta dans le logement vide. Ceci fait, il effleura la surface du champignon et repéra les deux boutons à pression. Il écrasa le premier puis le second...

Johnny Cole entendit le sifflement. Instinctivement il freina à mort, les yeux braqués sur le rétroviseur, craignant le choc à l'arrière avec un automobiliste distrait. Par chance un camion était garé en double file devant lui. Lorsqu'il vit la flamme jaune jaillir du capot, sa main abaissa le levier d'ouverture de la portière et il se jeta sur la chaussée dans l'espace qui séparait deux voitures en stationnement. Les pare-chocs lui martyrisèrent le ventre en même temps que l'explosion déchirait l'air. Il eut l'impression qu'un laminoir géant le réduisait à l'état de crêpe, une crêpe qu'on précipitait dans une poêle emplie d'huile bouillante. La douleur était atroce. Il se mit à hurler. Ses yeux ne voyaient plus qu'un nuage opaque de couleur gris orangé dont l'âcre odeur lui calcinait les narines, la gorge et les poumons. Une chaleur intense l'enveloppait. Dans ses oreilles mille flammes crépitaient joyeusement comme pour un feu de la Saint-Jean lorsque le père Kirkpatrick de l'église Saint Malachy's dans la 49ᵉ Rue Ouest emmenait tous les gosses du patronage faire une virée dans les forêts du nord de l'Etat de New York, avec chants autour des feux de camp et l'inévitable *Ce n'est qu'un au revoir, mes frères* hurlé à satiété avant d'aller s'enfouir dans les sacs de couchage sous la toile de tente.

Il s'évanouit.

L'homme dans la Volvo retira le champignon et le remplaça par l'allume-cigares. Toute la circulation était bloquée et, déjà, s'élevait le classique concert de klaxons. Il attendit puis fit comme tous les autres automobilistes figés sur place dans l'artère. Il se décida à s'extraire de la voiture et à se mêler à la foule grandissante. Comme tout le monde il demanda ce qui se passait, quelle était la raison de l'explosion qu'il avait entendue, déplora le détestable climat politique qui régnait en Espagne depuis la mort du Vieux et, peu à peu, se détacha des groupes pour gagner une rue adjacente. Dans sa poche l'objet métallique en forme de champignon produisait une certaine protubérance qu'avec optimisme il jugea trop légère pour susciter des soupçons.

Dans la ruelle les poubelles étaient sorties malgré les règlements municipaux. Mais le restaurant en prenait à son aise avec la loi, sans doute parce que c'était un des restaurants les plus cotés de la capitale et que la clientèle devait user de son poids si des ennuis intervenaient.

Il regarda autour de lui, vit des gens qui couraient, affolés, mais personne ne prêtait attention à ses gestes. Il souleva le couvercle d'une poubelle, déplaça des restes de nourriture du déjeuner de midi pour enfouir le champignon de métal et le recouvrit entièrement de détritus divers. Il remit le couvercle en place et s'éloigna précipitamment tout en ôtant ses gants.

Déjà il pensait à son rendez-vous du soir avec la

prostituée de la nuit précédente, Inès, Mercédès, Dolorès ou Añès. Il anticipait ce moment avec une fougue intense car, déjà, il sentait dans son ventre la présence d'un désir douloureux.

CHAPITRE X

Johnny Coll était couché sur le ventre et il devait tordre le coup pour répondre aux questions de l'officier de police. L'interrogatoire durait déjà depuis une demi-heure. Johnny Coll avait décliné son identité, sa profession et les raisons qui l'avaient amené à Madrid. Mais il était flagrant que la mort de Balkanikoff survenue en 1945 et l'assassinat à New York de Peter Coogan n'intéressaient nullement l'enquêteur accompagné d'un autre détective qui prenait des notes, assis sur l'inévitable chaise métallique peinte en blanc qu'on retrouvait dans toute chambre d'hôpital.

— Vous faites de la politique, Mr. Coll ?

— Je vote pour les Républicains car je trouve qu'ils ont plus de bon sens que les Démocrates et parce que ces derniers nous amènent toujours des guerres. C'est Roosevelt qui nous a entraînés dans la Seconde Guerre mondiale, Truman qui est intervenu en Corée et Kennedy qui a commencé la guerre du Viêt-nam à laquelle un Républicain, Nixon, a mis fin.

A dessein il avait placé la conversation sur le plan humoristique. L'officier de police demeura impassible.

— Je ne suis pas intéressé par la politique intérieure des Etats-Unis mais par celle de l'Espagne, Mr. Coll, répliqua-t-il. Avez-vous eu des contacts avec des organisations subversives ?

— Des organisations subversives ?

— L'E.T.A. par exemple ?

— L'*eta* ? Ça signifie « âge » en italien si ma mémoire ne me fait pas défaut ? plaisanta Johnny Coll.

— C'est le sigle d'une organisation terroriste basque qui a commis de nombreux attentats à l'explosif en Espagne au cours des dernières années, attentats qui ont fait d'innombrables victimes. La voiture piégée est leur marque de fabrique.

Johnny Coll cligna des yeux pour signifier qu'il n'était pas d'accord.

— Je ne me souviens pas avoir jamais rencontré un Basque, objecta-t-il.

— Repassons en revue, si vous le voulez bien, tous les gens que vous avez contactés à Madrid, invita l'officier de police.

Johnny Coll s'exécuta de bonne grâce mais évita soigneusement de mentionner le nom de Manolito. Rien ne l'obligeait, avait-il décidé, à coopérer totalement avec la police espagnole. Après tout, c'était sa propre peau qui était en jeu et il était libre d'en disposer à sa guise. La thèse d'un attentat commis par une organisation terroriste basque l'aurait fait rire aux éclats s'il n'avait pas craint de réveiller dans son dos et sa nuque les terribles élancements qui l'avaient martyrisé durant les trois jours précédents. Seule la morphine avait apporté l'apaisement. Les blessures étaient surtout des brûlures au premier degré, quelques-unes au second degré cependant, et des coupures, des entailles provoquées par les éclats de métal de la carrosserie déchiquetée par l'explosion.

Qui était responsable ? était la première question qu'il s'était posée dès qu'il avait émergé de l'évanouissement et qu'il avait réalisé la chance miraculeuse qui l'avait fait échapper à une mort certaine. La prémonition était venue avec le moment où le sifflement s'était manifesté. Une réminiscence foudroyante lui avait sauvé la vie. C'était le leitmotiv obsédant du témoin survivant de l'horrible attentat qui avait coûté la vie à l'ambassadeur chilien Orlando Letelier (1) : *le sifflement... j'ai entendu un long sifflement... j'ignorais ce que c'était... le sifflement... strident... j'ai pensé à des cigales... et puis l'explosion...*

Johnny Coll était à l'époque enquêteur pour le compte du district attorney fédéral qui supervisait l'investigation sur les origines de l'attentat. Il avait recueilli les déclarations du témoin et avait été obsédé par le leitmotiv qui revenait sans cesse dans sa bouche : *le sifflement... le sifflement... le sifflement...*

Il avait aussi contemplé longuement les tôles déchirées de la carcasse automobile, les sièges couverts de sang à demi consumés par les flammes.

— Mr. Coll, vous m'entendez ?

L'officier de police n'osait tout de même pas le secouer par l'épaule à cause de la forêt de pansements qui l'enveloppait comme une momie.

— Vous vous êtes assoupi ?

— C'est ça, vos questions, vos théories me font somnoler.

Le ton du policier se fit âpre.

— Vous ne vous attendez pas, j'imagine, à ce que j'adhère à votre thèse ridicule selon laquelle l'attentat dirigé contre vous aurait des ramifications, des liens, avec celui qui a tué cet écrivain américain dont vous m'avez abondamment parlé ?

— C'est pourtant, à mon avis, le cas.

— Très bien. Pouvez-vous citer un nom ?

Mû par une inspiration soudaine, Johnny Coll lança :

(1) Victime d'un attentat identique à Washington en septembre 1976.

— Anna Balkanikoff.

Ce n'était qu'un ballon d'essai, il le savait, qui pouvait retomber, crevé, à peine propulsé dans les airs. Mais que risquait-il et qui lui prouvait que la jeune femme n'était pas mêlée à l'attentat ? Et si elle avait soupçonné l'identité de celui qui était à l'origine du cambriolage ? Oui, mais pour quelles raisons ? C'était un cercle vicieux, on tournait en rond car la même question se posait pour Peter Coogan. Pour quelles raisons ?

— Où peut-on trouver cette Anna Balkanikoff ?

— Elle tient un bordel, à ce qu'on dit fort réputé.

Il cita l'adresse. Du coin de l'œil, et avec joie, il vit l'officier de police tressaillir. C'était bien ce qu'il pensait, se réjouit-il. L'ex-nonne et son couvent transformé en maison de passes bénéficiaient plus que probablement de protections puissantes et le policier se disait déjà qu'une foule d'ennuis l'attendait s'il orientait son enquête dans cette direction. Cependant ce dernier ne fit aucun commentaire et se contenta de regarder son collègue qui inscrivait scrupuleusement sur son bloc les renseignements fournis par Johnny Coll.

— Vous ne voyez vraiment personne qui vous en voulait ? insista-t-il pourtant.

Mais il gardait le morceau de bravoure pour la fin :

— On a retrouvé sur les lieux un Smith et Wesson et les débris d'un holster en cuir. Comme vous avez été complètement déshabillé par le souffle de l'explosion, on suppose que ces objets vous appartiennent ?

Johnny Coll abaissa les paupières et remercia mentalement l'infirmière qui lui avait lu les articles de presse consacrés à l'attentat. Des passants, aussi, avaient été entièrement déshabillés par le souffle de l'explosion. Certes, il était plus vraisemblable aux yeux de la police madrilène que ce fût lui qui eût détenu ces accessoires qui se révélaient maintenant encombrants, mais que pouvait-elle prouver ?

— Ils ne m'appartiennent pas.

— Vous êtes sûr ? Ne prévoyiez-vous pas, justement, le danger auquel vous avez failli succomber et ne vous êtes-vous pas prémuni contre lui en prenant la précaution de vous procurer une arme de poing ?

— Le Smith et Wesson n'est pas mon arme favorite. Ensuite, comment aurais-je franchi le contrôle électronique des aéroports avec un revolver dans son holster ?

— Certains milieux madrilènes sont pleins de ressources, Mr. Coll. Ce n'est pas à un détective privé new-yorkais que je l'apprendrai.

— Je regrette, éluda Johnny Coll, mais je ne peux vous apporter aucun éclaircissement sur les origines de ce Smith et Wesson et de ce holster.

La porte s'ouvrit à cet instant-là et le médecin chef du service entra en compagnie de deux infirmières.

— Vous êtes encore là ? s'étonna-t-il en s'adressant aux deux policiers. Vous fatiguez inutilement le patient. Je suis obligé de vous prier de quitter cette chambre.

A contrecœur les deux officiers de police disparurent. Le médecin s'approcha du lit.

— Comment vous sentez-vous ? s'enquit-il d'un ton paternel.

— Au bout de combien de temps devient-on morphinomane à raison de quatre injections quotidiennes ? interrogea Johnny Coll, l'œil morose.

Audrey arrangeait sept roses rouges dans le vase qu'elle avait apporté en même temps que les fleurs.

— Tu connais le symbolisme de sept roses rouges dans la tradition séculaire des Indiens du Mexique ? questionna-t-elle.

— Explique-moi.

— Sept roses rouges rassemblées apportent sept trésors qui sont : l'eau, le blé, l'œuf de la poule, le sel de la mer, le pollen des fleurs, la chair du poisson et l'enfant aîné de sexe masculin.

— Original et poétique, mais mon humeur est plutôt terre à terre.

— Tu souffres beaucoup ?

— Oui quand l'effet de la morphine s'est dissipé. Seulement, je crains le corollaire. Tu me vois déambuler à Times Square avec tous les drogués du coin ?

— Tu n'en es pas là ! protesta-t-elle, amusée.

— Que pense Wenchell Davis de l'attentat ?

— Que tu suis la bonne piste puisque tu es en danger de mort.

— Tu as vu les deux flics en uniforme armés de mitraillettes devant la porte de ma chambre ?

— Ils ont la mine patibulaire et l'air résolu. Tu n'as rien à craindre, ici. Quelle est ta thèse, *à toi ?*

Johnny Coll commença par lui expliquer comment il était tombé sur les avis de virements bancaires de la Bank Dagang Negara à Jakarta au Banco de Comercio y Expancion à Madrid au crédit d'Anna Balkanikoff. Elle ouvrit de grands yeux effrayés.

— Tu as recouru au cambriolage ! s'exclama-t-elle, vaguement horrifiée.

— Sans ce biais je ne serais jamais tombé sur cet indice. Cela a d'ailleurs des implications intéressantes. Ton frère n'a pu obtenir le même indice pour la bonne raison que lui n'a pas recouru au cambriolage chez Anna Balkanikoff. Primo, ce n'était pas dans sa nature à ce que j'ai compris en partant de ce que tu m'as dit de lui. Deuxio : même s'il était entré par effraction dans la maison de rendez-vous, Anna Balkanikoff se serait méfiée et n'aurait pas laissé traîner ces avis bancaires dans un classeur métallique ordinaire même verrouillé. Apparemment, elle ne craignait rien dans ce domaine.

— Tu crois qu'elle serait à l'origine de cet attentat contre toi ?

— Je n'en sais rien mais je ne cesse de me poser une question : si l'on a tenté de me tuer pour les mêmes raisons qui ont présidé à l'assassinat de ton frère, pourquoi a-t-on choisi d'agir sur-le-champ, à Madrid même, en ce qui me concerne, tandis que dans le cas de Peter on a attendu qu'il retourne à New York en sélectionnant un tueur à gages américain pour exécuter le « contrat » ? Cette façon de faire suggère une urgence moindre pour ton frère que pour moi. Pourquoi ?

— Parce qu'il n'était pas tombé sur le même indice que toi ? proposa-t-elle.

— Pas idiot, reconnut-il.

Elle appesantit le regard sur ses traits tirés, ses yeux fatigués, un peu fiévreux, sa bouche amère, en se demandant si l'attentat ne laisserait pas des séquelles psychiques et traumatisantes. Elle savait qu'en ce qui la concernait elle en aurait eu des cauchemars, chaque nuit, pendant des mois et que la terreur se serait emparée d'elle à chaque fois qu'elle aurait eu à déverrouiller la portière de sa voiture, à Madrid, à New York ou ailleurs. C'était une expérience qu'on n'oubliait pas même si, par ailleurs, on était un détective privé habitué aux coups durs et souvent confronté à la violence.

Pour détourner la conversation, elle renseigna :

— Wenchell m'a remis de l'argent pour toi. Il a réitéré sa promesse : il assume tous les frais quelque importants qu'ils soient et il te prie de ne pas regarder à la dépense. Ça lui a fichu un drôle de choc que tu aies failli mourir dans cet attentat.

Johnny Coll referma les yeux et murmura :

— Tout ce que je transportais sur moi a été volatilisé quand je me suis retrouvé déshabillé par le souffle de l'explosion. Mais ce que tu viens de me dire m'a donné une idée. Dès que je sors de l'hôpital je dépose l'argent que tu as apporté au Banco de Comercio y Expancion après y avoir ouvert un compte et je le fais transférer à un autre compte à mon nom à la Bank Dagang Negara à Jakarta. Cette initiative est en droite ligne en accord avec le plan que j'avais bâti avant l'attentat.

Il vit les yeux de la jeune femme scintiller.

— On peut en connaître les détails ? demanda-t-elle.

**

Les deux policiers étaient de retour.

— Votre théorie est ridicule, attaqua le premier, celui qui parlait tandis que son collègue prenait des notes. Cette Anna Balkanikoff que vous avez incriminée est hors de cause. Vos accusations sont diffamatoires.

— Elle a l'intention de porter plainte ? railla Johnny Coll.

— Bien sûr que non. Elle refuse la mauvaise publicité.

— A cause de son bordel ?

— Nous n'appartenons pas à la brigade des Mœurs, nous appartenons à la brigade Criminelle, je vous le rappelle, Mr. Coll, et nous enquêtons sur une tentative d'assassinat dont vous avez été la victime. Dans ces cas-là, cette dernière, généralement, coopère avec la Justice.

— Croyez à ma bonne volonté et à mon ardent désir de coopération, malheureusement je n'ai aucun indice à vous fournir hormis ceux que je vous ai indiqués.

— Ils sont ridicules, je vous l'ai déjà dit. Revenons aux terroristes basques...

Ça recommençait ! faillit hurler Johnny Coll en enfouissant son visage dans l'oreiller. Il décida de ne plus parler.

Bien plus tard, les deux policiers, excédés, quittèrent la chambre d'hôpital. Celui qui dirigeait l'interrogatoire décocha sa flèche de Parthe :

— Je crains que la police espagnole n'ait à prendre des mesures contre vous, Mr. Coll...

D'un air absent Johnny Coll, le cou tordu, fixait les sept roses rouges qu'Audrey avait renouvelées la veille. La porte se rouvrit. Il crut que c'était une infirmière qui apportait le déjeuner de midi mais s'aperçut que l'arrivante était Audrey. Après qu'elle se fut enquis comme d'habitude des progrès de sa guérison, elle lâcha :

— Je dois retourner à New York demain. Des ennuis avec ma boutique de modes... Je sais que ça peut paraître désinvolte de parler d'ennuis avec ma boutique de modes après ce que tu as enduré mais je t'assure que c'est très important pour moi. Je n'ai pas d'autres moyens d'existence.

Il cligna des yeux avec compréhension.

— C'est déjà chouette de ta part d'avoir fait le déplacement.

— J'ai pris le premier avion quand tu m'as fait téléphoner la nouvelle.

— J'aurai encore besoin une fois de tes services avant que tu partes...

— Que puis-je faire pour toi ?

Le chariot roulant venait de passer. Audrey s'était empressée, avait pris le plateau des mains de la fille et l'avait déposé sur le dessus du téléviseur. Johnny Coll repoussa les draps et, précautionneusement, se leva. Audrey se précipita et le soutint. Il attendit cinq minutes pour laisser passer l'instant de vertige. C'était inévitable après ces longs jours d'immobilisation. Ses jambes, d'ailleurs, étaient cotonneuses et tremblaient comme une crème caramel vidée sur l'assiette.

— Tu crois que ça va aller ? s'inquiéta Audrey.

Il se passa la main sur le front. Il était en sueur. Elle

comprit et humecta une serviette de toilette avec l'eau minérale de la bouteille posée sur la table de nuit. Elle lui frictionna vigoureusement le visage. Il sourit.

— Je crois que je vais tenir le coup. Le plus dur est passé.

Elle hocha la tête, toujours inquiète.

— C'est la fatigue que je crains, avoua-t-elle. Elle risque de gagner rapidement tous tes membres.

— L'air du dehors me fera du bien, assura-t-il.

— Je vais t'aider à enfiler tes vêtements.

Sur les instructions de Johnny Coll elle avait fait l'emplette d'une chemise, d'un costume, de sous-vêtements et de chaussures. A l'exception de ces dernières, tous les articles étaient d'une taille au-dessus de celle qui convenait au jeune détective privé, cette différence tenant compte des pansements qui grossissaient sa silhouette et qu'il devait conserver car ses blessures n'étaient pas entièrement cicatrisées.

Ses mouvements étaient gauches et lents mais il savait qu'il disposait d'un laps de temps suffisant. Le chariot roulant effectuait sa tournée et l'espace entre le dépôt du plateau du dîner et son retrait s'étalait entre quarante et cinquante minutes. Dans l'intervalle, nulle infirmière, nul médecin, ne venaient déranger les patients qui dînaient. En revanche, les visites étaient autorisées durant le repas, ce qui expliquait la présence d'Audrey avec l'immense cabas qui contenait les vêtements et les chaussures.

Lorsqu'il fut complètement habillé, elle lui tendit une cravate.

— Pas la peine, refusa-t-il.

Elle la fourra dans l'une des poches du veston.

— Prends-la quand même. Je l'ai choisie spécialement pour toi. Elle est superbe. De chez Christian Dior.

— Je te jure que je la porterai dès que ces foutus pansements seront devenus inutiles.

Il était prêt. Elle alla ouvrir la fenêtre. Tout juste un mètre à sauter. Aucun danger à craindre. Un peu réticent à l'égard de ses jambes molles et cotonneuses, il se dirigea vers le placard qui contenait les affaires que la police avait récupérées sur les lieux de l'attentat. Certes, l'argent qu'il portait sur lui avait disparu, sa montre-bracelet avait été arrachée par le souffle de l'explosion comme les vêtements et s'était disloquée contre la façade d'un immeuble mais, miraculeusement, son passeport avait été épargné et sa couverture à peine égratignée, tout simplement parce qu'il était resté plaqué à l'intérieur du veston qui, lui, avait été retrouvé en lambeaux.

Il s'en empara et le fourra dans sa poche. Audrey revenait vers lui et ouvrait son sac à main.

— L'argent.

Elle lui tendit une liasse épaisse de coupures de cent dollars.

— Tant pis, regretta-t-il, je ne pourrai pas effectuer le virement à la Bank Dagang Negara à Jakarta par l'intermédiaire du Banco de Comercio y Expancion.

— Les clés de la voiture.

Il prit le trousseau et l'enfouit dans une poche. Dans une autre, à l'intérieur de la veste, il plaça la liasse de billets de banque.

— Tu verras, renseigna-t-elle, à vingt mètres à droite en sortant après le bureau de renseignements une Peugeot 504 blanche immatriculée 794 CHJ 8 E. Les papiers de chez Avis sont dans le compartiment à gants. En ce qui concerne la voiture détruite au cours de l'attentat, j'ai effectué toutes les formalités. Avis sait que c'est toi qui rendras la 504 à leur succursale de l'aéroport de Barajas et qui paieras toutes les dépenses.

— Tout me semble en ordre.

Elle sentait qu'il s'impatientait. Elle l'embrassa avec tendresse en prenant garde de ne pas comprimer les parties encore ultra-sensibles de son corps. Il lui rendit le baiser à profusion.

— Sois prudent, recommanda-t-elle. Je ne voudrais pas que la recherche de l'instigateur de l'assassinat de Peter entraîne une autre mort, ou d'autres morts. On aurait pu compter de nombreuses victimes lorsque ta voiture a explosé !

Il lui sourit d'un air rassurant.

— Je prendrai soin de moi comme dans le passé, ne t'inquiète pas.

Elle l'aida à franchir le rebord et l'appui de la fenêtre en évitant encore une fois d'effleurer le dos et la nuque. Dès qu'elle le vit sauter et disparaître, elle referma la fenêtre, ramassa son cabas et sortit avec nonchalance de la chambre d'hôpital. A l'extrémité du couloir le chariot roulant amorçait son retour. Elle allongea le pas et gagna la sortie du pavillon.

Dans la semi-obscurité ambiante, Johnny Coll avançait précautionneusement. Ses jambes étaient encore faibles et il ne tenait nullement à ce qu'elles lui manquent brusquement au point de le faire s'étaler sur le dallage. A présent qu'il se mouvait, que ses muscles travaillaient, les blessures en voie de cicatrisation se réveillaient et attaquaient ses terminaisons nerveuses.

Il dépassa le bureau de renseignements, tourna à droite et accéléra le pas. Très vite il reconnut la Peugeot 504. C'était le seul véhicule de couleur blanche dans toute la lignée de voitures garées contre le trottoir. En grimaçant de souffrance, il l'inspecta sur toutes les coutures. Désormais il devait se montrer extrêmement prudent, se convainquit-il aisément. Le tueur (ou les tueurs ?) n'avait probablement pas désarmé à cause de son échec. Peut-être surveillait-on l'hôpital ? Il était possible aussi qu'Audrey ait été repérée. Il était bon, se réjouit-il, qu'elle retourne à New York. Qui pouvait savoir si sa vie n'était pas en danger à Madrid ?

Son inspection extérieure terminée, il ouvrit la portière, tira sur le levier du capot et, sous le chiche éclairage urbain, examina attentivement les divers éléments du moteur. En ce faisant, il aperçut du coin de l'œil Audrey qui sortait de l'hôpital et tournait à gauche. Il la regarda s'éloigner et héler un taxi en maraude. Il reprit son examen. Satisfait enfin que tout parût en ordre, il rabaissa le capot, alla s'intaller derrière le volant et c'est sans appréhension qu'il mit le moteur en route.

Sa première étape fut l'hôtel où il avait logé avant l'attentat. Une des choses qu'avait faites Audrey à son arrivée à Madrid avait été, sur les instructions de Johnny Coll, d'en payer la chambre à l'avance. Le réceptionniste le reconnut et, l'air grave et mystérieux, s'inquiéta de sa santé avant de conclure :

— Ah ! ces Basques ! Ils nous donnent bien du tourment, monsieur ! Vous allez voir que nous allons verser à nouveau dans la guerre civile !

Johnny Coll ne fit pas de commentaires. Il prit la cabine d'ascenseur pour monter jusqu'à sa chambre. Elle était en ordre. Sa valise était posée sur le râtelier. Il s'avança et en rabattit le couvercle afin de fouiller dans les soufflets. Ils étaient vides. Les photocopies des avis de virements bancaires qu'il avait effectuées dans le bureau d'Anna Balkanikoff avaient disparu.

Ainsi l'attentat contre sa vie était signé.

Il vérifia le contenu de la valise qui ne comprenait que des vêtements et les notes succinctes qu'il avait prises à la Bibliothèque Nationale de Paris, à la Casa de Velasquez et dans les archives des journaux. Rien n'avait été touché. Il rassembla toutes ses affaires éparses dans la chambre et dans la salle de bains, les enfouit dans la valise qu'il boucla et emporta en quittant la chambre. A la réception on lui restitua son solde créditeur, il rendit la clé et alla déposer sa valise dans le coffre de la 504.

Sa seconde étape fut l'immeuble de l'Avenida Jose Antonio tout en haut duquel habitait Manolito.

Ses coups de sonnette répétés ne produisant aucun résultat notable, il se décida à essayer le bouton de la porte. Celle-ci s'ouvrit et il entra en cherchant des doigts le commutateur. Lorsque la lumière jaillit il vit que le hall d'entrée était vide. Il alluma dans les autres pièces mais constata que Manolito ne se trouvait nulle part. Un instant il avait été inquiet mais maintenant se rassurait. Nul désordre ne régnait en ces lieux. Rien ne semblait avoir changé par rapport à ses visites précédentes.

Cependant, une curieuse odeur le frappa dans la cuisine. Celle de fruits pourris. Tout d'abord il remarqua un alignement insolite, sur la paillasse, de boîtes de conserve et de bouteilles de bière. Ensuite il souleva le couvercle de la poubelle et découvrit qu'un bon kilo d'oranges pourrissait là. Pourquoi, s'interrogea-t-il Manolito irait-il acheter un kilo d'oranges pour ne pas les consommer et être obligé de les jeter par la suite ? C'est alors que son regard tomba sur le bac à légumes et à fruits et sur les cinq grilles. Il s'agenouilla avec précaution afin de ne pas raviver la souffrance dans son dos et sa nuque et examina les objets qui, reconnut-il, constituaient les éléments amovibles d'un réfrigérateur. Les grilles servaient en réalité d'étagère. Il se releva et examina le frigidaire. C'était la grande taille. Il s'avança et en tira la porte.

Manolito avait la goutte au nez et des stalactites lui pendaient des narines et de la bouche. Il ne mesurait pas plus d'un mètre soixante-cinq et, recroquevillé, il tenait à l'aise dans l'immense espace que le tueur avait ménagé en ôtant les grilles-étagères et le bac à fruits et à légumes après les avoir débarrassés des aliments divers et boissons que le réfrigérateur contenait. Son visage était livide et son cou violacé là où restait serrée une écharpe brunâtre entortillée sur elle-même. La langue émergeait d'entre les lèvres et léchait les stalactites formés par la salive dégoulinante et figée par le froid dont l'intensité avait été poussée au maximum, nota Johnny Coll. Les yeux étaient restés ouverts et contemplaient une tache sur la paroi interne du frigidaire qui devait être une trace laissée par du jus de tomate renversé.

Johnny Coll ne pouvait rien faire pour Manolito. Il referma la porte du réfrigérateur et poussant un soupir de regret d'avoir entraîné l'Espagnol dans une aventure qui se terminait si tragiquement.

Le schéma de l'opération se précisait à ses yeux. Son arrivée à Madrid et ses initiatives avaient provoqué la mise en œuvre de forces destructrices qui cherchaient à se protéger d'un danger quelconque relié à Hilda ou Anna Balkanikoff. On avait cherché à le tuer et on avait assassiné son contact, Manolito. Mais, chronologiquement, comment les choses s'étaient-elles passées ? D'abord, il avait procédé au cambriolage chez Anna Balkanikoff. Ensuite, le lendemain, il était allé trouver Manolito. Mais, dans l'intervalle, Anna Balkanikoff avait découvert l'intrusion nocturne et avait soupçonné son visiteur de la veille qui posait les questions gênantes et que, probablement, la veille aussi, elle avait fait suivre discrètement. Elle connaissait donc l'adresse de son hôtel. Partant de là, nouvelle filature après la découverte du cambriolage. Repérage de Manolito, mise sur pied de l'attentat à la bombe deux jours plus tard, puis assassinat de Manolito et vol des photocopies des avis de virements bancaires. Chronologiquement, c'était vraisemblablement ainsi que les choses s'étaient passées.

Il décapsula une des bouteilles de bière posées sur la paillasse et en vida le contenu dans un verre. Quand il la goûta, il fit la grimace tant elle était tiède. Il but quand même en sachant pertinemment qu'il ne parviendrait pas à étancher sa soif.

Il s'en alla rouvrir la porte du réfrigérateur et tira le

cadavre hors de l'appareil ménager pour l'allonger sur le carrelage. Ceci fait, il l'examina attentivement. Aucune trace de torture. Une chance subsistait. Peut-être s'était-on contenté de tuer l'Espagnol sans l'interroger ? Ou, si on l'avait questionné, il était possible encore qu'il se soit tu sur les motifs de sa rencontre avec Johnny Coll. La réaction traditionnelle de l'homme du Milieu qui se refuse à « balancer ». Une action accentuée par le caractère traditionnellement fier et ombrageux des Espagnols. Une chance subsistait donc qu'un simple « contrat » ait été exécuté sur la personne de Manolito et que le tueur ait ignoré le marché passé avec le faussaire par l'intermédiaire de Manolito.

Quel était donc le numéro de téléphone que ce dernier avait mentionné ? Voyons, le procédé mnémotechnique... Quatre fois quelque chose... Un nombre proche de cent, il s'en souvenait...

Il s'assit près de la table, repoussa le verre et la bouteille de bière vides, s'accouda et évita de s'adosser au mur pour ne pas ressusciter la souffrance. Son esprit était entièrement concentré sur la recherche du renseignement. Heureusement il était doté d'une bonne mémoire. Habituellement, il n'avait pas besoin de noter par écrit les numéros de téléphone. Il les enregistrait et son cerveau les lui restituait au moment opportun.

Ça commençait par un 4, ça il en était sûr. Quels étaient les nombres proches de 100 divisibles par quatre ? Dans l'ordre décroissant, on trouvait 96, 92, 88, 84... Ça donnait donc 424-9696 ou 423-9292 ou 422-8888 ou 421-8484...

Brusquement il se souvint que les quatre derniers chiffres étaient identiques. Ce ne pouvait par conséquent qu'être 422-8888 !

Il se leva et alla dans le salon où se trouvait le poste téléphonique. Il décrocha et, d'un doigt fébrile, composa le numéro. Une voix méfiante lui répondit :

— Oui ? Qui est à l'appareil ?

Il se lança dans un torrent d'explications et conclut :

— Manolito a été assassiné.

A l'autre bout du fil la voix se fit glaciale.

— En quoi suis-je concerné ?

— Vous êtes concerné parce qu'il y a à la clé deux mille dollars si je récupère les dix pages signées et tamponnées, comme convenu avec Manolito. Deux mille dollars supplémentaires, en sus de ce qui vous a déjà été payé. En monnaie étrangère, exempte d'impôts.

Le silence s'établit et, inquiet, Johnny Coll hurla :

— Bon sang, vous m'entendez ?

— Je vous entends.

— C'est d'accord ? s'impatienta-t-il.

— Vous avez été suivi jusque chez Manolito ?

La voix hésitait entre la peur et la cupidité.

— Je viens de vous dire que je me suis évadé de l'hôpital grâce à la complicité d'une amie. Personne ne m'a vu.

Brusquement il se retourna, saisi par l'angoisse. Et si, malgré son optimisme, il était à nouveau en danger de mort ? Et si quelqu'un surveillait les lieux attendant que quelqu'un reprenne le contact avec Manolito ? Audrey, si elle avait été repérée par exemple, ou lui-même ?

Le faussaire se manifesta à nouveau :

— Décrivez-vous physiquement et décrivez vos vêtements.

Johnny Coll s'exécuta du mieux qu'il put.

— Très bien, acquiesça l'autre. Rendez-vous dans une heure au coin de la Calle de la Princesa et de la Plazza de Moncloa. Côté sud-est. Arrangez-vous pour avoir un journal plié dans la poche gauche et un autre roulé sous le bras droit. Et n'oubliez pas l'argent.

La communication fut coupée. Johnny Coll raccrocha et préleva deux mille dollars sur la somme que lui avait remise Audrey. Il les fourra dans sa poche droite et se rendit dans la cuisine où il avait précédemment repéré un tas de vieux journaux. Il en sélectionna deux et entreprit de replacer le cadavre à l'intérieur du réfrigérateur qu'il referma sur son contenu. Au préalable, il avait fouillé les poches et récupéré une importante somme d'argent qui représentait une partie de ce qu'il avait versé à l'Espagnol dans le cadre du marché avec le faussaire. Mais, surtout, il s'empara du trousseau de clés et alla vérifier la serrure de la porte d'entrée. Elle était équipée de plusieurs verrous et n'avait pas été forcée. Méfiant comme était Manolito, s'interrogea-t-il, qu'est-ce qui avait pu le pousser à ouvrir à son assassin avec, apparemment, une facilité aussi étonnante ? Il emporta avec lui les deux journaux et referma soigneusement derrière lui. Dans la cuisine, il avait également déniché une torche électrique qui bombait sa poche droite.

De retour à sa voiture, il l'inspecta soigneusement à l'aide de cette torche, avec autant de minutie qu'il avait apportée après son évasion de l'hôpital. Cette fois encore, le véhicule n'avait pas subi d'attentions particulières...

Il démarra et gagna tranquillement le lieu de rendez-vous. Il était en avance sur l'horaire. Parvenu au coin de la Calle de la Princesa et de la Plazza de Moncloa il gara la 504 et fit les cent pas sur le trottoir en se pliant aux exigences émises par son correspondant au téléphone. A l'heure dite, un homme l'aborda. Il était âgé, méfiant et inquiet. Ses yeux voltigeaient de droite à gauche. Son visage était celui d'un conspirateur qui craint d'être suivi par la police secrète. Il claudiquait et sa silhouette étriquée paraissait osciller au souffle du vent qui balayait puissamment le carrefour.

— Vous avez l'argent ?

Johnny Coll sortit les coupures de cent dollars et les lui montra. L'autre hocha la tête en signe d'approbation. Il fouilla à l'intérieur de sa veste élimée et en sortit une chemise cartonnée qu'il tendit.

— Vérifiez.

L'enseigne d'un hôtel projetait une lueur vive sur le trottoir et la chaussée. Johnny Coll se recula et examina avec soin le travail effectué sur les pages blanches qu'il avait remises à Manolito. La signature était en tous points conforme à celle qui figurait sur le carnet de vaccinations joint à la liasse de feuilles. A côté, et tapé à la machine à écrire, était inscrit : *La signature apposée ci-contre est conforme à celle que la requérante nous a fournie sur notre demande. Le certifions.* Suivaient un gribouillage, la mention de l'identité d'un officier de police et le timbre humide de la Seguridad Nacional.

— Satisfait ?

— Très bon boulot, approuva Johnny Coll.

— L'argent, maintenant.

Il lui tendit les deux mille dollars, attendit qu'il disparût et regagna la bordure de trottoir contre laquelle était rangée la 504. Il ne s'éternisa pas dans le coin et retourna à Avenida Jose Antonio. Il avait décidé qu'il passerait la nuit dans l'appartement de Manolito. L'endroit en valait un autre. Avec les verrous de sûreté, la protection se révélerait probablement suffisante. Néanmoins il revisita toutes les pièces avant de s'enfermer à l'intérieur car n'était pas à négliger la possibilité que durant son absence quelque intrus ne se soit introduit dans les lieux en utilisant le balcon qui constituait le seul point faible de son système de protection.

Il dormit sur le ventre, mais d'un seul œil. De toute façon, en raison de toute l'activité à laquelle il s'était livré depuis son évasion de l'hôpital, ses blessures se manifestaient avec intensité et il n'avait pas de morphine à sa disposition pour apaiser la souffrance.

Le lendemain il se leva de bonne heure, effaça les empreintes qu'il avait laissées dans l'appartement, et se rendit à l'aéroport de Barajas où il restitua la 504 à l'agence de location Avis avant de prendre un billet d'avion sur un vol Iberia à destination de Paris.

Il y avait trois heures d'attente avant le départ. Il était assis dans un des salons lorsqu'il vit apparaître les deux policiers qui l'avaient interrogé à l'hôpital. Il se raidit. Celui qui avait posé les questions lui sourit aimablement.

— Vous croyiez nous avoir faussé compagnie, Mr. Coll ? Vous devriez savoir que la police espagnole est l'une des plus efficaces du monde. Nous savons toujours où retrouver les gens. Après votre départ de l'hôpital nous avons été alertés et nous avons prévenu les points de sortie frontaliers, particulièrement Barajas. Nous nous doutions bien que vous passeriez par là.

— Qu'avez-vous à me reprocher ?

— Officiellement, vos contacts probables avec l'extrême droite, ce qui explique l'attentat dont vous avez été victime, un attentat commis par les terroristes basques.

Johnny Coll éclata de rire.

— Je vois. Pour vous je suis une sorte de néo-nazi ou quoi ?

— Nous n'avons aucune opinion en ce qui concerne la tendance à laquelle vous appartenez. En revanche, je vais vous demander de signer ce papier...

Le policier sortait une feuille de papier de sa poche, la lui tendait.

— Qu'est-ce que c'est ? interrogea Johnny Coll.

— Un décret d'expulsion. Vous êtes indésirable en Espagne, Mr. Coll.

Il riait toujours. Il signa sans se faire plus prier.

— Merci. Maintenant vous allez nous suivre.

Il regarda tour à tour les deux policiers avec méfiance.

— Pourquoi ?

— Nous ne sommes pas inhumains. Nous avons amené un médecin avec nous. Il reste deux heures avant le départ de votre avion pour Paris. Il les occupera à soigner vos plaies et à changer vos pansements.

Il se leva.

— Dans le fond, vous êtes heureux que je fiche le camp d'ici de ma propre initiative ?

— De toute manière, nous vous aurions signifié le décret d'expulsion sur votre lit d'hôpital. Un peu plus tôt, un peu plus tard...

Le second policier toussota et intervint à son tour. C'était la première fois que Johnny Coll entendait le son de sa voix. A chacune de ses visites en compagnie de son collègue, il s'était contenté de prendre des notes sur son bloc de papier quadrillé.

— Votre charmante amie, miss Audrey Coogan est partie sans ennuis par le vol de 22 heures hier à destination de New York, renseigna-t-il d'un ton sardonique. Le fait d'aider quelqu'un à s'évader d'un hôpital ne tombe pas sous le coup de la loi...

A Paris, Johnny Coll se rendit au 49 de la rue Cortambert où l'ambassade d'Indonésie abritait ses services consulaires. Il formula une demande de visa touriste et emplit les questionnaires adéquats. Il laissa son passeport et ressortit pour, d'un café voisin, passer plusieurs coups de téléphone jusqu'à ce qu'il déniche une clinique qui veuille bien l'hospitaliser. Celle sur laquelle finalement il porta son choix se nichait dans le quartier le plus huppé de Neuilly. Il héla un taxi en maraude et s'y rendit.

Avant toute chose, il tenait à être complètement guéri de ses blessures avant d'entreprendre quoi que ce soit en Extrême-Orient, d'autant que Jakarta était située à peu de distance au sud de l'équateur et il savait que le climat tropical était funeste aux blessures non cicatrisées.

Le médecin qui l'accueillit était une jeune femme jolie et avenante.

— Que vous est-il arrivé ? interrogea-t-elle avec une lueur de curiosité dans les yeux.

— J'étais en vacances en Espagne, expliqua-t-il, et vous ne devinerez jamais ce qui m'est arrivé !

— Vous me mettez l'eau à la bouche.

— Des terroristes ont bourré ma voiture de dynamite et l'ont fait exploser !

— Et moi qui envisageais d'y passer mes prochaines vacances ! s'exclama-t-elle.

— Et pourtant les Espagnols ont la meilleure police du monde !

CHAPITRE XI

La dernière fois que Johnny Coll avait posé les pieds en Indonésie remontait à neuf ans. A l'époque, le pays se relevait difficilement de la longue ère de catastrophe économique dans laquelle l'avait plongé le désastreux gouvernement du président Soekarno. Dès 1965, pourtant, le peuple indonésien avec son dynamisme, sa vitalité et son tonus prodigieux, s'était débarrassé de ses gouvernants incompétents et avait merveilleusement redressé la barre, après une contre-révolution qui avait laissé près d'un million de morts dans les rues des villes et dans les recoins cachés de la jungle ou encore dans le flot jaunâtre des rivières de Java, de Sumatra et de Kalimantan. A présent, le miracle économique s'était opéré et des charters entiers de touristes allaient se vider sur l'aéroport de Denpasar, à Bali.

La capitale, Jakarta, l'ancienne Batavia et l'ancienne Djakarta, avait elle aussi changé d'aspect. Après avoir été l'une des villes les plus sales du monde, aux rues parsemées de nids de poule et couvertes d'eau par les brusques orages de la mousson, elle se donnait maintenant des allures coquettes de Brasilia en tentant d'effacer la laideur ambiante par la multiplication des buildings ultramodernes. Les *becas*, ces pousse-pousse à traction avant humaine, avaient été chassés des grandes artères ou s'étaient motorisés, ce qui, en revanche, effaçait une partie du pittoresque.

L'immeuble de la Bank Dagang Negara avait été construit dans les années 60 et était situé à l'extrémité nord-est de la Jalan Muhamad Husni, au coin de la Jalan Kebon Sirih et en face du ministère des Cultes. Un temps, cette avenue s'était appelée Jalan Thamrin, comme son prolongement actuel en direction de la Place Merdeka, et c'était l'artère la plus prestigieuse de la capitale. Elle était jalonnée des plus beaux fleurons de l'architecture ultramoderne qui prévalait sous l'impulsion des technocrates du gouvernement du général Suharto : les ambassades de France, d'Australie, du Japon, d'U.R.S.S., des Nations unies, les hôtels *President, Asoka, Indonesia,* le grand magasin *Sarinah,* des immeubles abritant des banques comme la First National City Bank ou la Bank Dagang Negara, des ministères, le Jakarta Theatre, des buildings d'affaires. C'était là où battait le cœur de la capitale indonésienne, tandis qu'à plusieurs centaines de mètres à l'ouest, des quartiers restaient encore misérables ou médiocrement réhabilités dans leurs structures périodiquement sapées par les pluies abondantes et dévastatrices de la mousson entre octobre et mars.

Quant à la circulation dans la Jalan Muhamad Husni, elle n'avait rien à envier aux embouteillages de Manhattan aux heures de sortie des bureaux, estima Johnny Coll, confortablement installé sur le siège arrière d'un taxi agréablement climatisé qui se faufilait astucieusement entre les *bemos,* ces taxis collectifs, en réalité des scooters carénés en camion.

Il avait élu domicile à l'hôtel *Borobudur Intercontinental* situé sur la Jalan Lapangan Banteng Selatan, le plus luxueux hôtel de la ville, aux chambres à l'espace inégalé.

Le taxi passa devant l'immeuble de la Bank Dagang Negara mais ne s'arrêta pas. La naïveté ne figurait pas dans les caractéristiques naturelles de Johnny Coll. Pas une seconde il n'imaginait que la direction de la banque puisse lui fournir, même sur le vu des attestations signées Anna Balkanikoff, les renseignements qu'il recherchait, d'autant que cette dernière, si elle avait constaté la disparition des avis de virements bancaires et fait procéder à leur recouvrement dans sa chambre d'hôtel, avait très certainement alerté la Bank Dagang Negara en adjurant de mettre l'embargo sur toute catégorie de renseignements la concernant. C'était le moins qu'on pouvait attendre de la jeune femme qui, par ailleurs, témoignait de tonus et d'intelligence. Elle l'avait prouvé en montant sa maison de rendez-vous et en entraînant avec elle aux enfers de jeunes nonnes à la foi vacillante.

En tout cas, il convenait de ne pas la sous-estimer et Johnny Coll ne tombait pas dans ce piège.

Parvenu à la Place Merdeka, le taxi obliqua sur la gauche et s'intégra à la circulation qui filait vers le nord. L'Indonésie figurait parmi la minorité de pays dans le monde où la circulation s'opérait à gauche. Cela avait toujours surpris Johnny Coll, qui se souvenait que le pays avait été durant plusieurs siècles une colonie néerlandaise. Or, aux Pays-Bas on roulait à droite. Une réaction anticolonialiste ?

Plus loin, après le bâtiment bas qui abritait la Chase Manhattan, le taxi tourna à nouveau pour rejoindre la Jalan Abdul Muis. Bientôt il s'arrêta devant une maison anodine, ancienne, de pur style colonial, avec des colonnades en péristyle qui protégeaient la façade des ardeurs du soleil tropical. Johnny Coll descendit, fourra une poignée de billets de cent rupiahs dans la main du chauffeur et lui demanda de patienter. Dans l'air flottaient les odeurs tyranniques du *durian,* ce fruit exotique au parfum pénétrant et envahisseur.

Un homme grand, athlétique, à la peau brune, aux

hanches et aux jambes enveloppées d'un *sarang* surgissait d'entre les colonnades, les bras ouverts.

— *Selamat datang*, Johnny (1) !

Johnny Coll rassembla ses bribes de *bahasa* indonésien :

— *Saya senang sebab boleh kita berdjumpa lagi* (2).

— Entre.

Familièrement, l'homme le prenait aux épaules, l'entraînait avec lui dans l'ombre du péristyle et le faisait pénétrer à l'intérieur de la maison où un climatiseur dispensait une fraîcheur bienfaisante.

— Assieds-toi, Johnny.

Il désignait des fauteuils en rotin recouverts de tissu aux tons mordorés. Tous deux prirent place et l'homme ôta son *pici* (3) avant de proposer :

— Que puis-je t'offrir ?

Johnny Coll désigna la théière dans laquelle flottaient des glaçons.

— Thé glacé.

Son hôte était le major Saïd Nusaputera, officier de renseignements au BADOKIN (4), le corps des Services Spéciaux indonésiens. Onze ans plus tôt, au temps de la guerre du Viêt-nam, Johnny Coll, en tant que jeune officier de réserve, avait été affecté à la D.I.A. (5) à Saigon devenue depuis Ho-Chi-Minh-Ville. A l'époque, Nusaputera, qui n'était alors que capitaine, était en poste dans la même ville au titre d'agent de liaison du BADOKIN auprès de la D.I.A. Une amitié s'était nouée entre les deux hommes, renforcée par le fait que tous les deux s'étaient retrouvés en 1971 à Jakarta, Johnny Coll parce qu'il

---

(1) Bienvenue.
(2) Je suis heureux que nous nous rencontrions à nouveau.
(3) Sorte de bonnet noir, signe distinctif des musulmans en Indonésie.
(4) Initiales de BAdan DOKumentasi INdonesia : Corps de Renseignements indonésien.
(5) Defense Intelligence Agency : Services de Renseignements militaires U.S.

terminait son temps d'officier de réserve à l'ambassade des Etats-Unis de la Jalan Merdeka Selatan, Nusaputera parce qu'il était réaffecté au Service de Répression des Menées Antinationales au BADOKIN. Depuis, ils s'étaient perdus de vue mais échangeaient traditionnellement leurs vœux aux approches de Noël.

Idéologiquement, tous les officiers opérant au sein du BADOKIN étaient sûrs, et Nusaputera ne faisait pas exception à la règle. Son père avait été assassiné par les putschistes communistes de Madiun en 1948. Les plus prestigieux généraux de l'armée indonésienne, ceux qui avaient participé à la guerre d'Indépendance contre les Hollandais, avaient tous été assassinés, sauf deux d'entre eux, par d'autres putschistes communistes en septembre 1965. C'était donc avec une grande joie qu'il luttait professionnellement contre les Services de Renseignements soviétiques, chinois et vietnamien.

Le régime politique actuel s'était fortement occidentalisé et ne tenait nullement à retomber dans les errements du passé, au temps où le président Soekarno dirigeait le pays. Le BADOKIN était donc doté d'un budget important et on lui avait assigné la tâche de combattre avec vigueur toutes les activités subversives venant de l'extérieur ou de l'intérieur.

Conformément au rituel indonésien, Nusaputera fit venir son épouse et ses enfants et tous se congratulèrent. Johnny Coll savait que ce geste constituait la marque d'une très grande amitié. L'étiquette indonésienne était très subtile et compliquée à l'égard des étrangers regardés généralement avec méfiance. Le degré de l'estime dans laquelle l'hôte tenait son visiteur se mesurait à la graduation des signes extérieurs d'appréciation. La courbe ascendante de la considération témoignée à un étranger procédait par paliers dont Johnny Coll se remémorait les étapes :

On recevait le visiteur sur la terrasse de la maison.

On le faisait entrer à l'intérieur et on restait debout.

On le faisait entrer à l'intérieur et on lui offrait un siège.

Même scénario mais on lui offrait une boisson.

Même rituel mais, en sus, on lui présentait son épouse.

Enfin, tout en haut de l'échelle, consécration suprême, on lui présentait son épouse *et* ses enfants avec, en prime, la visite approfondie de la maison.

Après que les effusions, les congratulations d'usage se furent achevées, l'épouse et les enfants disparurent et Johnny Coll goûta à son thé.

— Qu'est-ce qui t'amène, Johnny ? s'enquit Nusaputera. Ne me dis pas que tu as fait tout ce voyage uniquement dans le but de me revoir, je ne te croirais pas. Pas après neuf ans de séparation ponctués de cartes de Noël et de Jour de l'An.

Le ton était railleur.

— Exact, reconnut Johnny Coll avec un sourire qui se voulait désarmant. Je viens solliciter un service.

Il sortit de la poche intérieure de son costume une feuille de papier pliée en quatre. Le costume était en tissu tropicalisé et avait été acheté rue du Faubourg Saint-Honoré, après sa sortie de la clinique de Neuilly où il avait attendu que ses plaies et blessures soient complètement cicatrisées. A présent, il n'éprouvait plus de souffrances, rien que des démangeaisons provoquées par les poussées de sueur inhérentes au climat tropical. Il avait littéralement dévalisé la boutique de vêtements du Faubourg Saint-Honoré, en choisissant des tissus légers car il avait une expérience profonde de la canicule qui régnait dans cette partie du Sud-Est asiatique. Quant à la feuille de papier, c'était l'un des exemplaires sur lesquels le faussaire contacté par Manolito avait apposé la signature d'Anna Balkanikoff, accompagnée d'une authentification concrétisée par un tampon de la Seguridad.

Par-dessus la théière, il la passa à l'Indonésien. Le texte

au-dessus de la signature avait été tapé à la machine à écrire par lui-même dans le service administratif de la clinique, après qu'il eut bakchiché la secrétaire afin qu'elle lui abandonne sa place. Normalement, pour sa rédaction, l'espagnol aurait dû être utilisé, mais Johnny Coll s'était persuadé que l'anglais était préférable car l'espagnol risquait de ne lui servir à rien dans un pays d'Extrême-Orient. On y lisait :

Je soussignée Anna Balkanikoff donne pleins pouvoirs à Mr. Johnny Coll, détective privé à New York City, U.S.A., en vue de procéder à toutes recherches tendant à découvrir l'origine de virements bancaires effectués à mon crédit au Banco de Comercio y Expancion à Madrid, Espagne, par l'intermédiaire de la Bank Dagang Negara à Jakarta, Indonésie.

Le major Nusaputera lut le texte et leva sur Johnny Coll un regard chargé d'incompréhension.

— Des avis de virements bancaires ?

— Leur origine est mystérieuse.

Brusquement, un vieux réflexe de déformation professionnelle fit froncer les sourcils de l'Indonésien.

— Anna Balkanikoff... C'est un nom russe ?

Johnny Coll fonça dans la brèche que l'autre lui ouvrait.

— Tout ce qu'il y a de plus russe. Sa mère, prénommée Hilda, a disparu depuis des décennies. Qui sait ce qu'elle est devenue ?

Il détestait devoir bluffer son ami, tout en se créant un alibi moral par le biais d'un raisonnement très simple : *je ne cherche pas à le mettre dans la merde, j'essaie uniquement d'obtenir sa coopération pour résoudre une affaire d'assassinat et une tentative de meurtre sur ma personne.*

— Une agente du K.G.B. ? suggéra-t-il un peu hypocritement, sachant que la seule mention du nom des services de renseignements mettrait l'officier sur orbite.

Ce dernier demeura impassible.

— Quel schéma proposes-tu ? s'enquit-il d'une voix prudente.

Johnny Coll commença par faire un bref résumé des activités de Balkanikoff et de son épouse en France durant l'occupation allemande et de leur passage en Espagne à la fin de la guerre, sans oublier le fabuleux viatique qu'ils emportaient avec eux. Il termina avec l'abandon d'Anna à l'âge de trois ans et l'éducation ultérieure qu'elle avait reçue de la part des religieuses de Los Santos Angeles de Dios. Il passa sous silence sa destinée dernière comme maîtresse de bordel, tout comme l'assassinat de Peter Coogan et la tentative de meurtre dont il avait été victime à Madrid. A dessein il se concentrait sur les énigmatiques virements bancaires.

— Après la mort de son mari, conclut-il, Hilda a pu être l'objet d'un chantage de la part des Soviétiques à cause de ses activités pro-nazies durant l'occupation allemande de la France, ce qui expliquerait sa brusque disparition. Mais elle se serait toujours inquiétée du sort de sa fille, comme toute mère qui se respecte, et, par des canaux bancaires, elle lui aurait fait parvenir des moyens de subsistance. Néanmoins, il n'est pas exclu qu'elle exerce des activités de renseignements. Dans quels pays ? L'Indonésie, par exemple, pourquoi pas ?

Sa présentation des faits était convaincante. Il s'en aperçut lorsqu'il vit le visage de son interlocuteur se figer.

— Tu as d'autres renseignements sur cette Hilda Balkanikoff ? questionna celui-ci.

— Non.

— Photographies même anciennes ?

— Non.

— Toutes les personnes d'origine européenne qui

vivent en Indonésie sont mises sur fiches. Je vais faire sélectionner celles qui pourraient correspondre à cette Hilda Balkanikoff. Le fait qu'elle doit avoisiner la soixantaine limitera considérablement le nombre des candidates.

Johnny Coll but une autre gorgée de thé glacé.

— La Bank Dagang Negara est un établissement privé ou nationalisé ?

— C'est une banque d'Etat.

— Le BADOKIN doit bien avoir des agents à l'intérieur ? suggéra-t-il.

Le major Nusaputera esquissa un fin sourire.

— Nous avons des agents partout, de peur que nos ennemis ne relèvent la tête. Pour le moment ils se terrent car la répression a été terrible, mais nous savons qu'ils travaillent insidieusement, comme des taupes, à saper notre régime. Nous n'avons rien à craindre de la tendance pro-chinoise car la Chine flirte avec les U.S.A. et l'Europe de l'Ouest. En revanche, la tendance pro-soviétique cherche son second souffle. L'U.R.S.S. n'apparaît pas sur le devant de la scène. Ce sont les Vietnamiens qui font le boulot, comme les Cubains en Afrique. S'ils parviennent à grignoter la Thaïlande, la Malaysie et Singapour, nous serons sous les feux de la rampe. Ils ont la meilleure armée d'Asie. La nôtre est excellente mais elle n'est jamais allée au feu.

— Oui mais ils n'ont que cinquante millions d'habitants, objecta Johnny Coll. Vous en avez cent quarante.

Le sourire de son hôte s'élargit.

— Nous comptons beaucoup sur cette différence démographique et sur l'amélioration de nos relations diplomatiques avec la Chine.

— Revenons à l'affaire qui m'a amené ici. Tu crois que tes agents au sein de la Bank Dagang Negara pourraient faire quelque chose ? Consulter les archives ?

— Je vais donner des ordres en conséquence. A quel hôtel es-tu descendu ?

— *Borobudur Intercontinental.*

— Je te recontacte.

CHAPITRE XII

La voisine entretenait une bonne douzaine de chats dans son appartement et ceux-ci, en toute liberté, vagabondaient sur les balcons qui couraient sur toute la façade de l'immeuble. Joseph Loew avait été obligé d'installer un paravent en grillage devant ses portes-fenêtres afin de leur interdire l'accès à son appartement et empêcher les déprédations qui s'ensuivraient. Non pas qu'il n'aimât pas les chats. Sur son balcon il y avait toujours pour eux une écuelle emplie de lait ou une demi-livre de viande hachée achetée chez le boucher kascher de la rue des Ecouffes. Sur le plan philosophique, Joseph Loew trouvait reposant que les chats se moquent éperdument que la viande soit kaschère ou pas. Eux ne se préoccupaient pas de rites religieux et de tabous théologiques. Ils dévoraient et voilà tout.

Ce soir-là comme d'habitude, Joseph Loew déposa quelques bolées de pitance et referma le châssis du grillage. Les chats connaissaient le rituel. Dans quelques instants ils viendraient se mettre à table.

Il erra sans but dans l'appartement, l'angoisse au cœur. Il connaissait bien ce sentiment qui s'apparentait à la claustrophobie, et qui l'assaillait depuis trente-cinq ans. Il n'en était pas habité en permanence mais le feu couvait sous la cendre et, un jour, s'embrasait. Ce soir-là, c'était le cas. Parallèlement, une infinie tristesse l'envahissait qui, bientôt, se transforma en désespérance. Il savait que la crise de larmes était proche. Il revint vers le salon et, cette fois, ferma aussi les portes-fenêtres. Les chats, au-delà du grillage, dévoraient gloutonnement. Il s'en retourna mettre en marche l'électrophone après avoir sorti le disque de sa pochette. Celle-ci était usée jusqu'à la trame et ses coins étaient déchirés, et pourtant, songea-t-il avec amertume, il en prenait soin. Il était vrai que le disque qu'elle contenait datait de 1947 et qu'il l'avait joué et rejoué tant de fois ! Il posa le disque sur la platine, poussa la tête de lecture et abaissa le levier terminé par le contrepoids. Puis il s'en alla s'asseoir dans le fauteuil, croisa les mains et ferma les yeux. Le disque était un peu rayé mais la voix de l'interprète était pure et passionnée :

Ich vill bei eich a kasche fregen, zugt mir ver es ken :
Mit velche tiere fermegens bentscht Gott alemen ?
Men koift es nit far kaine gelt
Und doch, az men farleert dus, vie fiel treren men fargist !
A tzvaïte gibt men kainem mit, es helft nit kain gevain,
Oy ! ver es hut farloren der vais schoin vus ich main
A Yiddische Momme, es gibt nit besser in der velt
A Yiddische Momme, oy, vay, vie bitter ven zie fehlt !
Vie schain und lichtig iz in hose ven die Momme's du !
Vie troirig finster vert ven Gott nemt ihr uff oylem habou
In vasser und feuer volt zie gelofen far ihr kind
Nit halten ihr teuer dus is geviss die greste zind
Oy, vie glicklich und reich is der mensch vus hut
A za schaine matouneh geschenkt fin Gott,
Nur ein altitschke Yiddische Momme... (1)

___

(1) *Je veux vous poser une question, répondez-moi si vous pouvez.*
Avec quel cadeau précieux Dieu bénit-il tous les hommes ?
Un cadeau qu'on ne peut acheter avec aucun argent
Et, pourtant, quand on le perd combien de larmes verse-t-on !
Un second comme lui on ne s'en voit pas offrir, et il ne sert à rien de pleurer,

La pointe de lecture dérapa sur la plage neutre et Joseph Loew se leva précipitamment pour la replacer au début de la chanson. Son cœur était broyé d'émotion. Il en était toujours ainsi lorsqu'il écoutait cette chanson nostalgique, cette longue plainte en mélopée, ce composé de musique judéo-polono-russe. Les paroles en étaient en yiddisch, une langue qui péniblement avait conquis ses galons après avoir été à l'origine un cocktail de mots hébreux et polonais intégrés à de l'allemand déformé et simplifié dans sa prononciation et son orthographe.

Mais, surtout, ce qui importait, c'était le texte de la chanson et son thème. La mère...

Dans quel abîme insondable se trouvait à présent la sienne ? En réécoutant le premier couplet, Joseph Loew ne put s'empêcher d'éclater en sanglots. Il avait su que la crise de larmes était proche et qu'il ne pouvait y échapper, comme les milliers de fois précédentes. Il retourna s'asseoir dans le fauteuil en sortant son mouchoir de sa poche. La crise passerait, il le savait. Il le fallait. Comme les autres fois. La vie devait reprendre ses droits, c'était ce qu'affirmait le poncif. La vie était là, dehors, toute proche. Sur le balcon les chats griffaient le grillage. Ils étaient rassasiés et bien vivants.

A Yiddische Momme, es gibt nit besser in der velt,
A Yiddische Momme, oy, vay, vie bitter ven zie fehlt...

Car quand vous l'avez perdu, vous savez déjà ce que cela signifie !
Une mère juive, il n'y a pas mieux au monde !
Une mère juive, hélas, que c'est terrible quand elle vous manque !
Comme il fait clair et joyeux dans la maison quand elle s'y trouve
Et comme tout devient triste et sombre quand Dieu la rappelle au monde de l'Au-delà !
Dans l'eau et dans le feu elle se jetterait pour son enfant !
Ne pas tenir à elle très chèrement est sans doute le plus grand péché !
Oh ! quelle chance et quelle richesse possède l'homme à qui Dieu a offert un aussi beau cadeau :
Simplement une chère vieille petite mère juive...

*

Le major Nusaputera avait sacrifié la sacro-sainte sieste afin de recevoir Johnny Coll. Grâce, d'ailleurs, au climatiseur qui fonctionnait à plein régime on ne ressentait nullement l'étouffante et émolliente chaleur tropicale qui régnait au-dehors et annihilait tout effort dans la capitale indonésienne.

— Les fiches n'ont rien révélé, renseigna l'officier en versant le thé glacé dans les verres. Les femmes d'un âge approximatif voisin de celui de Hilda Balkanikoff sont au nombre d'une trentaine. Nous les étudions cas par cas. Trois d'entre elles sont des Soviétiques, mais il se pourrait également que l'intéressée se dissimule sous une autre identité. Par ailleurs, parmi cette trentaine de femmes, une dizaine, pas plus, se trouvent à Jakarta. Les autres sont disséminées à Bandung, à Semarang, à Surabaya, à Medan, à Bandjermasin, à Makassar, à Palembang, à Pontianak et à Menado. Pour la moitié, ce sont des femmes qui ont épousé des Indonésiens ou des Chinois, en majorité des Hollandaises.

— Leur profession à toutes ?

— Beaucoup ne travaillent pas. Elles se contentent d'être l'épouse de leur époux.

— Les autres ?

— Médecins, anthropologues, missionnaires ou professeurs.

— Que font les maris de celles qui se contentent d'être l'épouse de leur époux ?

— Diplomates, médecins, ingénieurs, anthropologues, missionnaires ou professeurs. On tourne dans le même cercle.

— Je ne vois pas Hilda Balkanikoff évoluer dans ce cercle.

— Moi non plus.

— Tes agents au sein de la Bank Dagang Negara ?

— Ils sont tombés sur quelque chose.

Le major s'empara d'une serviette en cuir posée contre l'un des pieds de son fauteuil en rotin, en repoussa le rabat et en sortit une liasse de photocopies qu'il tendit à son visiteur. Empli d'excitation, celui-ci se plongea dans leur lecture. Les documents appartenaient à deux catégories différentes. La première comprenait des avis de virements bancaires ainsi libellés :

THE BANGKOK AND CHINESE BANK
24 Chakrapetch Road
Bangkok, Thaïlande.
Provenance : Compte : 00973 NBK 14.
Montant : Deux mille dollars U.S.
Pour crédit de : 779 MO 1978.
Commission à nous imputer.

La seconde catégorie englobait la contrepartie de la première :

BANK DAGANG NEGARA
Jalan Muhamad Husni
Jakarta, Indonésie.
pour BANCO DE COMERCIO Y EXPANCION
18 Avenida Jose Antonio, Madrid, Espagne.
A créditer le compte courant JHL 17638 (nom détenteur :
Anna Balkanikoff) de la somme de deux mille dollars U.S.
Commission à nous imputer.

Chacun des avis de virements de chaque catégorie correspondait à l'un des huit mois précédents. Comme à Madrid dans le bureau d'Anna Balkanikoff, constata Johnny Coll avec intérêt. Ainsi, Hilda Balkanikoff expédiait-elle mensuellement des subsides à sa fille.

— L'argent vient de Bangkok, commenta Nusaputera d'un ton acide. C'est la raison pour laquelle je ne crois pas que ton Hilda Balkanikoff figure parmi la trentaine de femmes que nous avons sélectionnées. Malgré tout, comme je te l'ai dit, nous les étudions, cas par cas.

Johnny Coll réfléchissait.

— The Bangkok and Chinese Bank..., murmura-t-il.

L'Indonésien éclata de rire.

— Des truands !

La surprise envahit le visage de son visiteur et Nusaputera expliqua :

— Après la prise de Saigon par les Nord-Vietnamiens, les généraux du Sud se sont enfuis un peu partout dans le monde. Les Etats-Unis, la France, Hong Kong, Singapour, Bangkok... Ils n'étaient pas partis sans biscuits... The Bangkok and Chinese Bank a comme président-directeur général un ancien général du président Thieu. Son nom est Trang Xuan Quang.

— Celui qui a commandé à Da Nang ?

— Exact.

— Je l'ai connu à Saigon.

— Moi aussi. Sa banque sert de canal à toutes sortes de trafics. Il est venu ici pour nous proposer ses services. Entre autres choses, il a contacté le ministère de la Marine et lui a racheté de vieux rafiots pour transporter en Malaisie et dans nos îles du Nord les réfugiés qui ont fui le Viêt-nam.

— Apparemment ce n'est pas un truand mais un idéaliste.

— Apparemment, seulement. Car le prix du passage sur ses vieux rafiots était exorbitant. Au ministère des Forces Armées, il a racheté du matériel de guerre réformé pour armer les maquisards anti-vietnamiens en Cochinchine. Son jeu est assez trouble mais le gouvernement thaïlandais le tolère à Bangkok. A mon avis, il doit avoir l'appui de la C.I.A. Ses coactionnaires dans la banque sont tous des généraux ou des colonels de l'ancien régime sud-vietnamien. Il nous a proposé de monter un réseau de renseignements en liaison avec le nôtre, mais les instances supérieures du BADOKIN en ont décidé autrement. Néanmoins, il nous a fourni gratuitement quelques informations valables, je le reconnais, qui nous ont permis d'appréhender quelques agents vietnamiens infiltrés ici. Il n'est pas entièrement *négatif*.

— Tu pourrais me recommander auprès de lui ?

— Pourquoi pas ? Mais, attention, son réseau Bras Séculier est actif, compétent et efficace.

— Des tueurs ?

— A l'occasion. La police de Bangkok est plutôt laxiste à leur égard. Mets-toi à sa place. La Thaïlande est assiégée par le Laos et le Cambodge sur ses frontières orientales et ces deux pays constituent une menace aussi grande que celle représentée par le Viêt-nam. Trang Xuan Quang est un élément sécurisant. Idéologiquement, je veux dire.

— Comment a-t-il pu financer sa banque ?

— Avec l'or et les dollars apportés de Saigon après la défaite du Sud.

Nusaputera bâillait. Johnny Coll comprit que la sieste lui manquait. A travers la large baie vitrée on apercevait la véranda et, au-delà, le superbe jardin avec ses orchidées et sa folle et composite végétation : l'arbre sacré, le *waringin* (1), entouré de frangipaniers et d'arbres fruitiers, goyaviers et bananiers. Deux ours nains de Malaisie, noirs avec le triangle blanc prolongeant la gorge, gambadaient joyeusement sur l'herbe dense.

Il se leva.

— Je t'abandonne à ta sieste.

Nusaputera se leva lui aussi et lui tapota amicalement l'épaule.

— De mon côté, je fais étudier le passé de ces femmes. Ensuite, je te prépare une lettre de recommandation

_____
(1) Figuier.

pour Trang Xuan Quang. J'espère qu'il ne te prendra pas pour une de nos barbouzes.

— Au contraire, répliqua vivement Johnny Coll. Laisse entendre dans ton texte que je suis susceptible de travailler pour le BADOKIN. Ça facilitera les choses. N'as-tu pas dit tout à l'heure qu'il avait recherché votre alliance ?

— Juste.

— Il risque donc de collaborer avec moi au mieux de mes intérêts en pensant qu'il inscrira un bâton dans la colonne crédits de vos livres de compte. J'espère néanmoins que tu ne te mouilles pas trop en me procurant cette lettre de recommandation ? Je veux dire par rapport à tes supérieurs hiérarchiques.

— Non. C'est moi le responsable de la Section Répression des Menées Antinationales/Bureau 3. Entre autres pays, ma juridiction comprend la Thaïlande. Passe demain soir, je te remettrai le document.

— D'accord.

Johnny Coll s'en retourna à son hôtel en emportant les photocopies des avis de virements bancaires. Une fois dans sa chambre, il prit une douche et sacrifia lui aussi au rituel du pays. Il effectua une sieste prolongée qui le mena aux alentours de dix-huit heures. Il reprit une douche, s'habilla légèrement d'un pantalon à la trame ténue, d'une chemisette et de sandales avant de descendre retirer du coffre de l'hôtel une partie de l'argent qu'il y avait déposé. Il sortit et, pour s'amuser, décida d'utiliser un *helicak*, un taxi-scooter à deux places et à trois roues. Il choisit le premier de la file et se fit conduire à Glodok, le vieux quartier chinois, dont le nom signifiait « grenouille » sans que personne sache bien pourquoi. C'était là que l'on trouvait les meilleurs restaurants chinois, se souvenait-il. L'*helicak* le déposa au coin de la Jalan Gajah Mada et de la Jalan Kemurnian et il poursuivit à pied, se mêlant à la foule disparate et grouillante qui ajoutait ses propres odeurs à celles, puissantes, des étalages de fruits et des cuisines de restaurants. Il porta son choix sur une salle délabrée, sachant que c'était dans les établissements les plus minables que la chère était la plus succulente. En réalité, il s'aperçut, une fois assis, qu'il s'était trompé. Le restaurant servait non pas de la cuisine chinoise mais des plats indonésiens. La différence était notable mais la qualité de la cuisine locale était tout aussi excellente et son raffinement aussi subtil et varié que la diversité et le nombre d'îles qui composaient l'archipel indonésien et qui s'élevaient à plusieurs milliers.

Il commanda donc un *hait bumbu bali* (1), un *ikan goreng* (2) accompagné de *kolak ubi* (3) et un *rujak* (4). Pour boisson, il choisit du thé chaud et une bière locale.

Il ne regretta pas son dîner car les mets étaient savoureux, bien que trop épicés pour un palais d'Américain. Après avoir payé l'addition il ressortit dans la rue et se repéra. Dans sa chambre d'hôtel on avait placé en évidence sur la console un plan de la ville. Il l'avait longuement consulté et avait mémorisé la disposition des rues qui l'intéressaient.

Il suivit la Jalan Kemenangan et passa le pont au-dessus du Kali (5) Krukut pour rejoindre la Jalan Kongsi. Bientôt il aperçut la maison. Elle était vieille et délabrée et encadrée par deux boutiques minables dans lesquelles de vieux Chinois à la peau parcheminée vendaient de la soupe au serpent, de la cervelle de singe, des steaks de tortue et de crocodile. Un gamin à l'allure délurée, assis sur les marches, épluchait consciencieusement une mangue avec un long couteau à la lame effilée. Plus loin, un

(1) Foie à la balinaise.
(2) Poisson frit.
(3) Pommes de terre sucrées en sauce.
(4) Salade de fruits en sauce au sucre de palme.
(5) Rivière.

mendiant aux jambes disloquées, dodelinait doucement de la tête, abruti par la drogue, adossé à la façade décrépite. Johnny Coll s'approcha. A ce moment-là une femme sortit de la maison et le regarda longuement, avant de cracher un jet de salive rougie par le bétel.

— Soung Go est là ? demanda Johnny Coll dans son indonésien hésitant.

— Qui veut le voir ? questionna la femme.

Le gamin croqua dans la mangue et leva sur l'étranger des yeux intéressés.

— Une vieille relation d'affaires, expliqua Johnny Coll, incertain quant aux échos que ses paroles pouvaient éveiller dans l'esprit de la femme.

— Américain ?

— Oui. Il y a une dizaine d'années j'étais à l'ambassade. Mon nom est Coll, Johnny Coll. Il doit se souvenir de moi.

— Johnny Coll, répéta la femme.

Elle hésita puis fit demi-tour et remonta les marches. Il attendit patiemment, le regard baissé sur la mangue qui rétrécissait à vue d'œil. Au bout de cinq minutes la femme réapparut.

— Entrez, invita-t-elle.

L'intérieur était aussi délabré que l'extérieur mais Johnny Coll savait que c'était par cupidité et avarice que Soung Go se maintenait en ces lieux avec sa famille. En réalité, grâce aux trafics auxquels il se livrait, il était riche. Le recel d'objets volés, entre autres choses, était son cheval de bataille. Au temps où Johnny Coll terminait à l'ambassade américaine de la Jalan Merdeka Selatan son temps d'officier de réserve en tant qu'attaché culturel adjoint affecté, en réalité, à la section Renseignements, il avait eu affaire à Soung Go. Le but du contact était de lui racheter des passeports volés à des citoyens américains en visite en Indonésie. Le vieux Chinois, hypocritement, faisait semblant de n'être pas au courant mais, deux jours plus tard, miraculeusement il annonçait par téléphone que le passeport avait été retrouvé grâce à l'appui d'amis sûrs qui, naturellement, sollicitaient une indemnisation pour les frais qu'ils avaient supportés. La somme, en général, était exorbitante mais Johnny Coll avait reçu l'ordre de payer sans rechigner. Il n'était évidemment pas question d'alerter la police sur les agissements du Chinois car, dans ce cas, les passeports n'auraient *jamais* réapparu, du moins à l'ambassade, car les passeports non récupérés étaient revendus à l'étranger à une clientèle diverse : réfugiés politiques qui voulaient pénétrer sur le territoire des Etats-Unis ou terroristes palestiniens qui avaient besoin d'une couverture pour aller exercer leurs activités en Amérique ou en Europe occidentale.

Le vieux forban était en train de déguster un *sambal goreng telor* (1) lorsque Johnny Coll entra dans la pièce sordide qui servait de salle à manger. L'atmosphère était étouffante et ce n'était pas l'archaïque ventilateur avec ses pales poussives et antédiluviennes qui allait rafraîchir l'air ambiant. Dans sa cage, un perroquet sommeillait. Le Chinois s'arrêta de manger et fixa son visiteur avec des yeux glauques.

— Je n'ai rien à vendre, annonça-t-il d'un ton pleureur.

— Je n'appartiens plus à l'ambassade.

— Comme si je l'ignorais ! Les temps ont changé. Vous connaissez le proverbe ?

— Même si le soleil revient à chaque aube, inchangé, la rivière, elle, continue d'user les galets.

Soung Go parut déçu.

— Ah !... vous connaissez...

— Vous me l'avez si souvent répété ! De Confucius, non ?

(1) Œufs en sauce au poivre rouge.

— Confucius, oui. Sans lui la vie serait insupportable.

— A votre avis, quelle somme en dollars américains pour l'achat d'un passeport vous rendrait la vie un peu moins insupportable ?

— Un passeport américain ? Impossible, je n'en ai pas. Votre ambassade m'a créé des tas de difficultés depuis votre départ. Il y a un mot qu'ils ne cessent de répéter à votre ambassade : moralisation. On a tenté de m'expliquer mais je n'ai jamais compris ce qu'ils entendaient par là.

— J'imagine très bien que les diplomates ne constituent pas votre compagnie favorite. Vous préférez celle des hommes d'affaires et leur maxime : *business is business.*

Ravi, Soung Go répéta d'un ton extasié :

— *Business is business.* Même quand on ne parle pas anglais on comprend l'expression.

— Un passeport d'une nationalité autre qu'américaine ?

Du bout des lèvres le vieux Chinois termina son *sambal goreng telor.*

— Britannique ?

— Combien ?

Soung Go détourna le regard.

— Huit cents dollars, prix d'ami.

Johnny Coll secoua la tête.

— J'en offre quatre cents dollars.

— Impossible. A la rigueur, sept cents.

— Je monte à cinq pour vous faire plaisir.

— On transige à six ?

Johnny Coll sortit de sa poche une photo d'identité et la posa sur la table crasseuse.

— Je reviens demain soir ?

CHAPITRE XIII

Assez satisfait de son séjour en Indonésie, Johnny Coll passa le contrôle douanier et policier de l'aéroport de Halim. Le major Nusaputera était venu l'accompagner pour lui souhaiter bon voyage et s'assurer peut-être, avait pensé Johnny Coll, qu'il quittait bien le territoire. Malgré les liens d'amitié qui les unissaient, l'officier de renseignements n'avait-il pas décelé que l'histoire qu'il lui avait servie comportait d'innombrables zones d'ombres et que toute la vérité sur les motivations qui avaient poussé son ami à venir en Indonésie ne lui avait pas été révélée ?

Il se retourna et adressa un dernier geste d'adieu à Nusaputera avant d'aller s'asseoir dans le salon d'attente. Au fond de son attaché-case reposaient les photocopies des avis de virements bancaires et la lettre de recommandation auprès de l'ex-général sud-vietnamien Trang Xuan Quang. Dans l'une des poches de sa veste en tissu tropicalisé il avait glissé le passeport britannique acheté à Soun Go. Sa photographie était collée dans l'une des pages intérieures et recouverte dans son coin droit en bas par une imitation du cachet officiel d'origine. L'identité indiquait que son ancien propriétaire se nommait Vernon Shire et qu'il était né trente-trois ans plus tôt à Liverpool, profession : ingénieur.

On appela les passagers du vol de la Thaï International et il se leva.

Après un arrêt à Singapour, il débarqua dans le sauna auquel ressemblait la température de Bangkok et de son aéroport. Il monta dans un taxi et se fit conduire à l'hôtel *Rama*. Une fois dans sa chambre, il prit une douche, se changea et entreprit aussitôt de contacter l'ex-général Trang Xuan Quang. Les standardistes parlaient un anglais exécrable et lui ne connaissait pas un seul mot de thaïlandais. Il parvint néanmoins après de nombreuses redites à franchir un redoutable barrage de secrétaires et à obtenir le P.-D.G. La mention du nom et de la fonction du major Nusaputera opéra comme par magie.

Un rendez-vous pour le lendemain lui fut accordé.

L'après-midi il alla se baigner à la plage de Pataya, à quatre-vingts kilomètres de la capitale, et le soir retourna en ville pour dîner dans la salle de restaurant de l'hôtel *Oriental* qui dominait la rivière Chao Phrarya de plusieurs étages. A travers la baie vitrée la vue plongeait sur la flotte serrée de sampans illuminés encombrant l'eau, en permanence boueuse et jaunâtre. Son repas achevé, il traîna dans des bars et regagna son hôtel pour se coucher tôt.

Le lendemain il fut reçu par l'ex-général Trang Xuan Quang avec une bonne heure de retard. Il s'en soucia peu car il savait que le temps ne présentait guère d'intérêt en Extrême-Orient. D'ailleurs, l'ancien dignitaire du régime déchu de Saigon n'offrit nulle excuse.

On ne lui donnait pas d'âge, comme cela arrivait fréquemment avec les Asiatiques de race jaune. Sa peau était lisse et un peu tendue sur des tissus qu'on devinait nourris avec des chères abondantes et délicatement raffinées. La lèvre était gourmande et sensuelle. La chevelure était drue et c'est à peine si quelques poils gris striaient la parfaite ordonnance de la coiffure. Les yeux, à peine bridés, étaient impénétrables. L'habillement était strict, très Harvard Business School. Trang Xuan Quang n'aurait pas dépareillé dans un bureau de Wall Street ou du State Departement à Washington. Des photographies encadrées et plaquées aux murs le représentaient en général passant des revues ou en compagnie des anciens leaders du régime de Saigon. Un drapeau sud-vietnamien pendait du plafond, derrière son fauteuil à haut dossier en cuir noir. En parallèle, un autre pavillon national : celui de la Thaïlande. Entre les deux, une devise en anglais gravée en lettres d'or sur une plaque de marbre noir : *Admettre la différence, c'est admettre la liberté des peuples.*

Trang Xuan Quang lut la lettre de recommandation adressée par Nusaputera et la posa sur la surface de son bureau en teck.

— Que puis-je faire pour vous, Mr. Coll ?

Ce dernier lui tendit la liasse d'avis de virements bancaires.

— Quelle est la personne physique qui se dissimule derrière l'anonymat du compte 00973 NBK 14 de votre établissement ? Voici une attestation signée par Mlle Anna Balkanikoff qui m'autorise à enquêter à ce sujet. Imaginez l'émoi de cette personne qui, brusquement, depuis plusieurs mois, reçoit des sommes importantes, seize mille dollars en tout, sans en connaître ni l'origine ni les raisons.

Johnny Coll espéra que son bluff allait fonctionner. Et si Anna Balkanikoff recevait de l'argent depuis plus longtemps que huit mois ? s'inquiéta-t-il soudain.

Trang Xuan Quang examinait attentivement les photocopies.

— Comment les avez-vous obtenues ? questionna-t-il.

— Nusaputera.

— L'affaire sur laquelle vous enquêtez a-t-elle des liens avec les activités du BADOKIN ?

— Elle peut avoir des ramifications, éluda Johnny Coll.

Il décida de lancer une bouteille à la mer en ignorant sur quel rivage elle échouerait :

— Anna Balkanikoff est d'origine russe. Sa mère s'est évanouie dans la nature. Pour quelles raisons ?

Il bluffa encore :

— Nusaputera pense que c'est une espionne du K.G.B. L'ex-général se raidit et son regard flamboya.

— Le K.G.B. utiliserait les ressources de ma banque pour des opérations suspectes ?

— Pourquoi pas ? Au point de vue de l'idéologie vous êtes insoupçonnable. La vieille méthode du rideau de fumée.

— Il est vrai que vous avez été dans le Renseignement à Saigon au bon vieux temps. Nusaputera dit que vous m'y avez connu, mais je ne me souviens pas de vous.

Johnny Coll sourit avec courtoisie.

— Vous voyiez beaucoup trop de monde à cette époque-là et je n'étais qu'un modeste lieutenant de réserve.

— D.I.A. ?

— Oui.

— Un excellent corps de renseignements militaires. Trang Xuan Quang poussa un soupir de regret.

— Tant que les Américains ont été là, c'était parfait. Quand ils nous ont lâchés, nous nous sommes effondrés. Le monde entier était contre nous. Vous voyez le résultat maintenant ? D'horribles massacres...

— Confucius a dit : *Même si l'eau de la rivière use les galets, le soleil, lui, se lèvera toujours pour une nouvelle aube...*

Johnny Coll avait quelque peu transformé le dicton favori du vieux Soung Go mais Trang Xuan Quang ne s'en était pas aperçu. Au contraire, d'ailleurs, il paraissait ravi.

— Confucius a dit cela ?

— Oui.

— Un grand homme, Confucius, quoique personnellement je sois catholique et que, bien sûr... Mais j'adore les Américains qui citent Confucius. Ça prouve leur ouverture d'esprit.

Il tapota les photocopies d'un doigt vengeur.

— Je vais faire procéder à des vérifications sur-le-champ. Je ne voudrais pas que quelque foutu agent du K.G.B. utilise ma banque à des fins criminelles ! Restez ici et attendez-moi.

Il emporta les photocopies avec lui et disparut en coup de vent hors du bureau. Johnny Coll se laissa aller contre le dossier de son fauteuil. Il était assez satisfait de la tournure que prenaient les événements.

Il dut cependant patienter près de deux heures avant de voir réapparaître Trang Xuan Quang. Il avait la mine sombre. Johnny Coll sut tout de suite que quelque chose ne tournait pas rond. Le banquier évitait son regard, allait se rasseoir d'un air agité en s'ébrouant comme un chien éclaboussé par le jet d'eau d'une gouttière.

— Un pépin ? interrogea-t-il.

En lui-même il se dit : c'était trop beau pour durer... La recommandation de Nusaputera, l'accueil de Trang Xuan Quang, les avis de virements bancaires qui l'avaient relié à The Bangkok and Chinese Bank... Quelque chose devait foirer à un moment quelconque du parcours et ce moment était arrivé. Il le lisait sur les traits plus hermétiques que jamais de l'ex-général.

— Un pépin ? répéta-t-il un ton plus haut, un peu étonné que sa voix dérape.

Trang Xuan Quang le fixait avec des yeux froids.

— L'argent a été déposé en liquide, renseigna-t-il. Les frais inhérents au transfert de fonds jusqu'à Madrid par l'intermédiaire de Jakarta payés à l'avance. Un dépôt anonyme.

Johnny Coll sourit. L'autre était en train de le bluffer. C'était un terrain qu'il connaissait bien.

— Vous ne délivrez pas de reçu pour les dépôts même anonymes ?

— Un certain Kao Sien Fu, probablement une fausse identité.

— L'adresse ?

— Pas d'adresse.

Le ton était volontairement sec. Johnny Coll accentua son sourire.

— Nusaputera ne sera pas content.

Trang Xuan Quang détourna le regard.

— La Thaïlande est assiégée par les Cambodgiens sur sa frontière orientale, insinua Johnny Coll. Combien de temps tiendra-t-elle quand on connaît la détermination déployée dans le passé par ses ennemis ? L'aide américaine lui est mesurée au compte-gouttes. Si elle tombe, que ferez-vous ? Vous rapatrierez votre banque à Singapour ou à Kuala Lumpur ? Et après si la Malaisie et Singapour tombent à leur tour ? Croyez-moi, ne vous mettez pas les Indonésiens à dos. N'oubliez pas qu'ils possèdent la meilleure armée du Sud-Est asiatique si l'on excepte les Vietnamiens. En ce moment, vous avez la sympathie du BADOKIN même s'il n'a pas coopéré avec vous de la manière que vous souhaitiez. Nusaputera a été très élogieux à votre égard. Il m'a décrit la façon magnifique avec laquelle vous aidez la résistance en Cochinchine et sur la frontière orientale de la Thaïlande. Vous avez semé des graines. Récoltez-en les fruits. Vous servez une noble cause. Ne la compromettez pas en cherchant à dissimuler l'identité de quelqu'un, quelqu'un dont vous ignorez peut-être tout, simplement pour assurer le secret bancaire. On n'est pas en Suisse ici. La loi vous autorise à fournir ce genre de renseignements.

L'attitude de l'ex-général sud-vietnamien s'était peu à peu modifiée tout au long de la tirade dans laquelle son visiteur s'était lancé. Ses traits s'étaient détendus, il s'était laissé aller contre le dossier de son fauteuil, ses yeux s'étaient faits plus bridés. Il avait rapporté avec lui la liasse de photocopies et il en lissait le dessus du plat de la main droite ornée d'une bague superbe dans laquelle s'enchassait un rubis étincelant de fugitives lueurs sanglantes.

— Qu'en dites-vous ? conclut Johnny Coll.

— Vous ignorez à qui vous avez affaire ! grogna le banquier.

Johnny Coll esquissa un bref sourire d'amertume.

— C'est la raison de ma présence ici.

Son interlocuteur tenta d'éluder :

— La thèse du K.G.B. est à écarter.

— Vraiment ? Allez raconter ça à Nusaputera !

L'ex-général se renfrogna.

— Je m'en tiens à l'explication Kao Sien Fu.

— Nusaputera est en train de vérifier les antécédents de toutes les femmes d'origine européenne résidant en Indonésie et susceptibles d'être cette Hilda Balkanikoff, car il croit qu'elle pourrait être une agente du K.G.B. infiltrée en Indonésie. Imaginez maintenant qu'il découvre que les fonds secrets transmis d'U.R.S.S. pour les besoins matériels de cette espionne aient transité par votre banque et qu'en agissant ainsi vous avez compromis la réputation de la Bank Dagang Negara qui, je vous le rappelle, est un organisme d'Etat. Votre situation, aux yeux des Indonésiens, serait inconfortable.

Il ajouta la touche finale :

— Toute agence de Renseignements possède un réseau « Action ». Le BADOKIN ne fait pas exception à la règle...

Trang Xuan Quang perçut nettement la menace voilée. Il réagit instantanément, avec colère :

— Je vous ai déjà dit que la thèse du K.G.B. est à écarter !

— Pourquoi ?

Le banquier poussa un soupir résigné.

— A cause de la provenance de l'argent.

— D'où provient-il ?

— Du Triangle d'Or.

Johnny Coll sursauta. Il avait entendu cette dénomination au temps où il était affecté à Saigon. Il n'avait jamais réellement cru à la réalité de ce que ce terme recouvrait. Il désignait une zone montagneuse et boisée, surplombant la vallée du Mékong, où se rencontraient trois frontières, celles de la Thaïlande, du Laos et de la Birmanie, d'où l'appellation de Triangle. Là, prétendait-on, prospéraient des aventuriers de tous ordres qui faisaient exploiter par les montagnards du coin la culture du pavot en vue d'alimenter les marchés de la drogue en Occident. On avait même affirmé que les caïds du coin étaient en relations étroites avec la C.I.A. qui s'autofinançait en organisant elle-même le trafic et en transportant la drogue dans les avions d'Air America, une de ses compagnies de couverture dont le siège, justement, était à Bangkok. Mais la C.I.A. avait bon dos. Depuis la chute de Nixon, c'était le baudet sur lequel on criait haro sans cesse. En outre, tout cela constituait de vieux remous du passé. Aussi Johnny Coll demeurait-il sceptique.

— Vous voulez dire le Triangle d'Or aux confins de la Thaïlande, de la Birmanie et du Laos ? se fit-il préciser d'un ton incrédule.

— Il n'existe que celui-là, répondit l'ex-général avec impatience.

— Les trafiquants de drogue ?

— Eux et les autres, les réfugiés politiques, ceux qui n'ont pas désarmé.

— Expliquez-vous.

La main de Trang Xuan Quang froissait les photocopies avec ennui. Un peu à contrecœur il se résolut néanmoins à satisfaire la curiosité de son visiteur :

— Lors de la défaite du Japon en 1945, certaines troupes japonaises stationnées dans l'ex-Indochine française ont refusé la capitulation et se sont réfugiées dans ces montagnes. Elles y ont été attaquées par les soldats chinois chargés de les désarmer au nord du 16ᵉ parallèle, conformément aux accords de Potsdam. Mais ces Chinois étaient plus des pillards et des bandits que de vrais soldats. Ils étaient commandés par un seigneur de la guerre qui n'avait qu'un seul but : s'emplir les poches. Les Chinois ont anéanti les Japonais jusqu'au dernier et ont pris leur place car celui qui les commandait, le colonel Lim Lok Siang a vu tout de suite le parti qu'il pouvait tirer de la culture intensive du pavot dans cette région. Lim Lok Siang s'est attribué le grade de général et a organisé dans la montagne un véritable repaire imprenable par voie terrestre.

— Qu'est-il devenu ?

— Il est toujours en place depuis 1945. Il doit avoir dans les quatre-vingts ans mais est toujours ferme au poste. Il dirige les choses d'une main de fer. Bien sûr, ses soldats de 1945 ont été remplacés par des hommes plus jeunes, des réfugiés politiques laotiens, cambodgiens ou vietnamiens, auxquels se sont joints des aventuriers européens en petit nombre. Des soldats perdus, comme on les appelle.

— Le repaire est imprenable par voie terrestre. Mais par voie aérienne ? Un lâcher de parachutistes ?

— La cité est à demi enterrée. Au temps de la guerre du Viêt-nam, l'U.S. Air Force a pris de nombreuses photographies aériennes afin d'étudier la meilleure façon d'aider Lim Lok Siang.

— L'aider ?

— C'est un de nos alliés, vous comprenez ? Il résiste au régime laotien. L'aviation laotienne a d'ailleurs bombardé son repaire de nombreuses fois depuis la chute de Saigon, mais sans succès, apparemment. Ce vieux Chinois est rusé comme un renard du Sin-Kiang et il maintient chez ses hommes une discipline de fer et un moral élevé. En outre, de par sa situation géographique, le Triangle d'Or bénéficie d'un ballon d'oxygène : la Thaïlande dont le gouvernement lui est favorable. Militairement parlant, le Triangle d'Or est un abcès de fixation qui bloque les envahisseurs laotiens.

— C'est par la Thaïlande qu'il écoule sa drogue ?

— Naturellement.

— Et c'est par l'intermédiaire de votre banque que s'opèrent les transferts de fonds ?

Trang Xuan Quang haussa les épaules mais ne répondit pas.

— Et évidemment, suggéra Johnny Coll, ce Kao Sien Fu n'existe pas. C'est Lim Lok Siang qui a déposé l'argent et c'est lui que vous cherchez à protéger parce que c'est le meilleur client de votre établissement bancaire.

L'ex-général secoua vigoureusement la tête.

— Non, pas lui ! Kao Sien Fu existe véritablement même si, peut-être, il s'agit là d'une fausse identité. Mais le problème est qu'il fait partie du Triangle d'Or... Quand vous parlez de reçu en échange d'un dépôt en numéraire, vous adoptez l'attitude d'un Américain. Vous méconnaissez la mentalité asiatique. Pour nous, la parole donnée, la confiance mutuelle, sont plus importantes qu'un morceau de papier écrit. Un humoriste de chez vous a dit : *Un accord verbal ne vaut pas le papier sur lequel il est écrit...*

— Samuel Goldwyn, de Hollywood.

— Pour nous c'est l'inverse.

— D'accord, vous voulez ménager Lim Lok Siang. Je peux comprendre cette réaction. Que diriez-vous si j'allais lui parler en personne ?

Trang Xuan Quang faillit bondir hors de son fauteuil.

— Vous êtes fou !

— C'est moi qui prends les risques, pas vous. C'est

donc à moi de juger si je suis sain d'esprit ou non. Comment peut-on se rendre au Triangle d'Or ? Il doit bien y avoir un moyen. Tout à l'heure, vous disiez que des tas d'aventuriers y trouvent refuge. La filière, par conséquent, existe, et vous la connaissez, sinon vous ne seriez pas en relations d'affaires avec Lim Lok Siang.

— Le premier relais se trouve ici même à Bangkok.

— Bâtissons tous deux un plan afin d'éviter de compromettre votre position. Imaginons que c'est le BADOKIN qui vous a demandé comme un service personnel de me mettre en relation avec le Triangle d'Or. Vous expliquez cela dans une lettre à Lim Lok Siang en ajoutant qu'il vous est impossible de refuser un service à l'agence de Renseignements indonésienne. Il comprendra pour quelles raisons. En ce qui me concerne, j'oublie le nom de Kao Sien Fu. Donc, je ne vous mouille pas, vous ne m'avez divulgué aucun renseignement, aucun secret bancaire. Ainsi, vous ne vous mettez à dos ni Lim Lok Siang ni le BADOKIN.

Johnny Coll avait l'impression d'assister en clair aux différentes phases du débat intérieur qui se livrait dans l'esprit de Trang Xuan Quang, comme si le conflit qui faisait rage derrière les parois du cerveau donnait lieu à une émission télévisée en direct. Il pouvait en suivre les cheminements, les doutes, les objections, les hypothèses, les remises en cause, les supputations, les calculs. Finalement, l'ex-général s'empara du paquet de photocopies et se mit à les déchirer. Il en laissa tomber les morceaux dans la corbeille à papier et grogna :

— Vous avez gagné.

Johnny Coll poussa un soupir de soulagement.

— Vous avez choisi le bon camp, commenta-t-il.

— Je n'en suis pas sûr mais je tiens le pari.

— Vous êtes joueur ?

— Qui n'est pas joueur en Extrême-Orient ?

— Je joue à trois contre un sur votre main.

— Contentez-vous de faire savoir à Nusaputera l'importance de l'aide que je vous apporte.

— Je n'y manquerai pas. Et, maintenant, dites-moi comment je peux me rendre dans le Triangle d'Or.

L'ex-général allongea la main en direction de son poste téléphonique.

— Je vais vous arranger un rendez-vous.

... Le sifflement... j'ai entendu un long sifflement... j'ignorais ce que c'était... le sifflement... strident... j'ai pensé à des cigales... Et puis l'explosion...

Johnny Coll se revoyait à Madrid dans la voiture de location...

Brutalement il saisit le poignet de Trang Xuan Quang.

— Nusaputera ne serait pas content s'il m'arrivait quoi que ce soit de fâcheux.

Latente, la menace pesait lourdement sur le son de sa voix.

Le banquier eut un rire bref dans lequel perçait une certaine gêne. D'un ton plein de sous-entendus, il commenta :

— A Bangkok vous ne craignez rien de ma part mais, soyez prévenu à l'avance : des tas de gens ne sont jamais revenus du Triangle d'Or...

CHAPITRE XIV

La violence suintait dans l'atmosphère. Les synagogues étaient mitraillées. Les bombes tuaient des innocents. Le cycle infernal de l'Histoire reprenait sa courbe ascendante. Les croix nazies dégoulinaient de peinture le long des murs. La peste noire brandissait le poing. Joseph Loew hocha tristement la tête. Il était assis dans son fauteuil et regardait l'écran de télévision. Le scepticisme creusait ses traits. Avec des trémolos dans la voix, emberlificotés dans leurs phrases ampoulées, l'œil faussement horrifié, les leaders politiques de la droite, du centre, de la gauche et de l'extrême gauche témoignaient de leur compassion pour les victimes, de leur affliction, en essayant de récupérer à leur profit les attentats à la bombe. Le lendemain, l'air compassé, la gueule funèbre, ils allaient défiler de la Nation à la République, en passant par la Bastille point obligé des manifestations des foules parisiennes, en attendant impatiemment la dislocation pour se précipiter tous ensemble chez Lipp, les lèvres gourmandes en anticipant le bon gueuleton, pendant que les bons gogos qui buvaient douillettement leurs fustigations hypocrites s'entassaient sur les quais de métro.

C'était un monde bien triste, conclut Joseph Loew. Dégoûté, il se leva et éteignit le poste.

Comme toujours dans ces cas-là, quand le cafard l'assaillait il erra sans but dans l'appartement. Finalement il se décida à entrer dans la cuisine. Il n'avait pas faim mais savait que les gestes rituels qui accompagnaient la confection de son dîner constituaient un excellent dérivatif au cours mélancolique de ses pensées. Il ouvrit une boîte de sardines, une autre contenant du bœuf aux lentilles et décapsula une bouteille d'eau de Vichy. La table était étroite, recouverte d'une nappe en toile cirée. Il mangea là, s'efforçant de se concentrer sur ce qu'il était en train d'absorber. Les sardines avalées, il fit chauffer le bœuf aux lentilles sur la cuisinière à gaz. Par la fenêtre ouverte il voyait les moineaux faire des allers et retours incessants entre les toits et les branches de l'arbre unique et rabougri qui se dressait dans la cour minuscule, témoin indestructible de l'impuissance de la pollution devant la force et l'énergie de la vitalité végétale. Il était réconfortant, cet arbre, pensait Joseph Loew, il redonnait espoir. Année après année, il était là, immuablement vert et florissant à la belle saison, squelette orgueilleux et dépouillé quand venaient les frimas.

Le bœuf aux lentilles était fade. Il n'y prêta pas attention. Il abandonna aux trois quarts de l'assiettée et alla vider le restant dans la boîte à ordures avant de peler une orange.

Son repas achevé, il fit consciencieusement la vaisselle. Il détestait que sa cuisine soit sale. Il rangea dans le frigidaire la bouteille de Vichy à laquelle il avait à peine touché et retourna dans le salon. Il aurait voulu ne pas se laisser guider par son impulsion mais celle-ci, comme chaque fois, fut victorieuse. Il sortit le disque de sa pochette usée jusqu'à la trame et mit en marche l'électrophone. Il posa le disque sur la platine, poussa la tête de lecture et abaissa le levier terminé par le contrepoids. Puis il s'en alla s'asseoir dans le fauteuil, croisa les mains et ferma les yeux, réceptif à toutes les émotions que la chanson allait ressusciter en lui.

Ver is eich ba der vigaleh gezessen tog und nacht ?
Und ver hut ba eir kranken bet kein oig nit tzugemacht ?
Ver hut far eich gekocht, gebackt, gearbeit und gesch-
klaft ?
Und ver volt far ihr kind aveckgelaigt ihr letste kraft ?
Ba vaimen zeit ihr alle teier, alle fein und git ?
Ver vult far eich gegeben ihr letsten trupen blit ? (1)

Joseph Loew se raidit imperceptiblement. Le refrain allait suivre et c'était toujours le refrain qui lui disloquait le cœur, les fibres de la chair...

A Yiddische Momme, es gibt nit besser in der velt...

Sa bouche devenait sèche, son cœur battait à grands coups précipités. Comment était-il possible qu'après tant d'années ces manifestations physiques soient identiques ? Quel cordon ombilical d'une puissance inimaginable le reliait physiquement et mentalement à sa mère disparue depuis si longtemps ? Au-delà de la tombe existait-il un courant génétique assez fort pour unir indissolublement la Vie et la Mort à travers les liens du sang ?

A Yiddische Momme, oy, vay, vie bitter ven zie fehlt...

Bien que le disque soit rayé et, partant, que la voix de l'interprète soit un peu éraillée, la chanson conservait

(1) Qui pour vous s'est assise jour et nuit près du berceau ?
Et qui n'a pas fermé l'œil auprès de votre lit de malade ?
Qui pour vous a cuisiné, cuit du pain et travaillé comme une esclave ?
Et qui usera ses dernières forces pour son enfant ?
Qui a consacré tout son temps à ce que vous soyez choyé et dorloté ?
Et qui pour vous donnerait jusqu'à la dernière goutte de son sang ?

toute sa puissance évocatrice en traduisant par son rythme de mélopée toutes les angoisses de l'âme juive.

Les chats de la voisine griffaient le grillage de protection sur le balcon. Ils réclamaient leur pitance qu'il avait oubliée de leur déposer à l'endroit habituel. La chanson mourut. Il essuya une larme furtive, se leva, alla éteindre l'électrophone avant de replacer le disque dans sa pochette déglinguée et il retourna dans la cuisine pour récupérer le restant du bœuf aux lentilles jeté dans la boîte à ordures.

*
* *

Le Thaïlandais regardait Johnny Coll avec curiosité. Comme l'ex-général Trang Xuan Quang, il se donnait des airs d'Occidental cultivé, aux goûts raffinés. Sa boutique d'objets d'art recelait des trésors, en grande majorité des bas-reliefs découpés dans les temples de Siem Reap au Cambodge, transportés clandestinement en Thaïlande et revendus à prix d'or aux riches amateurs américains. La police fermait les yeux sur ce trafic illicite. Les Cambodgiens étaient les ennemis héréditaires des Thaïs et, pour le gouvernement, ces vols constituaient beaucoup plus des prises, des butins de guerre, que du pillage manifeste. Le Cambodge n'appartenait-il pas *de jure* sinon *de facto* à la Thaïlande ?

Il s'appelait Thrasakul et devait approcher de la soixantaine. Son œil égrillard caressa les croupes minces des hôtesses-vendeuses de la boutique, s'attarda, concupiscent, et revint vers son visiteur.

— Venez dans mon bureau, proposa-t-il. Le thé nous attend.

La pièce était strictement fonctionnelle comme une salle emplie de contrôleurs aériens dans la tour d'un aéroport. Seuls manquaient les appareils. Ils étaient remplacés par des classeurs métalliques. Rien d'artistique dans l'environnement.

— Chaud ou glacé ?

— Glacé.

— Le thé chaud est plus désaltérant.

— Glacé, répéta Johnny Coll, inébranlable.

— A votre guise. Je sais que les Américains ne sont pas satisfaits si une boisson n'est pas glacée. Les Britanniques, par exemple, boivent la bière à la température de la pièce, comme les Français avec le vin rouge.

— Je sais que nous avons encore beaucoup à apprendre, railla Johnny Coll. Après tout, cela ne fait que quatre ans que nous avons fêté le deuxième centenaire de notre existence en tant que nation.

Thrasakul sourit.

— Vous avez l'épiderme sensible ?

Johnny Coll but une longue gorgée de thé. Il reposa son verre et répliqua :

— J'ai surtout l'esprit curieux. Comment puis-je rejoindre le Triangle d'Or afin d'y rencontrer le général Lim Lok Siang ?

Thrasakul accentua son sourire.

— Ne vous inquiétez pas, apaisa-t-il. J'ai quelques dispositions à prendre. Pour des raisons de sécurité, le voyage s'effectuera entièrement par voie routière. Par étapes.

Johnny Coll fronça les sourcils.

— D'après mes calculs, la distance à couvrir est d'environ mille deux cents kilomètres, objecta-t-il. C'est approximativement ce qui sépare New Orleans de Miami, avec la différence que l'état des routes n'est pas comparable. Combien de temps prévoyez-vous pour la durée du voyage ?

— Une semaine. Jusqu'à Chiang-Maï, la moyenne journalière sera élevée. Ensuite, ma foi, vous avez raison, cette moyenne va tomber très bas.

Johnny Coll ricana.

— Ne jamais se fier aux moyennes. C'est Ronald Reagan qui disait dans un discours électoral que ça lui rappelait l'histoire de ce type qui s'était noyé parce qu'on lui avait affirmé que la moyenne de profondeur de la rivière était d'un mètre !...

Thrasakul cligna des yeux pour faire comprendre qu'il avait le sens de l'humour.

— Le véhicule sera une Land Rover, poursuivit-il. Le dernier cri de la technique, quatre roues motrices, deux tambours de câbles d'acier pour l'arracher à la boue si elle se plante dans un mauvais chemin, un générateur indépendant, ample approvisionnement en essence grâce à une réserve de jerricans, réfrigérateur et climatisation, cric électronique automatique pour changer les roues et blindage de la carrosserie.

— Vous êtes certain que ce n'est pas un char d'assaut ? Elle ne doit pas passer inaperçue.

— On trouve beaucoup de modèles du même genre dans le nord du pays, à cause, justement, de l'état des routes dont vous parliez tout à l'heure.

— Le guide ?

— Sera en même temps le pilote du véhicule. Un garçon de confiance nommé Dhanarat.

— Il connaît bien le trajet ?

— Il l'a parcouru une bonne vingtaine de fois dans les deux sens. En outre, il est plein de ressources...

Johnny Coll plissa les yeux.

— Tueur à gages aussi, à l'occasion ?

Thrasakul se récria :

— Qu'allez-vous chercher là, Mr. Coll ? Vous oubliez que vous êtes le protégé de mon ami, le général Trang Xuan Quang ! Les mœurs auxquelles vous faites allusion appartiennent à un autre âge !

— Si vous pensez à l'âge de pierre, je dirais qu'il est assez récent !

— Je puis vous assurer que vous n'avez rien à craindre de Dhanarat dans ce domaine.

— Très bien. La date de départ ?

— Après-demain matin.

— Rendez-vous ?

— Ici même. A cinq heures. Il est plus agréable de voyager avant que le soleil tape très fort.

— Qu'importe puisque la Land Rover est climatisée ?

Johnny Coll prit congé du Thaïlandais et retourna à l'hôtel *Rama* où il se reposa le restant de l'après-midi avant de ressortir et de baguenauder dans les rues. Il dîna dans un restaurant thaï où on lui servit des palourdes aux herbes aromatiques, du nerf de bœuf bouilli accompagné d'une sauce relevée, des moineaux rôtis et une compote de goyave, le tout arrosé d'un thé brûlant et parfumé aux mûres sauvages.

Son dîner achevé, il descendit à pied en direction de Patpong Road. Le coin n'avait guère changé depuis son dernier passage. Après neuf heures du soir, la rue était envahie par les travestis qui comptaient parmi les plus beaux du monde avec ceux de Bogey Street à Singapour. Un œil non averti, en outre, aurait difficilement décelé le sexe d'origine. Même les voix ne trahissaient pas la masculinité du sujet.

A son arrivée, les croupes se firent plus ondoyantes. Il savait ce qu'ils pensaient. Un homo ? Un hétéro ? Un client potentiel ? Un touriste curieux de sensations nouvelles ? Lassé des fameux massages dont on lui a tant rebattu les oreilles ? A-t-il les poches pleines de fric ? Est-ce moi qu'il choisira s'il choisit *l'une* d'entre nous ?

Il se glissa jusqu'à la façade d'un bar. Sur une pancarte, en anglais, on y lisait : *Interdit aux non-fumeurs. Nous ne voulons pas être pollués par leur haleine trop fraîche.* L'intérieur de la vitre était tapissé de paquets de cigarettes en provenance du monde entier. Les marques américaines et anglaises y prédominaient. L'enseigne du bar, d'ailleurs, annonçait la couleur : *Smoke*.

Des yeux avides le détaillaient. Il alluma une Pall Mall pour faire plaisir au tenancier du bar qui surgissait sur le seuil et son regard inspecta les silhouettes ondulantes. Dans leur immense majorité, c'étaient celles de très jeunes garçons. Des statistiques trottaient dans sa tête. 60 000 mille détenus de droit commun dans les prisons thaïlandaises dont 20 000 drogués. 300 000 jeunes se droguaient à Bangkok, dont la moitié se prostituait, filles ou garçons. Patpong Road n'était que le lieu le plus chic de la prostitution masculine dans les rues. Mais, en d'autres endroits, on descendait un degré de plus dans le sordide, sans parler des bordels clandestins qui se transformaient vite en maisons d'abattage gérées par des négriers qui ne ressemblaient en rien à une Anna Balkanikoff, et dont la clientèle se composait surtout de marins de commerce en escale dans la capitale thaïlandaise. La mortalité s'y révélait, affirmait-on, effrayante.

Johnny Coll écarta d'emblée les très jeunes garçons et s'efforça de localiser les plus âgés. Ceux-là, afin de faire illusion, recherchaient plutôt les zones d'ombre vers le haut de la rue. Il abandonna son poste sous l'œil navré du tenancier du bar et remonta l'artère en slalomant entre les silhouettes plantées sur le trottoir en quinconce afin de forcer le chaland à les frôler en passant. Des invites aguichantes lui étaient susurrées en anglais écorché en même temps que des gestes obscènes s'esquissaient vers lui. Il les ignora et poursuivit son chemin, impassible, l'œil froid et détaché. Il y avait tout un groupe d'adeptes du sadomasochisme. Malgré l'épaisse chaleur tropicale augmentée d'un degré d'hygrométrie vertigineux qui plaçait le climat de Bangkok parmi l'un des plus insupportables du monde, ils étaient vêtus d'oripeaux nazis, blousons de cuir noir, casquettes frappées de l'aigle tenant entre ses serres une croix gammée, jambières, cuissardes.. Certains faisaient claquer des fouets sur l'asphalte du trottoir. D'autres avaient le crâne rasé et le sigle S.S. dessiné sur la peau.

Johnny Coll descendit sur la chaussée pour les éviter. Il ne tenait nullement à s'embarquer dans une bagarre. Il n'était pas venu là dans ce but. Une bordée d'injures salua son passage, qu'il ignora aussi totalement. Il poursuivit sa route et atteignit la zone plus sombre où erraient les prostitués plus âgés, ceux qui tentaient de faire illusion sur la beauté de leurs restes pitoyables. Il choisit celui qui paraissait le plus vieux et qui fut tout surpris d'être l'élu. Son anglais était acceptable.

— Je m'appelle Shamophol, murmura-t-il d'une voix androgyne. Tu peux faire avec moi tout ce que tu veux. Qu'est-ce que tu aimes ?

Johnny Coll détourna le regard.

— On en discutera tout à l'heure. Où va-t-on ?

— Suis-moi, ce n'est pas loin.

Des sifflements admirateurs fusèrent en même temps que des exclamations ironiques que Johnny Coll ne comprit pas. Il emboîta le pas au prostitué. Le chiche éclairage dans l'hôtel dissimulait la lèpre qui rongeait les murs désagrégés par le haut degré d'humidité. Dans la chambre, les lézardes étaient voilées par des tentures bon marché à prétentions érotiques. Il régnait là un capharnaüm incroyable, l'ameublement était dérisoire et pauvre. Seul joyau : une chaîne stéréo toute neuve, superbement briquée, qui étincelait de tous ses chromes.

— C'est ta chambre ? s'étonna Johnny Coll.

— Je la loue au mois.

En ondulant des hanches Shamophol alla presser un bouton avant de placer sur la platine un disque au-dessus duquel il orienta la tête de lecture.

— Tu aimes le jazz ? s'enquit-il.

Johnny Coll hocha la tête sans répondre. Au bout de quelques mesures il reconnut le style caractéristique du groupe *The Crusaders* qui jouait à la manière de Stan Getz du jazz West Coast en soufflant dans le tempo des effluves de bossa-nova. Quelques mois plus tôt il avait entendu l'orchestre à la *New Orleans Room* de l'hôtel *Fairmont* à San Francisco.

Shamophol entreprenait les premières phases d'un strip-tease qui, à voir ses mouvements lascifs, se voulait provocant et sophistiqué. Johnny Coll le stoppa net :

— Arrête.

— Tu préfères que je reste habillé ?

— Oui.

— Aux goûts du client. Tu ne m'as pas payé, rappela-t-il.

— Combien ?

— Mille bahts.

Grosso modo, calcula rapidement Johnny Coll, la somme correspondait à cinquante dollars américains. Il sortit une liasse de sa poche. Shamophol l'observait, ému devant tant d'argent. Il se dandinait lentement au rythme de *Last Call*, les poings serrés sur ses hanches maigres.

— Je ne suis pas intéressé par le sexe, indiqua Johnny Coll d'un ton neutre en allant s'asseoir sur une chaise bancale.

Le prostitué eut l'air surpris.

— Pourquoi tu es monté avec moi ?

— Depuis que tu fais le tapin dans le coin tu as dû acquérir du vice.

— Je ne comprends pas.

Johnny Coll déposa sur le carrelage ébréché où couraient des cancrelats une liasse de billets qui totalisait trois cents dollars.

— J'ai besoin d'un pistolet automatique.

— Un pistolet automatique ? répéta Shamophol en écarquillant ses yeux bridés.

— Avec des munitions. Au temps où les G.I.'s américains de la guerre du Viêt-nam venaient ici en permission, c'est bien dans Patpong Road qu'ils vendaient les armes récupérées sur l'ennemi ? Ça leur faisait du fric en supplément qui leur permettait de se payer une pute ou un travesti comme toi. Je me trompe ?

— Je me souviens, c'est vrai.

— Les G.I.'s sont retournés aux Etats-Unis mais les trafiquants ont-ils émigré ailleurs ?

— Certains sont restés, répondit prudemment Shamophol.

D'un brusque coup de talon Johnny Coll écrasa un cancrelat puis de la pointe de la chaussure poussa le tas de billets en direction du travesti.

— Il y a là l'équivalent de six mille bahts. Démerde-toi pour me dénicher un pistolet automatique en bon état de fonctionnement avec un large assortiment de munitions. Calibre neuf millimètres obligatoire. Il y aura une prime spéciale pour toi. Je t'attends ici, j'adore ton disque de jazz.

Il ralluma une Pall Mall et fixa Shamophol qui n'avait pas cessé de se dandiner. Le saxo soprano de Wilton Felder s'acidulait dans les aigus en décomposant les notes d'*Elegant Evening*.

— J'imagine que tu connais quelqu'un, encouragea-t-il.

— Ça va prendre du temps.

— Je ne m'ennuie jamais en compagnie d'un bon jazz.

Shamophol parut sortir de sa torpeur, s'avança, se baissa et ramassa l'argent. Il compta soigneusement les billets, regarda son ex-client, se releva et se dirigea vers la porte.

— Ne rayez pas mes disques, recommanda-t-il.

Johnny Coll se confectionna du thé en se préparant à une longue attente. Il but puis consulta la collection de disques de jazz. Il était flagrant que le Thaïlandais n'avait qu'une passion dans la vie : la musique. Le reste, il le négligeait. Voisinaient là les inévitables Louis Armstrong et Duke Ellington, Lionel Hampton et Coleman Hawkins, Charlie Parker et Lester Young, Dizzy Gillespie et Miles Davis, en compagnie de Coltrane, Brubeck, Monk, Mulligan, Morton, Krupa, Garner, le Modern Jazz Quartet et bien d'autres célébrités. Shamophol était très éclectique en ce qui concernait les styles. Son anthologie couvrait tous les âges du jazz, du Dixieland au Free. Johnny Coll eut le temps de passer plusieurs des disques avant de voir revenir le travesti. Un sourire triomphant éclairait son visage. Sous le bras il serrait un sac en gros papier brun. Il en vida le contenu sur le lit. Johnny Coll s'approcha et s'empara du Tokagypt. C'était une arme qu'il connaissait bien. Copie hongroise du pistolet soviétique Tokarev TT 33, elle avait été à l'origine fabriquée à la demande de l'Egypte, ce qui expliquait son nom, contraction des deux termes Tokarev et Egypte. Plus tard, au temps de la guerre du Viêt-nam, elle avait équipé les commissaires politiques des unités nord-vietnamiennes. Contrairement à son modèle, elle était chambrée en neuf millimètres parabellum et non en 7,62 S.

Il la démonta prestement et en examina attentivement tous les éléments. Pas question qu'on lui vende un canard boiteux ! Ensuite il passa aux chargeurs et vérifia l'état des ressorts. Son inspection se révéla satisfaisante. Le pistolet était en bon état de fonctionnement. D'ailleurs il présentait l'aspect d'une arme soigneusement entretenue et huilée à la paraffine.

Shamophol avait placé sur la platine un excellent bebop de Dizzy Gillespie. Il interrogea, inquiet :

— Ça va ?

— Félicitations, bon boulot.

— Ma prime ?

Johnny Coll jeta sur le lit une autre liasse de billets et entreprit de réempaqueter l'arme et les munitions.

Une lueur cupide dans le regard, Shamophol s'avança rapidement et compta les coupures tout en murmurant :

— Pas besoin d'autre chose ?

Johnny Coll secoua la tête.

— Non.

— Drogue ?

— Je n'utilise pas cette saloperie.

Une expression sournoise se peignit sur les traits fripés du travesti.

— Si vous voulez vous débarrasser de quelqu'un, vous n'avez pas besoin de le faire vous-même, suggéra-t-il d'une voix pleine de sous-entendus. Ça ne coûte pas *très* cher à Bangkok...

Johnny Coll ne répondit pas. Il se contenta de glisser le paquet sous son bras et partit en direction de la porte. Dizzy Gillespie se lançait dans un solo de trompette fantastique.

CHAPITRE XV

Dhanarat était un grand type costaud, à la musculature impressionnante qui provenait, expliqua-t-il à Johnny Coll en un anglais très convenable, de son ascendance maternelle coréenne.

— De tous les Asiatiques, les Coréens sont les hommes les plus forts ! lança-t-il avec fierté.

Johnny Coll le crut sur parole. Il se souvenait d'un certain film de James Bond où apparaissaient des monstres en chair, en muscles et en os, qui étaient tous des acteurs coréens recrutés sans doute chez les lutteurs de foire.

Les autres caractéristiques de Dhanarat se restreignaient à une verve intarissable. Dans le jet continu de paroles se glissaient des réflexions sur sa vie personnelle (il avait trente-cinq ans, était marié, avait sept enfants et une belle-mère qui était parvenue à s'imposer dans le ménage), des anecdotes sur la vie en Thaïlande et, plus particulièrement à Bangkok, des histoires drôles, des réflexions philosophiques sur la vie (il était bouddhiste de l'Ecole tantrique à tendance Ch'an) et la mort. Durant le trajet jusqu'à Chiang-Maï, Johnny Coll tenta à plusieurs reprises mais sans succès notoires de l'entraîner sur le terrain du Triangle d'Or. Habilement, Dhanarat parvenait très vite à changer le sujet de la conversation.

Pourtant, Johnny Coll n'était pas décidé à abandonner aussi facilement. A un moment il parvint à glisser :

— Tu as rencontré personnellement le général Lim Lok Siang, celui qu'on affirme être le grand chef là-bas ?

Le Thaïlandais se pinça les narines.

— Jamais, renseigna-t-il à contrecœur. Je ne suis qu'un guide-chauffeur, Johnny.

— Combien de fois as-tu effectué le trajet ?

— Vingt, vingt-cinq fois.

Ça correspondait à ce que lui avait précisé Thrasakul.

— Qui étaient les gens que tu as emmenés avant moi ?

— Des gens...

— Européens, Américains ?

— Des gens... Je ne t'ai pas raconté, Johnny, ce que ma belle-mère a fait le jour où ma sœur Phutrynya s'est mariée. Ça vaut la peine d'être entendu !

— Tu connais bien Thrasakul ?

— Je connais.

— Et le général Trang Xuan Quang ?

Cette fois, le Thaïlandais eut l'air sincèrement étonné.

— Jamais entendu ce nom !

Johnny Coll ne put rien lui tirer d'autre et le soir ils firent étape à Chiang-Maï. Le lendemain ils reprirent la route très tôt. La dernière agglomération civilisée qu'ils rencontrèrent après trois jours de voyage fut Fang. Ensuite ils abordèrent les mauvais chemins de jungle et de montagne. La nature, là, était luxuriante, les pluies soudaines et abondantes, les couverts résonnaient des feulements des tigres, des hurlements de terreur des proies déchiquetées et, la paix revenue, des gazouillis des myriades d'oiseaux multicolores. De la terre humide montaient des odeurs puissantes mêlées aux parfums obsédants de la flore prolifère.

La Land Rover, conduite avec une maîtrise parfaite par Dhanarat, cahotait péniblement sur les pistes informes semées de fondrières traîtresses dont on ignorait la profondeur, et qui se transformaient vite en crevasses profondes remplies d'eau boueuse par les pluies intermittentes. Le climatiseur fonctionnait à plein régime pour chasser l'humidité ambiante et des rigoles d'eau dégoulinaient le long de la carrosserie blindée.

En fin d'après-midi, lors du sixième jour de voyage, le lourd véhicule se planta irrémédiablement. Johnny Coll et Dhanarat durent s'extraire de leur siège pour aller enrouler les filins d'acier autour de troncs d'arbre avant de faire fonctionner les treuils et le cric électronique qui soulevait les quatre roues en prenant appui sur le fond de la crevasse. Pour se désembourber, au stade ultérieur, la manœuvre était délicate. Il convenait de faire coulisser le cric en sens inverse tandis que, parallèlement, les treuils avec toute la puissance dont ils étaient capables réembobinaient les filins sur leur tambour.

Mais cette première tentative échoua.

— Il faut élargir le trou, conseilla Dhanarat.

Il entraîna Johnny Coll avec lui à l'arrière du véhicule et lui désigna les pelles et les pioches.

— On va creuser et déblayer, expliqua-t-il, afin de construire une pente plus douce qu'on tapissera avec ces planches. La même chose m'est arrivée des tas de fois, surtout dans cet endroit. C'est la meilleure solution.

— D'accord.

Tous deux s'activèrent énergiquement. A un moment Dhanarat dévida un chapelet d'injures grossières et Johnny Coll s'inquiéta :

— Que se passe-t-il ?

— Les sangsues.

Johnny Coll avait appris à ses dépens qu'elles constituaient une engeance. Après la pluie, elles se laissaient dégringoler des arbres à la recherche de la proie vivante dispensatrice de sang frais. Il alluma une Pall Mall et en approcha le bout incandescent de la paume de Dhanarat là où la sangsue s'accrochait, dans l'espacement entre le pouce et l'index. Le ver était déjà gorgé de sang. La chaleur intense lui fit lâcher prise. Il tomba sur la terre trempée d'eau et le Thaïlandais l'écrasa d'un coup de talon rageur.

Ils se remirent au travail, suant et soufflant. Le moindre effort dans cet univers clos, moite et étouffant devenait un supplice.

La Land Rover fut finalement dégagée et ils reprirent leur route à travers cette région sauvage dans laquelle ne se profilait nul village. Les sentes étaient étroites, parfois abruptes, naviguaient entre des éboulis de roches éclatées, au fond de gorges étranglées entre des parois vertigineuses, le long de torrents cascadants, de rapides hérissés de récifs aux arêtes tranchantes. Pas un souffle d'air ne filtrait entre les arbres gigantesques dont les lourdes frondaisons s'entremêlaient dans des entrelacs inextricables d'où pendaient des lianes aux formes torturées. De l'humus en putréfaction montaient des senteurs fades, douceâtres, qui rappelaient celles des cadavres en décomposition avancée.

Le septième jour, comme l'avait prévu Thrasakul, ils atteignirent une muraille en béton d'une dizaine de mètres en hauteur qui barrait la route, cette dernière s'étant déjà élargie depuis trois ou quatre kilomètres. Une sorte de poterne était percée en son centre.

— Nous sommes arrivés, renseigna Dhanarat.

Johnny Coll remarqua que le son de sa voix était dénué de tout enthousiasme.

Le Thaïlandais rétrograda de seconde en première et amena la Land Rover à une dizaine de mètres de la muraille avant de tirer sur le frein à main et de sauter à terre.

— Tu restes ici, Johnny, conseilla-t-il.

La poterne s'ouvrit et quatre hommes vêtus de treillis de l'armée américaine, casqués et armés de fusils d'assaut, apparurent. Un conciliabule s'engagea entre eux et

Dhanarat. Il sortit un papier de sa poche, le leur montra et celui qui paraissait être le chef du groupe hocha vigoureusement la tête. Dhanarat revint vers la Land Rover, suivi par les quatre soldats qui inspectèrent l'intérieur du véhicule et dévisagèrent Johnny Coll sans curiosité particulière, ce qui lui fit supposer qu'ils devaient être habitués à voir des étrangers transiter par leur poste de surveillance.

Dhanarat remonta derrière le volant, les quatre hommes s'écartèrent et le Thaïlandais embraya. Intrigué, Johnny Coll examinait les alentours. L'épaisseur de la muraille était imposante. Une dizaine de mètres. Il imagina facilement quelle somme de travail avait été nécessaire pour construire l'édifice et, préalablement, pour amener les matériaux sur le site.

D'autres soldats montaient la garde à ce premier barrage. Une trentaine en tout. Johnny Coll remarqua les antennes de radio. En cas d'attaque, le détachement avait la possibilité d'alerter un second échelon. Machinalement il tâta sous sa chemise rabattue sur son pantalon le Tokagypt acheté à Bangkok. L'arme et les conditions du voyage lui avaient posé un problème que les circonstances ne lui avaient pas permis de résoudre à sa satisfaction totale. D'abord, Dhanarat s'était aperçu qu'il portait un pistolet. Ensuite, au cours de la seconde partie du voyage, il avait été obligé de dormir à l'intérieur de la Land Rover et si le Thaïlandais avait reçu pour mission de lui trancher la gorge et de jeter son cadavre dans quelque coin isolé de la jungle où les tigres lui auraient fait un sort définitif, il n'avait vraiment aucun moyen de l'en empêcher, sauf en restant éveillé quatre nuits consécutives, mais même cette solution lui était refusée car il était dans sa nature d'avoir chaque jour besoin d'une certaine dose de sommeil dont il lui était absolument impossible de s'abstenir. D'autres occasions s'étaient présentées dans le passé où le danger qu'il courait était intense et aurait exigé qu'il restât éveillé et, pourtant, il avait sombré dans le sommeil, emporté par un torrent impétueux et dévastateur. Il était ainsi fait. En revanche, une sorte de prescience, de signal d'alarme, clignotait en permanence durant l'espace de temps au cours duquel il dormait et l'avertissait si le danger se précisait. A trois reprises au cours de sa vie, dont deux fois au Viêt-nam, le déclic avait joué et lui avait sauvé la vie. Tout au long du voyage en compagnie de Dhanarat il avait compté sur cette présence invisible mais protectrice pour l'arracher aux brumes du sommeil au cas où s'esquisserait un péril quelconque, ce qui ne s'était pas produit.

La route n'était pas meilleure dans les kilomètres qui suivaient, au-delà du barrage de contrôle. Elle s'était même rétrécie à nouveau. Johnny Coll se demanda comment les engins qui avaient été employés pour transporter les matériaux et construire la muraille avaient pu transiter par ce ruban troué de nids de poule, défoncé, bourbeux et cahotique.

Une vingtaine de kilomètres plus loin, la Land Rover déboucha sur un terre-plein aménagé par la main de l'homme, barré à son autre extrémité par la base d'un roc en forme de pain de sucre qui grimpait de plusieurs centaines de mètres vers les nuages sombres annonciateurs de pluies prochaines. L'entrée d'une grotte dessinait un demi-cercle noir dans le vert éclatant de la végétation orgueilleuse qui envahissait les flancs du roc dressé vers le ciel comme un phallus. D'autres soldats flânaient là. Ils regardèrent le véhicule avec curiosité. Aucun d'eux ne braqua son arme sur les arrivants. La radio, pensa Johnny Coll. Ils ont été prévenus par radio de notre arrivée.

Dhanarat roula jusqu'à eux et stoppa. Il sauta à terre et un dialogue rapide s'engagea en thaïlandais. Johnny Coll observait, un peu tendu. Dhanarat revint s'installer derrière le volant.

— Où en est-on ? s'enquit Johnny Coll.

— On continue notre chemin, nous ne sommes pas encore arrivés, renseigna le guide.

La grotte se révéla être une percée dans le flanc du roc, qui zigzaguait jusqu'à l'autre ouverture sur le flanc adverse. La route reprenait au-delà en un même lacis tortueux. La Land Rover cahota sur encore une douzaine de kilomètres avant d'émerger dans une clairière truffée d'abris antiaériens et protégée par une enceinte de béton haute de trois mètres. Là les soldats étaient nombreux.

— C'est ici, indiqua Dhanarat.

Pour la troisième fois il sauta à terre. Johnny remarqua qu'aucun des soldats ne portait d'insigne de grade sur son uniforme, un uniforme qui, dans tous les cas, était le treillis vert olive de l'armée américaine à la trame passablement usée par le temps, les frottements, la sueur, la boue et les nombreux lavages. Un homme âgé s'approcha de la Land Rover côté passager. Son faciès était celui d'un Mongol et c'est tout juste si son regard parvenait à filtrer sous la lourde paupière bridée. Il examina Johnny Coll un bref instant et invita en anglais :

— Suivez-moi.

Une casemate basse et trapue était collée au sol herbeux comme une ventouse. Johnny Coll s'engouffra à l'intérieur à la suite du Mongol. Elle servait d'antichambre à un tunnel qui, estima-t-il, s'enfonçait dans le flanc de la montagne, probablement une ancienne grotte élargie à coups d'explosifs. Ce tunnel était large. Il comportait une chaussée en bitume et deux trottoirs surélevés, de chaque côté. Plusieurs personnes pouvaient cheminer de front, sans gêne, sur chacun d'eux. Un flot incessant de soldats dans les deux sens projetait sur les parois nues des ombres fantomatiques agrandies par l'éclairage parcimonieux d'arcs au néon. Johnny Coll entendit le ronronnement régulier de générateurs et, peu après, son guide tourna à droite dans un couloir étroit qui débouchait sur un palier terminé par une batterie d'ascenseurs.

Johnny Coll était émerveillé par ce qu'il découvrait. Dans cette région sauvage, difficile d'accès, des hommes avaient importé les matériaux de la civilisation et avaient édifié dans le roc de la montagne un abri pourvu de la technique moderne dont les rouages paraissaient tourner dans l'huile. Pourtant il ne versa pas dans la réflexion philosophique quant aux possibilités innombrables que recelait la nature humaine et suivit son guide dans l'une des cabines d'ascenseur. Les numéros des étages étaient indiqués en jaune sur fond noir.

La cabine s'arrêta au dix-neuvième.

Les battants coulissèrent et il prit pied sur un rond-point à partir duquel divergeaient deux couloirs. Son guide s'engagea dans celui de droite. Là encore veillaient des soldats. Le couloir se terminait devant une porte métallique d'aspect austère. Le guide parla en chinois à la sentinelle qui se pencha vers un interphone et murmura quelques paroles. La porte s'ouvrit. A la suite de son mentor, Johnny Coll pénétra dans une antichambre dans laquelle étaient installés des sièges en rotin. Une jeune et jolie Chinoise était assise derrière un bureau.

Le problème des femmes, songea Johnny Coll. Comment parviennent-ils à le résoudre ? C'était la première femme qu'il rencontrait dans l'enceinte fortifiée. Puis il se souvint que les revenus principaux de cette armée de la jungle provenaient de la culture du pavot et, partant, de l'exportation de drogue. La culture du pavot supposait des paysans pour s'occuper des champs. Il imagina donc que dans les hautes vallées de la montagne œuvraient de nombreuses paysannes qui, accessoirement, servaient d'exutoire sexuel à la foule des soldats. Le vieux réflexe féodal et médiéval qui avait prévalu en Europe au Moyen Age. Je te protège et, en échange, je m'octroie le droit de cuissage.

La fille se leva de derrière son bureau. Elle aussi était vêtue d'un treillis vert olive de l'armée américaine qui semblait avoir été taillé sur mesure par un grand couturier parisien tant il·lui seyait et épousait ses formes. Elle frappa à une autre porte métallique, n'attendit pas la réponse, entra et referma la porte. Elle réapparut bientôt et s'effaça en inclinant affirmativement la tête en direction du guide qui se tourna vers Johnny Coll.

— Suivez-moi, ordonna-t-il.

La pièce dans laquelle ils entrèrent était vaste. Ses parois rocheuses étaient tapissées de peaux de tigres, tout comme son sol. Un râtelier d'armes occupait l'un des coins. Tous les meubles et sièges étaient en rotin. Une bibliothèque laissait apercevoir sur ses étagères des livres de poche aux titres anglais ou américains. Le bureau était métallique, banal et fonctionnel. Le climatiseur tournait silencieusement. A travers une étroite ouverture se dessinait un carré de ciel gris épaissi par les nuages. Dans l'air flottait une odeur composite, faite de senteurs de thé chaud et de fumée de cigare. Derrière le bureau était assis un homme vêtu de l'inévitable treillis vert olive. Son visage était ascétique, ses traits creusés, et ses yeux proéminents. Le crâne était rasé ou chauve, on ne savait exactement. Une des oreilles manquait. Une balafre traçait une diagonale de la tempe au menton sur l'une des joues et Johnny Coll pensa au fameux Balafré, Al Capone, sauf qu'Al Capone, se souvint-il, était gras à lard comme un bouddha, ce qui n'était pas le cas de l'homme qu'il avait devant lui. Sa maigreur, au contraire, était effrayante. Sur son cou efflanqué, la pomme d'Adam, par exemple, ressemblait beaucoup plus à un goitre monstrueux.

Il esquissa un sourire cordial à l'entrée des deux hommes et cet effort parut lui faire craqueler les lèvres comme une figue trop mûre sur laquelle on presse.

— Bienvenue dans notre château, Mr. Coll, lança-t-il

d'une voix étonnamment forte compte tenu de la faible
capacité apparente de son torse chétif.

Johnny Coll ne s'étonna pas qu'il connût son nom. La
radio et les mille canaux secrets qui faisaient communiquer la forteresse avec le reste du monde avaient averti
l'homme de sa venue.

— Vous êtes le général Lim Lok Siang ? demanda-t-il
bien que dans son for intérieur il fût persuadé de n'avoir
affaire à personne d'autre.

— En effet. Asseyez-vous.

Il désignait un fauteuil en rotin recouvert d'une tapis-
serie en coton jaune canari qui jetait une note gaie dans
le sévère environnement. Johnny Coll s'exécuta et lança
un coup d'œil par-dessus son épaule. Le guide qui l'avait
amené là se tenait près de la porte, les bras croisés.

— Thé ?

— Chaud.

La Chinoise emplit deux tasses et en tendit une à
Johnny Coll. Le général et lui burent et, ce rituel
accompli, le premier questionna :

— Que puis-je faire pour vous, Mr. Coll ? Vous avez
effectué un long voyage exténuant pour parvenir jusqu'ici et j'imagine que vous avez un problème important
à résoudre ?

Son anglais était bon, teinté des indélébiles intona-
tions chantantes de l'accent chinois. Sur les fins de
phrase il devenait nasillard.

Johnny Coll sortit de la poche arrière de son pantalon
la lettre écrite par Trang Xuan Quang. L'enveloppe était
abondamment froissée et salie par la sueur. Il la tendit au
général qui s'en empara délicatement comme s'il s'agissait d'un précieux parchemin de l'époque Ming. Il déca-
cheta l'enveloppe, en extirpa la lettre qu'il déplia et lut.
Son visage aux lèvres à peine distendues par le sourire
cordial demeurait impassible. Il posa la lettre sur la

surface de son bureau, en massa machinalement la texture du papier et murmura :

— Le BADOKIN fait partie de nos amis.

Johnny Coll se détendit.

— Il admire l'œuvre obscure mais tellement utile aux intérêts du Sud-Est asiatique que vous accomplissez ici. Vous demeurez le bastion le plus avancé du monde libre.

— Nous avons porté des coups très durs aux Laotiens mais ils nous harcèlent sans cesse malgré tout. Il ne se passe pas une semaine sans qu'ils lancent une nouvelle attaque contre nous. Nos effectifs diminuent à chaque fois et le recrutement est difficile. Le BADOKIN ne pourrait-il nous consacrer une partie de ses fonds secrets afin que nous fassions appel à des mercenaires ou que nous récupérions dans les camps de réfugiés en Indonésie ou en Malaisie où ils se morfondent les anciens combattants du Sud-Viêt-nam ?

— Je ne manquerai pas d'en parler au major Nusaputera qui est, comme le général Trang Xuan Quang a dû l'indiquer dans sa lettre, mon supérieur hiérarchique au BADOKIN.

— Je vous en serais reconnaissant. Que l'Indonésie n'oublie pas que si la Thaïlande tombait, la Malaisie et Singapour suivraient dans un très bref délai et l'Indonésie deviendrait alors l'objectif privilégié de la subversion. Sumatra est à quelques encablures de Singapour et de la côte malaisienne. Le gouvernement de Jakarta connaîtrait devant ce danger des ennuis pires qu'en 1965 au temps de l'affreux Soekarno. Qu'elle n'oublie donc pas que moi je suis le premier protecteur de la Thaïlande. Je gère un territoire de dix mille kilomètres carrés, soit un front de deux cents kilomètres sur cinquante de profondeur, c'est-à-dire beaucoup plus que le général Eisenhower quand il a débarqué en Normandie en 1944 ! Et uniquement avec dix mille hommes de troupe ! La plus grande réussite stratégique de toute l'histoire militaire !

Même Napoléon se serait cassé les dents sur mon disposi-
tif ! Un jour, à West Point, à Saint-Cyr, dans toutes les
écoles de jeunes officiers du monde, on enseignera la
façon magnifique dont le général Lim Lok Siang a tenu
tête à ses ennemis ! D'ailleurs, on le fait déjà à T'aï-wan,
dans la République de la Chine nationaliste. Derrière
moi, vous voyez ce cadre entre les peaux de tigre ? C'est
un témoignage d'appréciation signé par le maréchal
Chang-Kaï-Chek juste avant sa mort en 1975. C'est ma
plus belle récompense pour l'œuvre que j'ai accomplie !
    Johnny Coll feignit la plus profonde admiration. En
réalité, il demeurait sceptique. Combien de jeunes garçons et filles, aux Etats-Unis et en Europe, étaient morts
d'overdose en se droguant grâce au trafic mis sur pied
par Lim Lok Siang dans son repaire du Triangle d'Or ?
C'était là le revers de la médaille. A la place des peaux de
tigre et du témoignage de satisfaction du maréchal
Chang-Kaï-Chek, Lim Lok Siang aurait pu tapisser ses
murs avec leurs certificats de décès. Leur surface entière
n'y aurait pas suffi.
    Le général fit resservir du thé, but et s'enquit :
    — Quel service le BADOKIN veut-il que je lui rende ?
    Johnny Coll schématisa son bluff :
    — Une certaine Anna Balkanikoff qui habite Madrid
en Espagne reçoit des sommes d'argent de source incon-
nue. Cette source, cependant, pourrait être sa mère,
Hilda Balkanikoff, mystérieusement disparue d'Espagne
il y a plus de trente ans et soupçonnée par le BADOKIN
d'être une agente du K.G.B. exerçant ses activités en
Indonésie, sans pourtant que le BADOKIN puisse la
localiser malgré sa surveillance très stricte de tous les
étrangers en provenance ou non des pays de l'Est.
L'argent expédié à Anna Balkanikoff transite par Jakarta
et Bangkok. Le BADOKIN est à peu près sûr que c'est l'un
de vos hommes qui envoie d'ici cet argent pour le compte
de Hilda Balkanikoff afin que cette dernière ne mette pas

en danger sa couverture en Indonésie, ce qui est à la base même du travail d'espion. Maintenant, le BADOKIN pose la question : lequel de vos hommes ? Ou peut-être même...

Johnny Coll coula un regard significatif en direction de la jeune Chinoise.

— ... Une femme ?

Puis, aussitôt, sur sa lancée, il enfonça un autre clou :

— De toute façon, cette initiative du BADOKIN va dans le sens de vos intérêts. Cette personne qui expédie l'argent en le versant probablement dans une banque de Bangkok est sans doute un espion qui surveille vos activités et rend compte à Moscou, à moins que ce ne soit à Pékin. J'imagine que vous avez à votre disposition un service de sécurité et de contre-espionnage ?

— Naturellement. De même qu'un service de renseignements pour épier les mouvements de l'ennemi. Aucune armée au monde ne peut survivre sans services de renseignements.

— Exact. Je suppose donc que l'agent en cause n'a pas été détecté et neutralisé.

Le général Lim Lok Siang toussota.

— Vous faites fausse route, Mr. Coll. Et pas seulement vous mais le BADOKIN également.

Johnny Coll fronça les sourcils.

— Vraiment ? Et pour quelles raisons ?

— En ce qui concerne Hilda Balkanikoff. Cette personne a vécu parmi nous durant de longues années. Elle avait fui l'Espagne, effectivement, où elle était traquée, pourchassée par des agents soviétiques qui voulaient mettre la main sur la fortune de son mari, fortune volée par des agents du contre-espionnage français et leurs sbires qui avaient précédemment assassiné son mari. Hilda était affolée, elle craignait pour sa vie, elle vivait dans l'angoisse. Elle a abandonné sa fille Anna aux bons soins de religieuses catholiques et s'est enfuie en

Extrême-Orient avec le peu qui lui restait d'argent. Des sympathisants de notre cause l'ont recueillie à Bangkok et l'ont amenée ici où elle ne craignait plus rien de personne. Mais, naturellement, en mère consciente qu'elle était, elle souffrait pour la fille qu'elle avait dû abandonner en Espagne. Elle a décidé un jour de s'ouvrir à moi de ce problème. Je n'ai pas hésité. J'ai prélevé sur ma cassette personnelle les fonds nécessaires à l'entretien d'Anna Balkanikoff...

Johnny Coll sursauta. *Ma cassette personnelle...* Le terme était désuet, archaïque, on ne l'utilisait plus depuis longtemps sauf dans les romans historiques pour parler d'un monarque qui jetait aux pieds du féal vassal une bourse emplie de louis, de florins ou de ducats d'or destinée à récompenser quelque service exceptionnel rendu au suzerain. Le général Lim Lok Siang se prenait-il pour Richard III d'Angleterre, Louis XI de France, César Borgia ou Laurent de Médicis ?

— ... Et c'est moi qui ai fait virer les fonds, deux mille dollars américains à l'heure actuelle, à Madrid, poursuivait-il d'un ton neutre, monocorde. En utilisant des relais bancaires, The Bangkok and Chinese Bank à Bangkok, dirigée par le général Trang Xuan Quang, un de nos meilleurs amis, la Bank Dagang Negara à Jakarta, le Banco de Comercio y Expansion à Madrid. Ces relais bancaires avaient pour seul but de dérouter l'adversaire, de lui rendre difficile la remontée de la piste.

Johnny Coll restait estomaqué. L'explication paraissait si facile, notoirement sans complications.

— Quel prête-nom utilisez-vous à Bangkok ?

— Kao Sien Fu.

Ça collait, concéda-t-il en lui-même, avec les déclarations de Trang Xuan Quang, mais les deux hommes disaient-ils la vérité ? Comment savoir ? Ils détenaient les atouts dans leurs mains alors que lui était si faible, si seul, si désarmé. Dans ce repaire montagnard à l'écart de toute civilisation, dans cet environnement sauvage et guerrier, comme lui apparaissaient éloignés, futiles, iréels l'objet premier de son enquête, l'assassinat de Peter Coogan, et les personnages qui l'avaient initiée, Audrey et Wenchell Davis !

Avant de quitter Bangkok en compagnie de Dhanarat, il avait téléphoné successivement à Audrey et à l'éditeur pour les tenir au courant des progrès de son enquête et les avertir du lieu où il se rendait, mais même cette ultime conversation téléphonique lui semblait appartenir à un autre monde éloigné du sien de plusieurs galaxies.

Il se racla le fond de la gorge.

— Puis-je rencontrer Hilda Balkanikoff ? demanda-t-il.

Le général Lim Lok Siang secoua la tête.

— Je regrette, c'est impossible.

— Pourquoi ?

— Parce qu'elle est morte depuis plusieurs années. Elle est d'ailleurs enterrée ici, au milieu de nos soldats tombés au champ d'honneur...

CHAPITRE XVI

Joseph Loew se planta devant le Mémorial aux Martyrs Juifs de la Déportation. Le C.R.S. qui veillait là avec une mitraillette en bandoulière sur le ventre le regarda avec suspicion comme il le faisait avec tous les flâneurs, bien peu nombreux, pourtant, dans le square de l'Ile-de-France et la rue Geoffroy-l'Asnier. A travers la grille, Joseph Loew contempla la cuve immense, gris bleuâtre, fichée par son socle sur l'esplanade, puis il leva les yeux sur l'inscription gravée dans la façade avec des lettres en hébreu et en français déjà effacées par le temps.

Devant le martyr juif inconnu, incline ton respect, ta piété devant tous les martyrs, chemine en pensée avec eux le long de leur voie douloureuse, elle te conduira au plus haut sommet de justice et de vérité.

L'œil du C.R.S. aux mains trop nerveuses sur la mitraillette le suivit pendant qu'il longeait la grille. Il tourna à droite, ouvrit la porte métallique et s'engagea dans l'allée étroite.

A l'intérieur, une célébration mortuaire se déroulait. L'assistance était composée de gens âgés. Des rescapés des camps de la mort, pensa Joseph Loew, ceux qui n'ont pas oublié, pour qui l'horreur est toujours présente. Cela se devinait aux épaules affaissées, aux gestes ralentis, aux traits figés. L'obsession taraudait leurs esprits. Elle était tellement dévastatrice qu'elle provoquait parfois des réactions insensées. Joseph Loew se souvenait d'un incident de cet ordre quelques mois plus tôt. Lors d'une cérémonie identique à celle qui se déroulait présentement, un couple d'une soixantaine d'années s'était brusquement mis à hurler hystériquement en se précipitant sur un rabbin. Ils hurlaient : *Sauvons-nous, ça sent le gaz !*

Un amateur d'humour noir le plus macabre n'aurait pu imaginer un tel cri et une telle scène, et ce qui était bouleversant, c'était le phénomène d'hallucination collective qui avait suivi. Le reste de l'assistance, tremblant de frayeur, avait repris avec des voix terrifiées : *Sauvons-nous, ça sent le gaz !*

L'horreur avait été portée à son comble. Joseph Loew en frissonnait encore. Les événements s'étaient précipités. Bousculades, mouvements de foule, supplications du rabbin, hurlements de terreur, fuites jusque dans la rue où tout le monde s'était arrêté, angoissé, un peu honteux, haletant, revivant le cauchemar, la sueur au front, les doigts crispés sur le tissu des vêtements, l'air glacé de la rue venu de la Seine toute proche mordant cruellement dans les silhouettes voûtées.

Et ce qui était fantastique était la panique qui s'était emparée de Joseph Loew et qui avait failli lui faire suivre le mouvement car, un bref instant, il avait cru lui aussi respirer des odeurs de gaz !

L'atavisme du cauchemar ?

Il monta au Centre de documentation pour y effectuer son pèlerinage habituel. Il connaissait le Mémorial par cœur, tout comme étaient présents à sa mémoire les chiffres affreux du tableau des pertes que sa mémoire lui restituait présentement :

Pays	Pertes	Pour-centage
Danemark	475	0,6
France	75 000	25
Bulgarie	20 000	40
Roumanie	400 000	53,6
Belgique	27 000	60
Grèce	60 000	80
Hongrie	250 000	82
Hollande	120 000	75
Tchécoslovaquie	300 000	86
Yougoslavie	70 000	87,5
Pologne	3 400 000	98

Il en frissonnait rétrospectivement. Et, parmi ce nombre vertigineux, figuraient les membres de sa famille...

Il avança encore et s'arrêta devant la table où reposait la liste des déportés pour la France. D'un doigt tremblant, il tourna les pages usées.

Convoi numéro 74.

Avril 1943.

Son index glissa le long de la colonne.

LOEW Judith

LOEW Simon

LOEW Maurice

LOEW Albert

LOEW Sarah

LOEW Hannah

LOEW Daniel

Ils étaient tous là ! Tous les sept ! Sa mère, son père, ses frères, ses sœurs !

Tant de fois il avait failli déchirer la page, l'arracher, la réduire en miettes ! C'était uniquement par respect pour tous les autres qu'il n'avait pas accompli ce geste sacrilège.

Parfois, c'était la douleur, la souffrance qui l'emportaient. Mais d'autres fois c'était la colère qui ravageait chaque fibre de sa chair. Dans ces instants-là, il le savait, il tremblait, il bavait, frappait le plancher du talon, spasmodiquement. Un jour, le gardien était venu le prendre par le bras et l'avait entraîné avec une grande douceur, comme on le fait avec un convalescent qui veut s'aventurer hors des limites qui lui sont assignées. Il avait murmuré à son oreille des paroles apaisantes qui se voulaient consolatrices mais qui ne lui avaient apporté aucun soulagement.

Il caressa la page d'un doigt triste, referma le livre et s'en alla. La cérémonie funéraire n'était pas terminée. Les gens psalmodiaient toujours. Il retrouva la rue et son C.R.S. qui montait la garde, les mains crispées sur sa mitraillette.

Le torrent coulait paresseusement sur les galets car la pente était faible. Sur chaque rive l'épaisse végétation avait été repoussée et, sur le terrain ainsi gagné, on avait creusé les tombes. Le champ funéraire courait sur un bon kilomètre le long des flots d'eau limpide. La jungle que l'on avait malmenée reprenait ses droits en envahissant impétueusement le cimetière étiré sur les deux rives. Déjà disparaissaient les blocs de pierre qui signalaient l'emplacement de chaque sépulture. Quelques croix en bois indiquaient que le mort, à cinq pieds sous terre, était chrétien. Leur bois commençait à pourrir sous l'implacable érosion du climat tropical. Les tombes étaient anonymes. Sur un promontoire rocheux en escarpement on avait peint les couleurs de la République de la Chine nationaliste de T'aï-wan, un rectangle rouge avec dans son coin supérieur gauche un carré bleu orné en son centre d'un soleil jaune aux éclats argentés. Y était accolée une inscription en caractères chinois.

Johnny Coll se tourna vers son guide, le même qui l'avait précédemment introduit chez le général Lim Lok Siang. Du doigt il désigna l'inscription.

— Quelle est sa signification ?

— *Leur esprit a survécu.* C'est un hommage à nos héros tombés au champ d'honneur.

— C'est encore loin ?

— Derrière le promontoire.

Ils marchèrent pendant encore dix minutes en contournant l'escarpement rocheux. Le guide s'arrêta brusquement et retint son compagnon par le bras.

— C'est ici.

Le Chinois tendait le bras vers la gauche. Johnny Coll regarda dans cette direction. Une grotte naturelle s'encastrait dans la base du promontoire. L'ouverture était haute et large mais l'intérieur peu profond.

Il s'avança et entra.

Sur le sol envahi par des herbes folles un tumulus se haussait d'une quinzaine de centimètres. Un pan d'une carcasse ayant appartenu vraisemblablement à un hélicoptère le recouvrait en partie. En lettres blanches avait été peint sur le métal couleur vert olive comme les uniformes que portaient les soldats du général Lim Lok Siang :

HILDA BALKANIKOFF
Mars 9, 1973

Johnny Coll resta là un long moment, vaincu par l'accablement et un sentiment de défaite et d'injustice. Tout ce long chemin pour découvrir cette tombe ! Il éprouvait la pénible impression d'avoir trop présumé de ses forces. Sans qu'il sût pourquoi, l'intrigue d'un film lui revint en mémoire. *Le Kid de Cincinnati*. Il était dans la même position que Steve McQueen défiant Edward G. Robinson dans la fameuse partie de poker constituant le clou du film. Trop d'orgueil, trop d'assurance, trop de confiance en soi. Et ensuite l'échec. Noir, brutal, saumâtre. Il faillit cracher de dégoût sur les herbes folles qui prospéraient dans cette atmosphère confinée.

Il sentit la présence du guide dans son dos et se retourna.

— Oui ?

— Vous avez vu la tombe ? Vous êtes satisfait ? Vous voulez déposer des fleurs ? Vous en trouverez sur le bord du torrent.

Johnny Coll haussa les épaules et ressortit de la grotte.

Elle était vêtue d'un pantalon de toile kaki assez ample dont le bas était emprisonné dans les leggings des rangers en cuir en tous points semblables aux bottes de saut de parachutiste qui chaussaient la plupart des soldats du général Lim Lok Siang. Les rangers étaient boueuses. Le pantalon était retenu aux hanches par un ceinturon assez large à la boucle argentée. Pour le reste elle portait une chemise de sport à carreaux avec des rabats de feutre noir sur les poches de poitrine, style cowboy, dont les manches étaient relevées jusqu'aux coudes. Ses cheveux bruns étaient coupés court et le vent qui s'était engouffré dans la haute vallée entre les parois montagneuses et faisait friseler les maquis d'herbes géantes plaquait des mèches sur son front, que machinalement elle ramenait sur le sommet de sa tête d'un geste élégant et sporadique.

Toute son attention était fixée sur un ours noir de petite taille, à la poitrine ornée d'un triangle de poils blancs, qui, de ses griffes acérées et aussi longues qu'une *gamba*, déchiquetait l'écorce d'un sagoutier.

Autour d'elle veillaient quatre soldats en armes.

Johnny Coll était intrigué. La femme était jeune, jolie et d'ascendance européenne.

Elle paraissait être prisonnière.

Le général Lim Lok Siang les avait traités, lui et Dhanarat, avec égards. Le logement qu'on leur avait attribué était situé dans un baraquement à l'écart, collé contre le flanc de la montagne et protégé des observations aériennes par les épaisses frondaisons d'arbres gigantesques et millénaires. Plus loin se nichait un autre baraquement tout aussi austère d'aspect et c'est de celui-là qu'était sortie la jeune femme, escortée par ses gardiens. Elle avait gagné une clairière à mi-chemin entre les deux baraquements. A ce moment-là, Johnny Coll prenait l'air, perdu au milieu du fouillis des arbres, des lianes, des herbes géantes et des coulis de fourmis sur le gras humus. Les quatre gardes ne l'avaient pas vu. Il s'était glissé derrière le tronc d'un arbre et observait la scène.

Qui était cette jeune femme ? Que faisait-elle là ? Pourquoi, selon toutes apparences, la retenait-on prisonnière ? Quatre hommes pour la surveiller, le fusil à l'épaule ? Que craignait-on d'elle ?

L'ours abandonnait le tronc d'arbre, venait vers elle. Elle s'agenouillait tandis que l'animal s'approchait tout contre elle. Johnny Coll aperçut alors la bouteille et le liquide brun-jaune qui coulait dans le bol. Du miel, diagnostiqua-t-il. Le plantigrade se mit à lamper goulûment le contenu du récipient. La jeune femme en profita pour caresser la toison de poils noirs et blancs, avec tendresse, en chatouillant le creux de l'oreille de l'animal qui en frétilla d'aise. C'était un ours de Malaisie, dit aussi ours des cocotiers, c'est-à-dire l'espèce inoffensive, comparée aux ours polaires ou aux ours bruns. La jeune femme reversa du miel dans le bol à la grande satisfaction du plantigrade et sous les regards amusés des soldats.

Johnny Coll se répéta la question : qui est-elle ?

* * *

— Vous êtes convaincu, Mr. Coll ? Vous avez vu la tombe ?

Le général Lim Lok Siang souriait, sûr de lui.

— En effet.

— Le jour de notre fête nationale elle a droit aux honneurs militaires tout comme nos héros tombés au champ d'honneur. N'est-elle pas venue parmi nous parce qu'elle était persécutée par nos ennemis ?

— Persécutée parce qu'elle avait trahi ses frères de race et la France qui lui avait donné l'hospitalité.

Le général parut étonné.

— J'ignorais ces détails.

— Elle et son mari, des juifs, ont envoyé dans les camps de la mort nazis d'autres juifs ainsi que des résistants français.

Ennuyé, Lim Lok Siang fronçait les sourcils.

— Vous êtes sûr de vos renseignements ? questionna-t-il d'un ton sceptique.

— Certain.

Le Chinois secoua la tête comme s'il avait été assommé par cette révélation et qu'il voulait se remettre de ce coup du sort.

— Il me faudra sans doute réviser mon opinion au sujet de Hilda Balkanikoff ! maugréa-t-il. En tout cas, à partir d'aujourd'hui elle n'aura plus droit aux honneurs militaires !

Il vida la moitié de sa tasse de thé et s'enquit :

— Quand repartez-vous pour Bangkok ?

— Demain ou après-demain. Je n'ai plus rien à faire ici

mais je me repose un peu avant de reprendre ce terrible trajet en sens inverse.

— Une semaine de voyage, c'est effectivement éprouvant. Reposez-vous tout le temps qu'il faudra. Pas de plaintes à émettre ? Vous êtes installé confortablement ?

— Tout est parfait.

— Je vais vous délivrer un laissez-passer. Quand vous serez suffisamment reposé pour reprendre la route, vous pourrez ainsi repartir à n'importe quel moment.

Le général ouvrit l'un des tiroirs de son bureau et en sortit un rectangle de bristol imprimé sur lequel il écrivit quelques mots auxquels, pompeusement, il ajouta une signature et un coup de tampon, avant de le tendre à son interlocuteur en avertissant :

— Ne vous étonnez pas si on ne vous le restitue pas à notre dernier poste de contrôle routier. C'est la règle. La sécurité avant tout. Nos ennemis sont nombreux, nous devons être vigilants.

Johnny Coll faillit lui demander si la jeune femme que l'on semblait retenir prisonnière faisait partie des ennemis du général mais il préféra se taire car, se convainquit-il aisément, il était entièrement entre les mains du Chinois et de ses hommes et ce n'était pas le Tokagypt qui pourrait le sortir d'affaire si des questions déplacées déclenchaient la fureur de Lim Lok Siang, ou son inquiétude, et provoquaient à leur suite une incarcération (ou une exécution ?) dans ce coin oublié du monde. Certes, Wenchell Davis et Audrey savaient qu'il se trouvait ici mais, dans le fond, que pouvaient-ils faire ? Alerter la conscience universelle si prompte à s'occuper des cliniques psychiatriques soviétiques et des goulags ? De la pure rigolade s'il était déjà mort à ce moment-là !

Mieux valait se taire.

— Je suis terriblement occupé et ne vous reverrai sans doute pas avant votre départ, bâclait le général. Bonne route et mon meilleur souvenir au BADOKIN. N'oubliez pas de leur transmettre ma requête pour une assistance financière privilégiée. Ma cause est leur cause. Elle vaut qu'on sacrifie quelques millions de dollars. L'Indonésie est un riche producteur de pétrole. Avec les prix qui montent sans cesse, elle rattrapera vite les sommes qu'elle m'aura versées.

— Vous aurez en moi un avocat agressif et convaincu de la justesse de ses arguments, assura Johnny Coll avec une phraséologie toute extrême-orientale.

Il prit congé du Chinois et regagna son baraquement. Entouré de seaux emplis d'eau, Dhanarat astiquait consciencieusement la Land Rover avec une grosse éponge.

— Faudra recommencer une fois de retour à Bangkok, commenta-t-il tristement.

— Alors pourquoi te donnes-tu cette peine ?

— Pour tuer le temps. Quand repart-on ?

— Demain ou après-demain, mais tiens la voiture prête pour le départ. Le plein ?

— Il est refait. Réservoir et jerricans.

Johnny Coll se dandinait d'un pied sur l'autre en s'interrogeant. Pouvait-il faire confiance au Thaïlandais ? Le mettre dans la confidence ? Il décida que non. Trop de liens l'unissaient à Thrasakul et au Triangle d'Or. Il risquait de le trahir s'il se confiait à lui. Non pas parce qu'il était contre lui mais simplement pour protéger sa vie et ses propres intérêts. Conséquence à tirer : mieux valait agir sans lui.

Johnny Coll se glissa hors de sa chambre et se retrouva dans le préau attenant. Il se faufila jusqu'à la Land Rover, ouvrit précautionneusement la portière et, dans l'obscurité, en tâtonnant rassembla le matériel dont il avait besoin : une torche électrique géante à huit piles, une couverture, une pelle et une pioche. Il fourra la torche à l'intérieur de sa chemise et équilibra les manches des deux outils sur son épaule gauche sous la couverture pliée en quatre. Dans sa ceinture de pantalon, à portée de sa main droite, était enfoncé le Tokagypt.

Il prit le chemin du Champ des Héros.

Sous les rayons de la lune, le torrent coulait en un ruban argenté. Son bruit cascadant couvrait le bruissement des feuillages.

Il suivit le couvert des arbres après avoir dépassé le second baraquement, celui d'où était sortie la jeune femme que l'on paraissait retenir captive.

Le promontoire rocheux se dessinait contre le ciel lumineux et ressemblait à un dromadaire en train de baraquer.

Il le contourna et retrouva facilement la grotte. Il y pénétra, déposa dans les herbes la pelle, la pioche et la torche électrique avant d'explorer de la main la paroi rocheuse autour de l'ouverture. A sa grande satisfaction ses doigts heurtèrent quelques aspérités et il y noua un des côtés de la couverture qu'il laissa pendre en s'arrangeant pour qu'elle bouche complètement toute vue plongeante à l'intérieur de la grotte. Ceci fait, il alluma la torche et la cala afin que son puissant jet lumineux fût dirigé sur la tombe. Ensuite il dégagea le morceau de métal vert olive avec l'inscription *Hilda Balkanikoff, Mars 9, 1973* et, en s'aidant de la pioche, commença à creuser. Il avait besoin de toute sa vigueur car le sol était dur à la surface. Il redevint plus friable dès que le tumulus eut disparu sous les coups de pioche et de pelle.

Il vida son cerveau, s'astreignant à se concentrer sur le dur labeur. Il piochait et pelletait sans relâche, la sueur au front, la paume des mains irritée, les reins douloureux. De retour à New York, il faudra que je me lance dans le jogging, pensa-t-il fugitivement. Reprendre du souffle, de l'allant, me remuscler. Peut-être aussi une semaine de camping et de marche à pied dans le désert autour de Phoenix en Arizona, avec un sac à dos et une toile de tente, avec une ample provision de nourriture et d'eau. Ne pas oublier d'emporter quelques boîtes d'aliments pour chiens à ouvrir pour les coyotes qui viendraient rôder autour de la tente. Faire une liste. La crème à bronzer, le talc pour la peau des cuisses, des fesses et la plante des pieds. Attention aux chaussures. Bien les choisir. Un mauvais choix et c'était le martyre pendant toute la durée de la semaine. Des pastilles de sel contre la soif, le vaccin contre les morsures de serpent. Les vipères sont nombreuses en Arizona. Les araignées géantes et mortelles aussi. De même que les plantes vénéneuses. Après tout, ce n'était peut-être pas une si bonne idée. Dans le fond, mieux valait rester à Manhattan à faire du jogging. Garer la voiture à Washington Square et remonter la Cinquième Avenue à pied jusqu'à Central Park South et, pour varier, redescendre à Washington Square par la Huitième Avenue, la 14e Rue et le sud de la Cinquième Avenue. Préférable. En survêtement de sport pour accélérer la sudation. Dans la penderie il avait justement un superbe survêtement de sport jaune canari qu'il n'avait porté qu'à une unique occasion. Pourquoi ne pas lui faire étrenner l'air pollué de Manhattan ?

L'acier de la pioche heurta une matière plus dure. Précautionneusement, Johnny Coll poursuivit son travail. Bientôt se dessina le rectangle de bois d'un cercueil aux planches grossièrement équarries. Avec la pelle il en dégagea le pourtour et le couvercle avant de faire sauter ce dernier. Puis il alla chercher la torche électrique et éclaira l'intérieur.

Il était vide. A l'exception d'une pale d'hélicoptère.

Johnny Coll éclata de rire. Il avait l'impression de contempler un tableau surréaliste du goût le plus exécrable.

Son accès d'hilarité achevé, il remit le couvercle en

place et entreprit de combler la tombe avec la terre qu'il avait pelletée. Ensuite il reconstruisit le tumulus, le tassa en utilisant le restant de la terre collée aux hautes herbes. Sa tentative de nettoyage des lieux était imparfaite, dut-il reconnaître. Un investigateur un peu scrupuleux aurait reconnu immédiatement qu'on s'était livré là à une entreprise d'exhumation. Il n'y pouvait rien. Sa seule chance était qu'on ne venait sans doute pas se recueillir sur cette tombe quotidiennement, d'autant qu'elle ne recelait aucun squelette. Ainsi, le général Lim Lok Siang l'avait trompé, abusé. Dans quel but ? Protéger Hilda Balkanikoff ? Mais pour quelles raisons ? Quel était son intérêt ?

Le mystère s'épaississait et l'énigme devenait de plus en plus ardue à résoudre.

Il tenta de redonner aux lieux l'aspect qui avait été le leur avant son arrivée, replaça le morceau de métal sur le tumulus, éteignit la torche électrique et décrocha la couverture, avant de quitter la grotte. En sens inverse il contourna le promontoire rocheux et gagna le lit du torrent. Dans l'eau tumultueuse il lava la pelle et la pioche afin que le lendemain matin Dhanarat ne puisse s'apercevoir qu'elles avaient servi au cours de la nuit, ce qui le conduirait à se poser des questions gênantes, et il compta sur l'air de la nuit pour les sécher durant son voyage retour vers la Land Rover.

Il approchait du second baraquement, celui d'où était sortie la jeune femme, lorsqu'il entendit le bruit des avions dans le ciel. Intrigué, il se jeta de côté, s'enfouit dans les grandes herbes et leva la tête, cherchant à repérer les appareils. Soudain la terre trembla et il entendit le bruit assourdissant qui couvrait celui des mitrailleuses et des canons antiaériens. Une flamme gigantesque naquit dans le ciel et il vit un météore de feu plonger vers la montagne. Un de touché, compta-t-il. L'hypothèse la plus logique, si l'on prenait le contexte très particulier du Triangle d'Or en considération, était que les Laotiens profitaient de la nuit pour effectuer une opération de bombardement sur le repaire de l'ennemi qui leur barrait la route de par sa position géographique et leur interdisait d'aller aider les maquis communistes de Thaïlande et de Birmanie. Dans le fond, Lim Lok Siang n'avait pas tort. Le combat qu'il menait là retardait la poussée laotienne vers le Sud-Est asiatique. Mais, parallèlement, la cause pour laquelle il luttait devenait un prétexte, un alibi pour se livrer au trafic de drogue. Quelles étaient les parts respectives du profit et de l'idéologie ?

Sous l'éclairage de la lune, il vit jaillir des soldats hors du baraquement. Ils criaient mais il ne comprit pas le sens de leurs paroles. Ils se dispersèrent et disparurent. A présent le bruit était assourdissant. Sous l'impact des bombes et la riposte des mitrailleuses, des fusées sol-air et des canons antiaériens, la montagne et la haute vallée s'étaient illuminées. Un des avions s'était abattu dans le torrent en soulevant un geyser d'eau et de vapeur.

Johnny Coll abandonna là la couverture, la pelle et la pioche et fonça vers le baraquement. Dans une main il tenait la torche électrique et dans l'autre son Tokagypt. Les yeux levés vers le ciel, le soldat ne le vit pas arriver. La crosse du pistolet s'abattit avec force sur la nuque offerte et le soldat s'étala de tout son long en lâchant son fusil. Johnny Coll entra dans le baraquement et alluma la torche.

Elle était appuyée au chambranle d'une porte ouverte, vêtue simplement d'un pantalon de jean et d'une blouse claire s'arrêtant à mi-cuisses. Ses pieds étaient nus et ses cheveux ébouriffés. Elle émerge du sommeil, diagnostiqua Johnny Coll. Il regarda autour de lui avec méfiance, craignant la présence d'autres gardes. Il éteignit la torche et s'avança vers elle.

— Qui êtes-vous ? demanda-t-il à voix basse.

Les rayons de la lune se faufilaient à travers le grillage qui courait tout le long de la véranda. Il la vit sursauter.

— Vous êtes américain ? questionna-t-elle d'une voix rauque.

— Oui. En visite ici. Qui êtes-vous ? répéta-t-il. Je vous ai déjà observée. Vous semblez être prisonnière.

— Je le suis.

— Il y a d'autres gardiens ici ?

Il regardait autour de lui avec la même méfiance.

— Un seul au-dehors. Les autres sont partis au moment de l'attaque.

— Je me suis chargé de celui-là. Pourquoi vous retient-on prisonnière ?

— Je suis journaliste pour le compte du *New York Post* et je pose des questions indiscrètes. Cela a suffi pour me retenir prisonnière. J'imagine que mon sort définitif va se décider. L'unique raison, à mon avis, qui conditionne mon maintien en vie est que le général Lim Lok Siang a peur des réactions du *New York Post*. C'est pourquoi je suis optimiste. On me libérera.

Johnny Coll réfléchissait à toute vitesse.

— Fichez le camp d'ici avec moi, suggéra-t-il.

— J'ignore qui vous êtes, objecta-t-elle avec calme. Vous connaissez l'expression : tomber de Charybde en Scylla ?

— Je ne suis pas Scylla, je puis vous l'assurer. En revanche, Lim Lok Siang risque bien de devenir Charybde pour vous.

— Qu'êtes-vous venu faire ici ?

— Comme vous, poser des questions. A la différence que je suis détective privé à New York et non journaliste.

— Vous avez obtenu les réponses ?

— Oui, mais elles n'étaient pas satisfaisantes.

Le fracas des explosions se faisait plus assourdissant. A travers le grillage il vit les hautes herbes s'enflammer sur l'autre versant de la montagne.

— Décidez-vous ! lança-t-il d'un ton âpre.

Il la sentit hésiter.

— Comment comptez-vous réussir ? voulut-elle savoir.

— Je suis en possession d'un laissez-passer pour nous sortir d'ici.

— Mon instinct me commande de vous faire confiance, murmura-t-elle.

— Alors dépêchez-vous. Terminez de vous habiller, par exemple. Le temps presse. Nous devons profiter de la confusion qui règne aux alentours à cause de l'attaque aérienne.

Il l'abandonna et ressortit. Le soldat se réveillait en gémissant. Johnny Coll lui assena un second coup de crosse sur la nuque et le tira jusque dans le maquis d'herbes géantes. Là, il le dévêtit complètement et utilisa les diverses pièces de son uniforme pour le ligoter et le bâillonner solidement. Puis il s'empara de sa cartouchière et retourna chercher le fusil avant d'entrer dans le baraquement. La jeune femme sortait de la chambre, chaussée, avec un gros sac à la main.

— Filons, pressa-t-il.

Il la guida jusqu'à l'autre baraquement et la fit obliquer en direction de l'endroit où stationnait la Land Rover. Ils l'atteignaient lorsque son regard capta le jet orangé en provenance du baraquement. Mais, dans le fracas ambiant, il ne perçut pas le bruit de la détonation. En revanche, il entendit la balle claquer et riper sur la carrosserie blindée.

— Ne bougez pas !

Il reconnut la voix de Dhanarat. En même temps fusa un autre éclair orangé. Cette fois, la balle fracassa la torche électrique qu'il tenait au bout de son bras gauche. Le Tokagypt était enfoncé dans sa ceinture mais, dans sa main droite, il avait le fusil récupéré sur le soldat assommé. Il lâcha précipitamment la torche, équilibra le fusil entre ses deux mains à hauteur de la hanche et tira à quatre reprises. Dhanarat n'eut le temps de riposter qu'une seule fois dans l'intervalle. Sa balle fit voler en éclats une des vitres de portière de la Land Rover. Il y eut un hurlement en provenance du baraquement, puis plus rien. Johnny Coll était furieux. Pourquoi diable le Thaïlandais s'était-il mis à lui tirer dessus ? Les choses n'auraient-elles pas pu s'arranger sans échange de coups de feu ?

Il se tourna vers la jeune femme.

— Vous n'êtes pas touchée ?

— Les choses commencent mal, se plaignit-elle. Je ferais peut-être mieux de retourner dans ma chambre et attendre que les événements tournent en ma faveur.

— Le *New York Post* risque d'avoir un emploi vacant sous peu. Mais c'est à vous de décider. Tout dépend de ce que les questions posées représentent de danger pour Lim Lok Siang. Et ça, je ne peux pas le savoir. Laissez-moi vous dire cependant que ce ne sont pas les campagnes de presse du *New York Post* pour vous retrouver qui risquent de lui faire grand mal dans son repaire du Triangle d'Or.

Elle ouvrit la portière de la Land Rover et se hissa sur le siège avant passager.

— Pour le meilleur et pour le pire, je vous suis !

— Regardez si les clés pendent au tableau de bord, ordonna-t-il.

Elle se pencha et vérifia.

— Elles n'y sont pas.

Il avança jusqu'au baraquement, l'arme à la hanche. Dhanarat était affalé contre un des piliers en bois de la véranda. Il s'était ramassé toutes les balles dans la poitrine et était mort. Johnny Coll poussa un soupir de regret. Il s'était pris d'affection pour le Thaïlandais. Bon sang, se répéta-t-il, pourquoi avait-il fallu que l'autre se mette à le canarder ? Décidément il ne comprendrait jamais rien aux méandres de l'âme extrême-orientale. Il fouilla le cadavre, dénicha les clés dans l'une des poches et retourna à la Land Rover. Il mit le moteur en marche et se dégagea du préau. Il n'avait aucune peine à s'orienter car, lors de son arrivée, il avait soigneusement noté dans son esprit la disposition des lieux.

Occupés à tirer sur les avions qui survolaient le repaire, les soldats ne faisaient pas attention au véhicule.

— On risque nous aussi de recevoir une bombe, fit la jeune femme de son même ton calme.

— Le tout est de gagner la route et de nous éloigner. Inutile même d'allumer les phares, on y voit comme en plein jour.

L'attaque aérienne s'était concentrée sur le périmètre qui constituait la forteresse et le quartier général de Lim Lok Siang, mais dès qu'on s'en éloignait le danger et le fracas des explosions diminuaient. Johnny Coll conduisait d'une main sûre aussi vite qu'il le pouvait sans l'éclairage des phares et en se méfiant de la route semée d'embûches. Après avoir parcouru cinq kilomètres il alluma les phares et accéléra. Son esprit était occupé par un problème : la radio. Que la disparition de la jeune femme soit constatée et l'on alerterait les deux postes de contrôle qu'il devait encore franchir et qu'il lui était impossible d'éviter puisque n'existait nulle autre route. Aussi pria-t-il intensément afin que l'attaque laotienne dure le plus longtemps possible. Si les deux postes de contrôle avaient été avertis dans l'intervalle, il ne pouvait rien faire, rien qui puisse contrecarrer l'action des soldats.

Au premier barrage, plusieurs soldats se précipitèrent sur le véhicule arrêté. L'un d'eux qui devait être un officier jeta à peine un coup d'œil sur le laissez-passer que lui tendait Johnny Coll. En mauvais anglais il demanda :

— Comment ça se passe là-bas ?

Johnny Coll eut un sourire rassurant.

— Très bien. Les Laotiens ont perdu des tas d'avions. Ils sont en train de recevoir une bonne raclée. Ce n'est pas de sitôt qu'ils reviendront !

— Combien d'avions abattus ?

— J'en ai vu une bonne quinzaine, mentit Johnny Coll, mais il doit y en avoir plus.

— Des pertes chez nous ?

— Quelques blessés sans gravité.

— Ces canailles de Laotiens, on les tuera tous ! lança l'officier d'une voix exaltée.

— Cette nuit il n'en réchappera pas beaucoup !

L'officier fit un signe et les soldats s'écartèrent.

— Bonne route.

La sueur au front, Johnny Coll se lança dans le long tunnel qui traversait la montagne.

— Premier succès, félicita la jeune femme. Si je me souviens bien des péripéties de mon voyage aller, il nous reste un second barrage à franchir.

— Exact.

— Qui a signé votre laissez-passer ?

— Lim Lok Siang.

— Vous êtes en bons termes avec lui ?

— A partir du moment où il est persuadé que je crois à ses mensonges, la réponse est affirmative.

— Ses mensonges ? Vous vous êtes heurté à la même barrière que moi !

— Soyez gentille, nous discuterons de cela plus tard. Laissez-moi me concentrer sur la conduite. La route que nous allons emprunter est épouvantable. En outre, il me faut aller aussi vite que possible. Les postes de contrôle sont équipés de la radio qui les relie au Q.G. Si l'on s'est aperçu de notre fuite, ils seront alertés au prochain barrage.

— Pourvu que l'attaque aérienne dure encore long-temps !

— Si vous croyez au Ciel, aidez-nous de toute la force de vos prières !

Johnny Coll roulait pleins phares en prenant des risques dans les virages abrupts. Le lourd véhicule, haut sur roues, tanguait et roulait, et sa carrosserie, ses amortisseurs geignaient avec réprobation, tandis que ses pneus martyrisés gémissaient à chaque coup de frein trop brutal.

Le dernier poste de contrôle apparut enfin.

— La minute de vérité, soupira la jeune femme.

— Emmagasinez tout cela pour le restituer à vos lecteurs du *New York Post* avec authenticité.

Il stoppa et, à nouveau, les soldats entourèrent le véhicule. Leur chef examina attentivement le laissez-passer puis s'inquiéta :

— L'attaque aérienne ?

— Désastreuse pour les Laotiens. Des tas d'avions ont été abattus.

Le visage du Chinois s'éclaira brièvement.

— Tant mieux.

Ses traits redevinrent impassibles et il fixa la jeune femme d'un œil froid.

— Pourquoi Dhanarat n'est-il pas avec vous ? interrogea-t-il dans son mauvais anglais aux inflexions chantantes.

Johnny Coll secoua la tête avec tristesse.

— Il est mort.

— Mort ?

— Tué par les éclats d'une bombe d'avion. Vous n'avez pas appris la nouvelle par la radio ? Une bombe est tombée sur le baraquement qu'il occupait avec des soldats. Tous morts. Dommage, c'était un brave garçon.

— Le contact radio n'est pas rétabli. Ils doivent tous être à leurs postes de combat.

— Je vois.

— Pourquoi n'avez-vous pas attendu le jour pour partir ?

Du pouce Johnny Coll désigna sa compagne.

— Elle a eu peur à cause des bombes. Vous connaissez les femmes, n'est-ce pas ? Le général Lim Lok Siang m'a demandé comme un service de l'emmener hors d'ici. C'est une journaliste. Au *New York Post.* On a besoin d'elle pour informer le monde sur ces canailles de Laotiens qui attaquent le brave général Lim Lok Siang.

Le Chinois eut soudain l'air rêveur.

— New York... les gratte-ciel... Une grande ville... C'est loin.

La nuque de Johnny Coll le démangeait.

— Vous avez vu New York au cinéma ?

— Oui... Au cinéma...

— Croyez-moi, vous êtes mieux où vous êtes. La jungle de là-bas est bien plus dangereuse que celle d'ici !

Il pressa la pédale de l'accélérateur pour faire comprendre son impatience. Le Chinois s'écarta à regret et fit signe aux autres soldats. La route était libre. Johnny Coll n'en croyait pas ses yeux. Il embraya et démarra en trombe. Pendant plusieurs kilomètres le silence régna dans la Land Rover puis la jeune femme le rompit :

— Je m'appelle Mary Jo Petriarco.

— Très honoré. Mon nom est Johnny Coll. A ma grande confusion, j'avoue n'avoir jamais remarqué le vôtre au bas d'un article dans le *New York Post.*

— J'étais précédemment au *Los Angeles Tribune.* De toute façon, peu importe, je ne suis pas susceptible et n'ai pas l'amour-propre professionnel à fleur de peau.

— Tant mieux, parce que je vais à nouveau être obligé de vous demander de vous taire. Nous ne sommes pas encore tirés d'affaire. Si le dernier poste de contrôle que nous avons franchi est alerté de notre fuite au moyen de la radio dans le cas où le contact serait rétabli, il leur est encore loisible de nous poursuivre avec un véhicule léger.

— Nous possédons une certaine avance, objecta-t-elle en se raidissant sur son siège.

— Une avance facile à grignoter. Cette Land Rover est un véhicule lourd, haut sur roues, et blindé. En outre, nous ignorons à quel moment l'alerte peut être lancée.

— En tout cas je dois vous faire des félicitations.

— Pour quelles raisons ?

— Pour votre opportunisme, votre sens de l'à-propos et votre baratin. Vous auriez convaincu mon rédacteur en chef, pourtant le plus rétif des hommes. Vous avez affaire à des situations de ce genre dans votre profession ?

— Bouclez-la, bon sang ! grogna Johnny Coll.

CHAPITRE XVII

La rue des Rosiers ressuscitait les fantômes du passé. Joseph Loew entra chez Goldenberg et acheta du *gefillte fisch* et du saucisson kascher puis ressortit de la boutique pour flâner dans le quartier. Les juifs sépharades avaient remplacé les juifs ashkenazes qui pendant des décennies avaient peuplé cette partie méridionale du troisième arrondissement de Paris. Les odeurs, l'aspect des rues, le mélange composite des habitants rappelaient donc beaucoup plus l'Afrique du Nord et ses souks que le ghetto de Varsovie. Beaucoup de pieds-noirs s'étaient établis là, apportant avec eux la faconde, l'exubérance méditerranéennes, ainsi que le couscous, les merguez, l'harissa et la chouchouka. Ces mœurs différentes ne dérangeaient nullement Joseph Loew. Il aimait. Certes, parfois, il était déconcerté comme un touriste débarquant pour la première fois dans une foule asiatique à l'exotisme contraignant. Les gens lui paraissaient tous parler comme Robert Castel, l'excellent comédien et animateur de télévision.

Le même phénomène se produisait avec un autre quartier de son enfance : celui de la Roquette. Son aspect aussi s'était modifié. Les cinémas dans lesquels il allait voir Humphrey Bogart et Errol Flynn étaient démolis, supplantés par des boutiques de modes ou d'appareils ménagers. Les nouveaux habitants étaient des musulmans d'Afrique du Nord ou des Antillais qui avaient remplacé les tailleurs et les confectionneurs à l'accent de Pologne ou de Roumanie. Qu'étaient devenus les petits ateliers en chambre où trépidaient les machines à coudre des mères et des sœurs des copains d'école ? Dans quels marchés aux puces s'étaient vendus les fers à charbon de bois qui servaient à repasser le tissu des costumes de confection en fibrane ? Quelles lunettes protégeaient les yeux martyrisés des culottières, des biaiseuses, des couseuses de boutons et de doublures ? Et elles-mêmes, dans quel coin de banlieue s'étaient-elles réfugiées, vieillies et aigries par le dur labeur, et la perte de ceux et de celles qui n'étaient jamais revenus de déportation ?

Joseph Loew tourna dans la rue des Ecouffes. Un peu plus loin, la librairie était tenue par un Polonais à l'œil vif et au parler saccadé. Il entra. La boutique était pleine mais l'autre, immédiatement, le repéra. Il s'approcha, lui serra amicalement le bras et souffla à son oreille :

— Tu rajeunis de jour en jour.

C'était la phrase rituelle mais Joseph Loew savait pertinemment qu'il n'en était rien. Il feuilleta machinalement un magazine, attendant que le Polonais prenne l'initiative, comme à chaque fois.

— Va donc m'attendre au café du coin, chez Sauveur.

Il tourna les talons et ressortit. Un vieil immeuble croulant lui rappela celui du numéro 15 de la rue Keller, dans le 11e arrondissement, qui, à travers deux cours juxtaposées, communiquait avec le numéro 14 de la rue des Taillandiers, une voie parallèle à la rue Keller. C'était grâce à cette particularité qu'il avait pu en juillet 1942 échapper aux soldats allemands qui venaient arrêter sa famille. Il avait couru, ce jour-là, de toute la force de ses jambes de gosse sous-alimenté. Il avait dix ans.

Il entra chez Sauveur et commanda un café. Le Polonais vint bientôt le rejoindre. Il s'appelait Lazare

Mandelstajn et un air rigolard flottait en permanence sur ses lèvres. Lui aussi commanda un café. Joseph Loew fixait une pancarte sur laquelle était inscrit : « couscous, gambas grillées, merguez, brochettes de crevettes à l'oranaise, moules à l'escabèche, rougets à la marocaine, *tajine, hommous, chawarma, keftas,* couilles de mouton. » Une autre renseignait : *Ici, on peut écouter au juke-box les disques de Sabah, de Fairouz, de Farid-el-Attrache, d'Oum Kalsoum, d'Abel Wahab.* Dans le bistro, d'ailleurs, l'atmosphère résonnait d'accents de mandoline et de *darbouka.* Joseph Loew se sentait étranger dans cette ambiance à son goût trop exotique. Il fixa Mandelstajn d'un œil froid.

— Du nouveau ?

L'autre touillait son café.

— On va avoir besoin de tes services.

— Vraiment ?

Joseph Loew sentait l'excitation tordre son bas-ventre, remonter vers l'estomac et se stabiliser là, pesante. Quelqu'un mit une pièce dans le juke-box et la voix d'Oum Kalsoum retentit dans le bistro, chaude, puissante, envoûtante. Il ne comprenait rien aux paroles mais se laissait prendre aux vibrantes inflexions gutturales.

— Bientôt.

— Tu as des détails ?

— Je ne peux t'en parler.

— A quel endroit ?

— Je l'ignore.

Il le sait mais se refuse à me le dire, conclut Joseph Loew. Il connaissait le sens du mystère qu'affectionnait le Polonais.

— Tiens-toi prêt, c'est tout, recommanda Mandelstajn.

***

— Délicieuses, ces saucisses aux haricots blancs. Non seulement vous êtes un merveilleux baratineur mais aussi un excellent cuisinier.

— Simplement une boîte de conserve réchauffée sur un feu de bois, donc rien d'extraordinaire qui mérite autant de compliments.

— Vous savez, Johnny, c'est un mode de vie qui va disparaître. On devrait le placer en tête de la liste des espèces en voie de disparition.

— Quoi donc ?

— La cuisine individuelle ! L'avenir, c'est le *fast-food* ! Un jour, je me promenais en voiture dans l'un des coins les plus sauvages et les plus beaux de l'Etat de New York, du côté des Adirondacks. Il était près de minuit, la lune brillait, tout autour de moi rien que des arbres, des lacs à la surface argentée, des paysages magnifiques, poétiques et, brusquement, au milieu de toute cette beauté, un grand arc au néon illuminé.

— Qu'est-ce que c'était ?

— *McDonald's.*

Johnny Coll éclata de rire avant de commenter :

— Rapidité et standardisation.

— J'ai été élevée dans une ferme. Je ne me ferai jamais aux *McDonald's.*

— Où ?

— Wyoming.

— Surnommé l'Etat des cow-boys.

— Près de Thermopolis, la plus grande source thermale connue, 11 mètres de diamètre, débit quotidien 700 000 hectolitres, température 57 degrés centigrades.

— Un peu chaud pour mon style de douches. Vous êtes parvenue à vous sortir de la ferme paternelle ?

— Je voulais de toutes mes forces être journaliste. J'ai commencé par l'université du Wyoming, à Laramie. Ensuite, je suis passée à celle de la Californie du Sud.

Finalement, bardée de diplômes, je me suis présentée au culot au *Los Angeles Times*. J'ai été engagée.

— Vous avez abandonné le *Los Angeles Times* pour le *New York Post* pour quelles raisons ? En général, c'est l'inverse. Les gens recherchent plutôt le chaud climat californien. On se gèle à New York durant six mois de l'année.

— Le *New York Post* m'offrait un poste de « grand reporter ». Ça m'allait comme un gant.

— Et le grand reportage vous a conduite dans le Triangle d'Or.

— Il me conduira bien plus loin que cela, je l'espère bien !

— Vous semblez dévorée d'ambition.

— Dévorée d'ambition et passionnée par mon métier.

— Qu'êtes-vous allée faire dans le Triangle d'Or ?

Mary Jo Petriarco mâchonnait ses haricots. Elle décocha à Johnny Coll un sourire ironique.

— Vous semblez mal connaître les journalistes, répliqua-t-elle, moqueuse.

— Dans quel sens ?

— On échange ou on achète les renseignements. On ne les fournit pas gratuitement.

Il sourit lui aussi, amusé.

— D'accord, jouons le jeu. Je vous raconte la genèse et le déroulement de l'enquête qui m'a mené jusque chez le général Lim Lok Siang, ça risque de vous faire de la bonne copie mais pas publiable avant que j'en aie terminé avec mes recherches, et vous, en contrepartie, me dites ce que vous êtes allée faire au Triangle d'Or.

— Les règles me conviennent, approuva-t-elle.

— Qui commence ?

— Vous. Le code de la galanterie a changé. Fini le temps des dames d'abord !

Johnny Coll raconta. Naturellement il gomma de son récit beaucoup de choses, beaucoup de détails superflus, en supprimant des noms, mais il s'en tint quand même à la ligne générale : Peter Coogan-assassinat-synopsis Balkanikoff-Anna Balkanikoff-Hilda Balkanikoff.

— Fabuleux ! s'écria Mary Jo Petriarco, enthousiasmée. Une histoire fantastique ! Je me souviens de l'assassinat de Peter Coogan et de celui de « The Swanks » LoCicero ! Ainsi vous ne croyez pas que Louis Rodgers soit l'assassin des deux ?

— C'est possible. Mais qui est l'instigateur du premier si l'on admet que Rodgers n'était qu'un tueur à gages travaillant au « contrat » ?

— L'énigme. Wenchell Davis est un grand éditeur. J'aime beaucoup les ouvrages qu'il publie. Peter Coogan aussi faisait de bons bouquins. J'en ai lu quelques-uns. Bon, vous avez été fair-play. A mon tour de vous raconter.

— Tout à l'heure pendant que nous roulerons. Levons le camp.

— Vous avez toujours peur d'une poursuite ?

— Elle n'est pas à écarter.

Ils avaient roulé toute la nuit, puis toute la matinée et ce n'est qu'en milieu d'après-midi que Johnny Coll avait décidé de leur octroyer une pause-repas. Il avait allumé un feu de bois, calé de grosses pierres autour et avait fait réchauffer des boîtes de conserves avant d'ouvrir des paquets de biscuits de soldat, avec pour boisson du thé dont Dhanarat avait pris la précaution d'emplir les thermos.

Il éteignit le feu et tous deux remontèrent dans la Land Rover. Au maximum la pause avait duré trois quarts d'heure. Il démarra et invita :

— Racontez-moi votre mirobolante histoire.

Elle s'éclaircit la gorge.

— J'enquête sur Walter Jackson, annonça-t-elle d'un ton triomphant.

Il la doucha :

— J'ignore qui est ce Walter Jackson. D'ailleurs, c'est un nom assez répandu, non ? Anglais, Américain ?

— Américain. Le *New York Post* est persuadé que c'est un trafiquant de drogue et que l'origine de sa fortune remonte au Triangle d'Or, à des liens qu'il aurait tissés avec Lim Lok Siang. Si nous parvenons à prouver cela, ou du moins à réunir des preuves suffisantes pour le suggérer, nous avons toutes les chances de faire un tabac dans le cadre de nos « grands reportages ».

— Comment allez-vous l'intituler ? La *Thaïlandese Connection ?* Vous pensez en faire un film ?

— Ne plaisantez pas, le sujet est des plus sérieux.

— Résumons-nous. Vous avez posé des questions insidieuses à Lim Lok Siang, ça ne lui a pas plu et il vous a retenue prisonnière ? Sous quel prétexte ?

— A-t-il besoin de prétextes pour retenir quelqu'un prisonnier ? Il a traité les gens du *New York Post* de communistes qui lui voulaient du mal, en précisant que tous les *Posts,* celui de New York et celui de Washington qui avait réussi à déboulonner Nixon étaient infiltrés par les agents soviétiques. Et pourquoi pas moi aussi ? N'étais-je pas venue dans le Triangle d'Or pour espionner sur les ordres de Moscou ? Quant au trafic de drogue, inconnu ! Walter Jackson, inconnu ! Mais, dans l'intervalle, on allait me juger pour espionnage devant un tribunal militaire.

— Vous avez pris la menace au sérieux ?

— Non.

— Vous avez eu tort, ce qui me conduit à me féliciter chaleureusement de vous avoir fait évader ! Lim Lok Siang n'est pas à sous-estimer. Il n'a pas survécu à trente-cinq années de combats pour rien ! Il a dû manier ses troupes avec une main de fer et s'il avait jugé nécessaire pour ses intérêts de vous liquider, il l'aurait fait sans scrupules. Vous raisonnez en Américaine éprise de libertés civiques. C'est de la pure naïveté quand on a affaire à des Lim Lok Siang. Ce Walter Jackson, il a pignon sur rue ?

— Il est promoteur.

— Immobilier ?

— Non. Spectacles, matches de boxe au plus haut niveau. C'est lui qui a organisé le dernier championnat du monde des poids lourds au *Caesar's Palace*, à Las Vegas. On dit qu'il a ramassé des millions de dollars.

— Et Muhamad Ali, lui, a ramassé une volée.

— Jackson est impliqué aussi dans la manipulation de sociétés de cinéma à Hollywood pour le compte d'émirs du pétrole. C'est ce qui a déclenché l'enquête du *New York Post*.

— Qu'allez-vous faire maintenant que la piste Lim Lok Siang est complètement bouchée et inutilisable ?

— Aller à Paris essayer d'amener un témoin à résipiscence. Et vous ? Après tout, vous vous trouvez dans la même situation que moi. Face à un mur. Quelle opinion le grand éditeur qu'est Wenchell Davis va-t-il avoir de vos talents de détective privé ?

— Une piètre opinion, je le crains.

— Qu'allez-vous faire ?

— Me rendre à Madrid en utilisant un faux passeport que j'ai déjà fait confectionner.

— On se croirait dans un *thriller* hollywoodien. Qu'allez-vous faire à Madrid ?

— Vous oubliez qu'il me reste un atout dans la manche.

— Anna Balkanikoff ?

— Exactement.

*

A cause de la vitre brisée par l'une des balles tirées par Dhanarat et à travers laquelle pénétrait l'air tiède et humide de la nuit, le climatiseur branché sur le groupe autonome luttait sans espoir contre la moiteur ambiante.

— Je ne parviens pas à dormir, se plaignit Mary Jo.

D'un ton sentencieux, il répliqua :

— On dort mal la nuit quand on conserve sur soi les vêtements de la journée.

— Donnez donc l'exemple ! contra-t-elle.

Tous deux étaient étendus sur une pile de couvertures étalées à l'arrière du véhicule derrière les sièges avant, dans un espace restreint dans lequel il leur était difficile d'allonger les jambes. Tard dans la nuit ils s'étaient arrêtés, Johnny Coll décidant qu'il avait mis suffisamment d'espace entre eux et des poursuivants éventuels. Pour passer la nuit il avait engagé la Land Rover dans un étroit chemin perpendiculaire à la route. Il s'était infiltré là avec prudence car le sol était troué et boueux avec une tendance à s'effondrer. Finalement il avait stoppé près d'une cascade dont l'eau s'en allait rejoindre celle d'une rivière sinuant entre les hauts arbres d'une dense forêt. Miraculeusement, les habituels moustiques étaient absents.

Le repas s'était composé de corned-beef, d'olives noires de Californie et de pêches au sirop, le tout arrosé de thé comme pour le déjeuner. Une flasque de William Lawson's avait constitué l'accompagnateur idéal des quelques cigarettes qu'ils avaient fumées, assis sur de gros galets rongés par le flot de la rivière. Puis ils avaient décidé de dormir, mais le sommeil ne venait pas.

Johnny Coll se dévêtit complètement en se tortillant sur lui-même dans l'étroit espace. Mary Jo l'observait avec attention. Elle avança la main et lui toucha la cuisse. Il s'allongea à nouveau sur la couverture en se rapprochant d'elle.

— Les chances ne sont plus égales, suggéra-t-il.

— Juste. Mettons donc les deux équipes à égalité.

Lentement elle se déshabilla. Sa blouse d'abord, puis le

pantalon de jean que Johnny Coll l'aida à faire glisser le long des cuisses et des jambes après avoir ôté les bottillons. Les sous-vêtements suivirent.

Il se logea tout contre elle.

— Il y a six mois que je n'ai pas fait l'amour, avertit-elle. En outre, je ne suis pas une technicienne.

Il roucoula.

— L'espace dans lequel nous évoluons, si on peut appeler cela évoluer, ne se prête guère à la technique, consola-t-il.

A nouveau elle lui toucha la cuisse mais de façon plus insistante.

— J'imagine que mon cerveau supplante mes sens, regretta-t-elle. C'est pourquoi je fais peu l'amour.

— L'insolite de la situation est pourtant aphrodisiaque. Des dangers nous entourent peut-être ?

Comme pour lui donner raison le feulement d'un tigre leur parvint à travers la vitre brisée, très éloigné mais concret tout de même. Elle rit.

— C'est bien ce que je disais tout à l'heure ! s'exclama-t-elle. Le *thriller* hollywoodien ! Tous les ingrédients sont en place ! Même le tigre au moment psychologique !

Il la prit dans ses bras et elle se laissa faire, consentante. Elle haleta doucement et sa main insidieusement remonta le long de la cuisse de son compagnon avant d'atteindre le bas-ventre où elle se fixa, soudain active. Il l'embrassa et, de sa main libre, elle lui saisit l'épaule et l'attira sur elle. Il sentit les seins durcis de la jeune femme le poignarder dans la poitrine et il la pénétra doucement. Tout de suite leurs deux corps vibrèrent spasmodiquement avant qu'elle commençât à gémir. Ce fut d'abord des cris saccadés puis une longue et lente mélopée. Il accéléra son rythme. Mary Jo l'excitait terriblement. A présent elle avait noué ses bras autour de sa nuque et sa langue s'activait follement dans la bouche et tout autour des lèvres de l'homme. Elle cambra les reins et il se trouva projeté en elle encore plus profondément. Il eut devant les yeux la vision d'un immense champ de blé dont il moissonnait l'étendue et, à l'horizon, il vit la lisière qui se rapprochait. Elle poussa un hurlement déchirant et ses ongles griffèrent la nuque. Il s'employa à la rejoindre dans la félicité. Quand il se vida en elle Mary Jo hurla pour la seconde fois, extasiée. Lorsqu'ils eurent repris leur souffle et essuyé leurs corps en sueur elle murmura :

— C'était intense...

— A cause des six mois de continence, tenta-t-il d'expliquer.

— Non, à cause de toi.

Il voulut plaisanter :

— Les trépidations de la Land Rover secouent les organes et donnent envie de faire l'amour. Ça arrive.

— N'essaie pas de démythifier. C'est toi qui m'as donné envie de faire l'amour, pas la Land Rover. J'y pensais pendant le voyage et si tu n'avais pas pris l'initiative, c'est moi qui me serais jetée au feu. Je mourais d'envie que nous nous arrêtions enfin.

— Flatté.

— Ta peau me rappelle les pêches.

— Les pêches ?

— Celles de la ferme. Quand on les cueillait l'été, j'aimais en caresser la peau. Ça me donnait des élancements dans le bas-ventre. Mon père m'engueulait. Il disait que je mettais un temps fou à les cueillir. Il ignorait évidemment ce qui se passait en moi. Et, pourtant, la pêche n'est pas considérée comme un symbole phallique. Au point de vue forme, elle ferait penser à un sein, donc un psychiatre en déduirait que j'avais des tendances saphiques, ce qui n'est pas le cas, je te l'ai prouvé, n'est-ce pas ?

Il recommençait à la caresser car son désir était aussi vif malgré cette première étreinte.

— Déjà ? s'émerveilla-t-elle.

— Tu vois que l'attirance est réciproque.

Elle laissa sa main s'égarer vers la cuisse de Johnny Coll.

— Tu crois que j'ai des tendances saphiques ? recommença-t-elle.

— Tu es trop cérébrale. Laisse-toi aller, recommanda-t-il d'une voix tendre.

*
* *

La voix de Nusaputera était prudente là-bas à Jakarta.

— Rien de neuf ici, répondit-il.

— Les femmes ? insista Johnny Coll. Aucune ne répond aux critères ?

— Nous poursuivons nos investigations. Comment s'est passé le voyage à Bangkok ?

— Décevant.

— Notre ami n'a pas coopéré ?

— Ce n'est pas lui qui est en cause, c'est l'extrémité de la chaîne.

— Le Triangle ?

— Oui.

— Désolé. Que puis-je faire ?

— Continuer à traquer la femme. Il se peut qu'elle se trouve à Jakarta. On a essayé de me faire croire qu'elle était morte là-bas.

La voix de l'Indonésien se tendit à l'autre bout du fil.

— Au Triangle ?

— Oui. Avec la mise en scène adéquate. Tombe et dalle funéraire. Des plus suspect. Cela signifie anguille sous roche. Pourquoi tenter de faire croire que quelqu'un est mort s'il ne l'est pas ?

— Très suspect, en effet.

— Je vais à Madrid recontacter la fille.

— Je poursuis les recherches de mon côté.

Johnny Coll raccrocha. Il appela à New York Wenchell Davis et lui rendit compte de la situation en l'assurant qu'il allait retourner à Madrid et agir avec vigueur avec Anna Balkanikoff. Il passa le coup de téléphone suivant à Audrey et fit de même. Ensuite il alla rejoindre Mary Jo dans la piscine de l'hôtel *Rama*. Elle se reposait en nageant sur le dos et il se tint à ses côtés.

— Un bain bienfaisant après une semaine de voyage et deux de captivité ! s'exclama-t-elle, les yeux clignotant sous l'ardent soleil de Bangkok. Tu as passé tes coups de fil ?

— Oui.

— Sais-tu que l'eau m'a toujours inspirée ?

— Tu veux dire que tu écris tes articles dans l'eau d'une piscine ?

— Idiot ! Une piscine à New York, ça s'est déjà vu ? Tu parles probablement de la patinoire du Rockefeller Center ?

— Alors, de quelle inspiration s'agit-il ?

— Tous les deux nous repartons pour l'Europe, exact ?

— Exact.

— Toi pour Madrid, moi pour Paris. Conjuguons nos efforts. Je t'accompagne à Madrid, tu m'accompagnes à Paris. Qu'en dis-tu ?

— Il faudrait plutôt savoir ce qu'en disent nos employeurs respectifs.

— J'ai les coudées franches avec le *New York Post*. Souviens-toi, je suis un « grand reporter ». Toi, de ton côté, ne m'as-tu pas dit que tu avais commencé ton enquête en farfouillant dans les archives de la Bibliothèque Nationale à Paris ? Tu ne les as peut-être pas explorées à fond ?

Johnny Coll fit un saut de grenouille et piqua une tête sous l'eau, il nagea et remonta à la surface en s'ébrouant.

Mary Jo le rejoignit en de longues brassées rapides.

— Tu ne m'as pas donné de réponse ? se plaignit-elle.

— Est-ce qu'on résiste à une femme cérébrale ?

Tous deux éclatèrent de rire.

CHAPITRE XVIII

Joseph Loew remonta le boulevard Morland et tourna dans le boulevard Bourdon. Il faisait nuit. Peu de voitures et aucun passant, même pas un attardé promenant son chien. L'heure, il était vrai, était tardive. Il traversa l'artère et s'avança le long du trottoir qui surplombait l'eau du Port Morland. Son allure était lente et calculée. Il regarda autour de lui quand il approcha de la station de métro Arsenal et s'arrêta pour s'adosser au muret. Les alentours étaient déserts, il s'en convainquit très vite. Des immeubles aux façades rébarbatives dans les ténèbres, à peine effleurées sporadiquement par les faisceaux des phares, personne, apparemment, n'observait la rue. Il fit quelques pas et atteignit le haut des marches.

La station de métro n'était plus utilisée depuis quarante ans, depuis le début de l'occupation allemande en 1940. A cette époque, nombre de stations avaient été fermées pour économiser le courant en temps de guerre mais certaines, après la Libération en 1944, n'avaient jamais été rouvertes, comme Saint-Martin, Cluny, Croix-Rouge ou Arsenal. Personne, sauf la R.A.T.P., ne savait pourquoi. Liège, se souvenait Joseph Loew, était aussi restée fermée longtemps mais, depuis quelques années, était restituée au public.

Il descendit les marches encombrées de détritus et

s'arrêta devant la grille. Elle était tirée mais non verrouillée. Les « autres » s'étaient occupés de ce problème, le déverrouillage. Comme d'habitude. Il poussa la grille, s'engouffra dans l'écartement et la remit en place. A pas précautionneux il avança dans le noir et passa devant la cabine où, quarante ans plus tôt, on distribuait les tickets. Il ralentit et progressa jusqu'à ce que son ventre heurtât le portillon. Il y eut un léger bruit métallique et un pinceau lumineux jaillit de l'ombre, se posa sur sa poitrine et remonta jusqu'à son visage.

— Tu peux entrer, Joseph, invita une voix. Ici tu n'as pas besoin de ticket d'accès.

Un rire cristallin fit écho à la phrase et Joseph Loew sut que la femme était là. Il poussa la barre mobile du tourniquet et s'engagea dans l'escalier qui menait au quai en tournant deux fois à droite. Les angles qu'il ménageait ainsi abritaient des curieux éventuels.

— Heureux de te revoir, Joseph, fit une troisième voix.

Il ne connaissait pas leurs visages. Uniquement leurs voix. Leurs *trois* voix. Deux hommes, une femme.

— Arrête-toi, commanda la première voix.

Il s'arrêta. Ils ne voulaient pas qu'il s'approche trop près d'eux sans doute afin de préserver leur anonymat. Il attendit patiemment la suite des événements. Dans la bouche il avait encore le goût de l'excellent *gefillte fisch* qu'il avait savouré avec délices chez Lazare Mandelstajn. L'épouse de ce dernier, incontestablement, était une cuisinière hors pair dès qu'il s'agissait de cuisine yiddisch. Elle déployait tous ses talents, qui étaient grands, et la multiplicité, la variété des plats qu'elle était capable de confectionner stupéfiait toujours Joseph Loew.

— Toujours sur le pied de guerre ? interrogea la femme.

— Rien ne peut me faire changer d'avis, répondit Joseph Loew d'un ton calme.

L'air sentait le renfermé, le moisi, la poussière. Il se

demanda si des agents de la R.A.T.P. venaient de temps en temps nettoyer la station de métro désaffectée. En tout cas, c'était une bonne idée que les autres avaient eue. Un lieu de rendez-vous clandestin à partir duquel on ne pouvait remonter nulle filière. Depuis longtemps ils avaient pris la mesure des cadenas qui bouclaient la grille d'entrée et avaient fait confectionner les clés adéquates. Parfois, un ou deux clochards obstruaient le bas des marches mais un billet de cent francs les faisait vite changer d'avis sur le choix du lieu où ils allaient passer la nuit.

— On a quelque chose pour toi, reprit la seconde voix masculine.

— J'écoute.

On lui expliqua. Quelquefois il interrompait, posait des questions pertinentes, faisait préciser un point obscur pour lui ou répéter un détail mal compris. Lorsque celui qui avait parlé s'arrêta enfin, un silence de plusieurs minutes s'installa. Joseph Loew réfléchissait.

— Des questions ?

— Quelques-unes, répondit-il.

— N'hésite pas. Nous ne voulons rien laisser dans l'ombre. Tout doit être clair et définitif comme à l'accoutumée.

— C'est ça, le professionnalisme, renchérit la femme.

Joseph Loew se mit à parler avec concision. Il savait qu'aucun des quatre protagonistes de la rencontre n'avait de temps à perdre avec des futilités ou des digressions. Les minutes étaient précieuses. On lui répondit avec la même rigueur. Quand il se révéla enfin satisfait, il lâcha :

— C'est tout.

— Parfait, approuva la première voix masculine. Je dépose ici sur les marches l'enveloppe avec l'argent et les documents indispensables. Comme à l'accoutumée, attends cinq minutes après notre départ.

— D'accord.

Le pinceau lumineux de la torche s'éteignit et il perçut le bruit des vêtements froissés pendant que les trois autres remontaient les marches en le dépassant. Leurs pas décrurent derrière et au-dessus de lui et il jeta un coup d'œil au cadran éclairé de sa montre-bracelet. Lorsque les cinq minutes se furent écoulées, il sortit de sa poche sa propre torche électrique, l'alluma et en projeta le faisceau sur le bas des marches. Une grosse enveloppe de couleur brune reposait coincée entre deux marches. Il descendit et s'en empara. Il déboutonna sa chemise et la fourra contre sa peau avant de reboutonner. Il remonta les marches et éteignit la torche. Il repassa devant la cabine où, quarante ans plus tôt, on distribuait les tickets et atteignit la grille. Il l'écarta, sortit et referma. Les trois cadenas pendaient. Il tira à fond sur la grille et bloqua les cadenas contre le rail vertical. La station de métro Arsenal retrouvait son aspect habituel. Il gravit les marches jusqu'au trottoir et regarda autour de lui. Le boulevard Bourdon était aussi désert qu'au moment de son arrivée. A pas rapides cette fois il s'éloigna en direction de la Bastille. Peu à peu l'excitation le gagna. A nouveau il se retrouvait en selle...

Le décret d'expulsion avait été rédigé au nom de Johnny Coll. A présent il se présentait au contrôle policier de l'aéroport de Barajas avec une nouvelle identité, celle de Vernon Shire, ingénieur, né trente-trois ans plus tôt à Liverpool, nationalité britannique. Avec Mary Jo Petriarco à ses côtés, il attendait sans impatience et sans appréhension dans la file de voyageurs juste débarqués du vol Alitalia 332 en provenance de Rome. Ils avaient quitté Bangkok la veille. Leur séjour avait été très bref. Après tout, avaient-ils raisonné, rien ne prouvait que les sbires de Lim Lok Siang ne pouvaient les atteindre dans la capitale thaïlandaise. Logiquement même, et compte tenu de toutes les complicités dont le général bénéficiait en Thaïlande, il était à prévoir qu'ils devaient avoir la possibilité d'opérer dans le pays tout à leur aise et à leur guise. Mais rien ne s'était passé au contrôle policier de l'aéroport international de Don Muang. Le fonctionnaire de l'Immigration ne s'était pas penché sur leurs passeports plus longuement que sur ceux des autres passagers du vol Air France.

C'était leur tour. Mary Jo le poussa en avant.

— Bonne chance ! murmura-t-elle.

Le regard du policier espagnol fit un bref aller et retour entre le visage de Johnny Coll et la photographie collée dans le passeport. Il lui restitua le document et son œil se tourna vers Mary Jo. Il s'autorisa un examen détaillé de la silhouette élégante qui s'offrait à lui et sourit. Mary Jo avait profité de la longue escale à Rome pour se rhabiller complètement et Johnny Coll devait admettre qu'elle était époustouflante. Elle passa le contrôle policier sans encombre et le rejoignit dans le hall aux bagages.

— Bienvenue en Espagne, Mr. Vernon Shire ! railla-t-elle.

Elle ajouta à mi-voix :

— Tu n'as pas peur que l'une de tes connaissances de la Seguridad ne traîne dans le coin ?

Elle jetait autour d'elle des regards faussement terrorisés.

— C'est un risque à courir.

— Retour en Espagne malgré un arrêté d'expulsion, usurpation d'identité, faux en écritures publiques, ça va chercher combien en Espagne ? Cinq ans, dix ans, perpétuité ?

— Tu aurais dû être district attorney au lieu d'être journaliste.

Il lui pressa le bras.

— Tu vois le comptoir Avis sur ta gauche ? Voici de l'argent. Va louer une voiture, je m'occupe des bagages.

— Je n'aime que les voitures spacieuses.

— Ton choix sera le mien.

Il avait récupéré les bagages lorsqu'elle revint en balançant une clé à l'extrémité de son index.

— Buick Skylark. Ça te va ?

— On ne peut pas dire qu'elle passe inaperçue. La mode est aux voitures européennes ou japonaises aux Etats-Unis, mais toi tu agis à l'inverse en Europe.

— Hemingway a dit : *La seule façon d'être libre est de se singulariser.*

— Tu ne te singulariseras pas dans le domaine des hôtels car ici il n'y a ni *Hilton* ni *Sheraton*.

— Où va-t-on descendre ? Dans une auberge espagnole ?

— Au *Ritz.*

— C'est tout un programme quand même.

Ils quittèrent l'aéroport pour rejoindre Madrid et une fois arrivés dans la capitale espagnole, ils se faufilèrent dans l'intense circulation automobile jusqu'au Paseo del Prado où était situé l'hôtel.

Une fois dans la chambre, Mary Jo voulut savoir :

— Déroulement des opérations ?

— Déshabille-toi.

Elle sursauta.

— Pardon ?

— Une petite séance d'amour pour me détendre les nerfs.

— Tes nerfs sont à vif ?

— N'oublie pas la situation dans laquelle je me trouve. Tu l'as décrite toi-même. Retour en Espagne malgré un arrêté d'expulsion, usurpation d'identité, faux en écritures publiques, il y a de quoi se ronger les sangs !

Elle se jeta à son cou.

— Mon pauvre chéri ! Mais bien sûr que nous allons

faire l'amour ! Le *New York Post* n'est-il pas toujours au service de ses lecteurs ?

Elle l'embrassa sur les lèvres puis se détacha de lui en fronçant les sourcils.

— Mais après ?

— Dîner dans le meilleur restaurant de la ville puis attaque en règle.

— Tu as un plan de campagne ?

— Le cheval de Troie.

Elle se recula, les sourcils toujours froncés.

— Je ne comprends pas, avoua-t-elle.

— C'est toi le cheval de Troie. Le grand reportage passe d'abord par le grand frisson.

— Comment envisages-tu ma participation ?

— C'est toi qui m'en as donné l'idée. Tu te souviens, ton histoire de pêches et tes tendances saphiques ?

Elle se rebiffa, furieuse :

— Tu me prends pour une gouine ?

— Absolument pas, protesta-t-il avec sincérité. Mais tu vas jouer le rôle. Tu téléphoneras pour prendre rendez-vous.

— Et si elle ne fournit pas ce genre de services ?

Sûr de lui, il répliqua :

— Elle le fournit.

— Tu te fies à quoi ?

— A l'allure que se donnaient certaines des anciennes nonnes lors de ma première visite, quand on me prenait encore pour un client éventuel et qu'on me faisait admirer la panoplie des beautés offertes à mon choix.

— Style garçonnes ? Très rétro ? Très 1925 ?

— Très lesbiennes.

***

Mary Jo se tenait devant la porte. Celle-ci était épaisse et massive avec des reliefs en arabesques censés symboliser quelque légende mythique. Son bord supérieur s'arrondissait en voûte et chacun de ses deux panneaux comportait une poignée en cuivre qui représentait une tête de Maure. Mary Jo pensait vaguement à une porte de couvent ou à celle d'une église. Sa vue lui remettait en mémoire le très beau portail de l'église de la vieille mission espagnole de San Jose près de San Antonio, qu'elle avait visitée lors de vacances au Texas. Anna Balkanikoff et les nonnes qu'elle avait débauchées éprouvaient-elles le regret du paradis perdu et tentaient-elles de se rattacher à leur passé par l'accumulation de liens matériels d'inspiration religieuse ? Il devait être dur de se défaire totalement d'entraves aussi pesantes.

Le volet du judas coulissa et deux yeux scrutateurs l'examinèrent. De chaque côté de la porte, deux lampes puissantes, emprisonnées dans leur cage de verre, projetaient sur elle un éclairage éblouissant.

— Oui ? s'informa une voix d'homme.

— J'ai rendez-vous.

Elle parlait lentement, forçant sa mémoire à lui restituer son vocabulaire espagnol peu pratiqué depuis son dernier séjour au Mexique.

— Barbara Payne.

C'était elle-même qui avait choisi le nom. Un complexe qu'elle avait, avait-elle expliqué à Johnny Coll, depuis son enfance. Il y avait une Barbara Payne dans sa classe et elle était toujours première. Dans ce temps-là, et depuis, elle avait tout le temps rêvé de s'appeler Barbara Payne.

— Attendez.

Le volet coulissa en sens inverse. Mary Jo se dandina d'un pied sur l'autre, en sifflotant les premières mesures de *The Lady is a tramp*, un choix qui s'appliquait bien à Anna Balkanikoff, avait-elle souri.

Il y eut un bruit de verrous tirés et l'un des battants s'écarta.

— Entrez, madame.

Mary Jo ne bougea pas. Johnny Coll bondit. Il était resté plaqué contre le mur à quelques centimètres de la porte, attendant que la porte s'ouvrît.

L'homme voulut refermer le battant mais Johnny Coll avait eu le temps de lui percuter un uppercut dans l'estomac parti à mi-cuisse. Il enchaîna avec un second uppercut, de l'autre main, qui s'enfonça sous le menton. L'homme émit un grognement de souffrance et culbuta en arrière. Johnny Coll l'acheva d'un atémi au cou porté avec le tranchant de la main. L'adversaire ne bougeait plus. Excitée par l'action, Mary Jo était entrée sur ses talons. Elle ouvrit son sac à main et lui tendit l'un des rouleaux de corde. Il ligota solidement l'homme évanoui pendant que Mary Jo refermait précautionneusement la porte.

Johnny Coll se releva et désigna le long hall qui s'étalait devant eux.

— Viens, invita-t-il. Allons rencontrer Messaline, reine des lupanars.

— Tu n'es même pas armé, fit-elle remarquer d'un ton inquiet en accélérant le pas pour se maintenir à sa hauteur.

— Le seul type susceptible de me fournir un pistolet que je connaissais en ville est mort assassiné.

— Dommage que les contrôles électroniques dans les aéroports t'aient interdit d'emporter ton Tokagypt! regretta-t-elle.

— Tu as peur? railla-t-il.

— Un « grand reporter » du *New York Post* n'a jamais peur! Il va où le devoir et l'information l'appellent! Pour le plus grand bien de ses lecteurs.

— Tais-toi! Ecoute!

Des hurlements de terreur leur parvenaient d'au-delà du hall. Johnny Coll se mit à courir. Mary Jo le suivit. Sur l'épaisse moquette leur course ne produisait aucun bruit.

Les miroirs somptueux qui s'alignaient en succession sur les murs tapissés en bleu pastel captaient un bref instant leurs silhouettes fugaces. Un portique de style chinois terminait le hall. Johnny Coll le franchit, avec Mary Jo dans son sillage et déboucha dans le couloir qui surplombait en la longeant la pièce où les filles étaient rassemblées, cette pièce qui ressemblait à un cloître moyenâgeux. Elles n'étaient que trois, les numéros sept, onze et douze, debout là, uniformément vêtues de leurs robes grises qui descendaient jusqu'aux chevilles, cintrées à la taille et moulantes autour du buste afin de mettre les seins en exergue. Les yeux agrandis par la terreur, toutes les trois trituraient le rosaire en buis qui pendait sur leur poitrine et s'arrêtait au nombril. Johnny Coll reconnut le chant grégorien qui se jouait en sourdine : *Adoro te devote, latens deitas.* Celui-là même qu'il avait entendu lors de sa première visite et qui lui avait remis en mémoire les souvenirs de son enfance, le père Kirkpatrick et l'église Saint Malachy's dans la 49e Rue Ouest.

— Mon Dieu ! s'écria Mary Jo en portant la main à sa bouche. Ce sont elles ? On se croirait dans un couvent ! Bon sang, Johnny, toute cette mise en scène ! Il y a même des odeurs d'encens comme dans une église !

Johnny Coll examina le couloir. Il était vide. Les hurlements, qui n'avaient pas cessé, provenaient d'au-delà de l'extrémité du couloir. Il fonça, se heurta à une porte qu'il ouvrit et déboucha sur la rotonde qu'il avait traversée lors de sa première visite en ces lieux.

— Nooooooon !... hurlait la fille.

Elle était dépoitraillée et la bave lui coulait des lèvres. Johnny Coll s'était arrêté net et enregistrait la scène. L'homme était nu. Son sexe était en érection et frémissait spasmodiquement. Le bras droit était couvert de sang. Le poing serrait le manche d'une dague à la lame tachée elle aussi de sang. L'homme avait dépassé la cinquantaine. Son crâne était complètement chauve. En revanche, une barbe poivre et sel lui dévorait les joues et le menton et s'effilait vers la poitrine en une pointe méphistophélique pour rejoindre la broussaille de poils de même teinte dont l'épaisse toison s'entremêlait sur le torse. La peau était couverte de sueur. Les yeux, exorbités, fixaient un horizon lointain. La bouche murmurait des paroles inintelligibles. Son bras gauche enserrait étroitement la fille qui hurlait. Sous l'effort, des muscles puissants saillaient à la lisière de l'épaule.

— Mon Dieu ! s'exclama Mary Jo, horrifiée.

Au pied de l'homme gisaient deux cadavres. L'un était entièrement nu. C'était celui d'une fille jeune et jolie dont la gorge était tranchée. L'autre corps était habillé avec élégance. C'était celui d'Anna Balkanikoff. Elle aussi avait la gorge tranchée. L'épaisse moquette aux gros poils de laine et au ton corail s'imbibait de leur sang qui coulait à flots.

— Mon Dieu ! répéta Mary Jo.

Elle était livide.

— Noooon !... hurla encore la fille avant de s'évanouir.

— Lâchez cette arme ! cria Johnny Coll en faisant deux pas en avant.

L'homme parut se réveiller de son rêve lointain. Son regard se fit brûlant et se posa sur Johnny Coll.

— Recule, créature de Satan ! aboya-t-il. Il n'y a que des créatures de Satan dans cette maison ! Mais au nom du Dieu Vengeur je tiens la victime expiatoire !

La pointe de la dague effleura la gorge pantelante de la jeune femme évanouie.

— Ne le laisse pas faire, Johnny ! supplia Mary Jo.

— Tais-toi, ordonna-t-il péremptoirement.

Il réfléchissait à toute vitesse. Ne pas apparaître comme un antagoniste aux yeux de l'homme. Réviser sa position. Le danger était trop grand. Un simple mouvement du bras et la lame de la dague s'enfonçait dans la gorge sans défense. Trop risqué. Son imagination se débridait.

— Laissez ma créature tranquille, lança-t-il d'un ton calme. Si vous devez vous attaquer à quelqu'un, c'est à moi, car je suis Satan, vous entendez ? JE SUIS SATAN !...

Il avait hurlé la dernière phrase. Le fou sursauta et ses yeux clignèrent. L'incompréhension se peignit sur son visage.

— Satan ? répéta-t-il, éberlué.

— Je suis le Grand Responsable et je me moque bien de votre Dieu Vengeur car je suis plus fort que lui !

Il croisa les bras et adopta le tutoiement si courant en Espagne :

— Approche-toi donc de moi, esclave du Dieu Vengeur !

L'homme tressaillit et son bras gauche lâcha le corps évanoui qui s'effondra sur la moquette trempée de sang. Il serra le manche de la dague plus fermement et, de sa main redevenue libre, caressa son sexe en érection, dont la turgescence se faisait plus tyrannique.

Johnny Coll ricana.

— Tu crois me faire peur avec tes *deux* armes ?

L'homme se rua en avant, la dague à hauteur de la hanche. Il comptait que Johnny Coll allait esquiver le coup qu'il s'apprêtait à porter et anticipait déjà la prochaine manœuvre, mais Johnny Coll se jeta à sa rencontre. Sur la gauche de l'adversaire. L'autre pivota instantanément. Ce fut pour recevoir un formidable coup de pied dans les testicules. Sur-le-champ, le sang abandonna le sexe, braqué à hauteur du nombril, qui s'affala, flasque et mou. L'homme grimaçait de douleur. Son teint bistré prenait une vilaine couleur verdâtre. Un autre coup de pied fit voler la dague à l'autre bout de la rotonde. Johnny Coll s'approcha alors pour l'estocade finale.

— Olé! Olé! applaudit Mary Jo.

Un crochet du gauche, un crochet du droit, suivis d'un direct fulgurant au cœur, et l'homme plia les genoux avant de rouler au milieu des deux cadavres. Mary Jo sortit de son sac à main un second rouleau de corde.

— Mieux vaut l'attacher avant qu'il se réveille! conseilla-t-elle.

Johnny Coll entreprit de ligoter son adversaire hors de combat.

— Tu as la pêche, félicita-t-elle. C'est à cause des cueillettes dont je t'ai parlé? Mon Dieu, tout ce sang, c'est horrible! Heureusement que j'ai l'habitude des cadavres! Pour mon premier job au *Los Angeles Times,* on m'avait collée de faction à la morgue! Désormais, rien ne peut plus m'écœurer!

Johnny Coll se penchait sur le corps d'Anna Balkanikoff.

— C'est elle? interrogea-t-elle.

— Oui.

— Elle est morte? Pas d'espoir pour aucune des deux?

— Je crains bien que non.

Il secouait la tête d'un air accablé. Les blessures étaient affreuses, irréversibles. Il tâta les deux pouls. Inertes. Il se releva.

— Elles sont mortes toutes les deux.

Mary Jo s'approcha de lui et lui secoua le bras.

— Fichons le camp d'ici. Rien de bon pour nous ne peut résulter de notre présence ici.

— Tu as raison.

Personne n'était intervenu, raisonna-t-il, parce que tout le monde devait être terrifié. Les trois filles dans le faux cloître moyenâgeux étaient clouées sur place par la peur. Leurs consœurs se trouvaient probablement dans les chambres avec des clients et les clients d'un bordel aussi particulier que celui-ci tenaient par-dessus tout à l'anonymat le plus complet. Ils se terraient vraisemblablement sous les couvertures en cherchant un moyen de se sortir le mieux possible de ce qui était soudain devenu un guêpier.

Mary Jo l'entraînait en le tirant par le bras.

— Fichons le camp! répéta-t-elle. Quelqu'un a pu prévenir la police. Il nous faudra répondre à des tas de questions. Imagine que tu tombes sur tes copains de la Seguridad. Combien de temps crois-tu que tiendra ta nouvelle identité de Vernon Shire?

L'argumentation secoua Johnny Coll et lui réinsuffla toute son énergie.

Ils retraversèrent la maison en sens inverse. Près de la porte, le gardien gémissait en essayant de se dégager de ses liens. Johnny Coll lui décocha une manchette sur la nuque et il retomba dans la torpeur. Dehors ils sautèrent dans la Buick Skylark et démarrèrent en trombe.

Plus tard, Mary Jo félicita :

— Tu t'es conduit comme un matador avec ce taureau fou furieux.

— Un détraqué sexuel qui a assassiné mon dernier témoin, commenta-t-il avec accablement.

Elle baissa le ton puis insinua pour le réconforter :

— Mais dans une corrida le matador en cas de victoire n'a-t-il pas droit, en récompense de son talent, à la queue du taureau... ?

CHAPITRE XIX

Johnny Coll était abattu.

— Toutes les pistes s'effondrent autour de moi, se plaignit-il. Lim Lok Siang ment mais je n'ai aucun moyen à ma disposition pour le faire parler et il est hors de question de retourner dans le Triangle d'Or. Anna Balkanikoff mentait elle aussi. J'aurais pu la forcer à parler, malheureusement elle est morte égorgée par un fou sadique à la tête tournée par toutes ces conneries bâties autour d'une ambiance de couvent ! Bon sang, que me reste-t-il ?

Mary Jo était en train de boucler les valises. Elle lança par-dessus son épaule :

— Tu te fais du souci pour rien car, en réalité, tu as résolu l'énigme.

— Résolu l'énigme ? Tu sautes les étapes, ma chère ! Je n'ai rien résolu du tout !

— Tu ne vois pas l'essentiel.

— Où se trouve l'essentiel ?

— Les journalistes aussi s'essaient à résoudre des énigmes. Leurs enquêtes et leurs raisonnements s'apparentent à ceux des détectives privés, tu es d'accord ?

— Où ça nous mène ?

— Imagine que je sois à ta place. J'enquête pour le compte du *New York Post* sur la mort mystérieuse de

Peter Coogan. L'assassin, un certain Louis Rodgers, a été découvert. C'est un tueur à gages. Mais qui a armé sa main ? Qui a rémunéré le sicaire ? Et dans quel but ? J'enquête et m'aperçois que tout tourne autour du personnage de Hilda Balkanikoff. Elle voudrait faire croire qu'elle est morte mais en réalité est vivante. Par le biais d'Anna Balkanikoff ou par quelque autre moyen, Peter Coogan est parvenu à le découvrir et à connaître les raisons pour lesquelles Hilda Balkanikoff tient à passer inaperçue. A ce moment-là on l'assassine. Celle qui a armé le bras de Louis Rodgers est Hilda Balkanikoff.

— Et elle aurait aussi armé le bras de ceux qui ont tenté de me tuer à Madrid et qui ont assassiné Manolito ?

— Tout juste.

— C'est le Syndicat du Crime International, ton Hilda Balkanikoff ! Avec succursales partout dans le monde !

— Jusque dans le Triangle d'Or, probablement. Lim Lok Siang est complice.

— Il faut donc la retrouver.

— Oui, mais par quel bout vas-tu commencer ? Tu l'as dit toi-même, toutes tes pistes sont coupées, et irrémédiablement coupées !

Il se retourna.

— Déboucle les valises, ordonna-t-il.

Elle protesta avec véhémence.

— Tu m'as promis de venir avec moi à Paris !

— J'irai, mais après l'enterrement.

— L'enterrement ?

— Soyons logiques. Hilda Balkanikoff envoie mensuellement deux mille dollars à sa fille Anna. Cela prouve que le lien maternel est encore vivace en elle. Elle tient à sa fille, elle lui porte sans doute beaucoup d'amour. Si c'est elle qui a commandité l'attentat contre moi, on peut supposer que récemment encore elle se trouvait à Madrid. Peut-être s'y dissimule-t-elle toujours. Elle apprend la mort d'Anna. Réflexe d'une mère digne de ce nom : assister aux obsèques.

— L'hypothèse est judicieuse. Mais si elle n'est plus à Madrid ?

— Elle peut apprendre la mort d'Anna par d'autres canaux et rappliquer à temps pour les funérailles.

— Incognito ?

— Vraisemblablement.

— Et tu comptes sur les obsèques pour la repérer ?

— C'est une chance à courir.

— Tes amis de la Seguridad risquent d'assister *aussi* aux funérailles d'Anna Balkanikoff.

— Pour quelles raisons le feraient-ils ? L'assassin est connu, appréhendé. Les flics n'assistent aux obsèques d'une victime que lorsque le meurtrier est inconnu. Ils escomptent que, poussé par le remords ou motivé par la fascination qu'exerce toujours la mort, il apparaîtra au cimetière. Beaucoup de meurtriers agissent ainsi. Les flics ont raison de tenter leur chance, mais dans le cas qui nous occupe, le fou sadique qui a tué Anna Balkanikoff et l'autre fille a été écroué. Policièrement parlant, l'affaire est résolue. Conclusion : pas de flics au cimetière.

— Ne sois pas aussi péremptoire, objecta-t-elle. Et si les flics se posent des questions sur l'identité de la personne qui a mis hors de combat ce fou sadique et qui l'a ligoté ?

Johnny Coll fit la grimace.

— Touché, concéda-t-il.

— Sans parler du gardien assommé près de la porte d'entrée, renchérit-elle.

Il fronça les sourcils sous l'effort de la réflexion.

— Nous allons changer nos batteries, décida-t-il après quelques secondes.

— Adopter une nouvelle ligne de manœuvre ?

— Oui. C'est toi seule qui iras au cimetière...

* * *

Il n'y avait pas eu de cérémonie religieuse car Anna Balkanikoff, la Renégate, la Grande Pécheresse, était vouée aux Enfers par l'Eglise catholique. Pas de prières, pas d'absoute, pas de pardon. Le cadavre était transféré directement de la morgue de l'hôpital au cimetière. Pour elle et celle qui l'avait accompagnée dans la mort, on avait choisi un coin reculé dans l'aile ouest du champ de repos, où l'on avait creusé deux trous transpercés par la pluie sinistre qui tombait depuis la veille.

Mary Jo s'était dissimulée derrière le tronc d'un cyprès à l'autre bout de l'allée. Le tronc était peu épais et ne la dissimulait guère. Au-dessus de sa tête le feuillage gouttait et l'eau de pluie dégoulinait sur la capuche et sur son imperméable en plastique. Dans ses mains elle tenait les jumelles achetées le matin même. Collées à ses yeux, elles étaient braquées sur le maigre cortège qui accompagnait les deux bières. Mary Jo comptait sur la distance qui la séparait des deux sépultures pour ne pas se faire remarquer, beaucoup plus que sur l'épaisseur du tronc de cyprès.

Johnny s'était trompé, remarqua-t-elle. Il y avait en effet des policiers sur les lieux mais ils étaient en uniforme de la Guardia Civil, avec le fameux chapeau rond à rabat postérieur vertical qui avait popularisé ce corps d'élite. Peu nombreux, d'ailleurs. Cinq, pas plus. Sans doute pour maintenir l'ordre au cas où des curieux aux idées morbides auraient eu le front de s'assembler là pour décocher des obscénités sur le passage des cercueils. Ceux-ci avaient été débarqués des fourgons à une trentaine de mètres des trous et transportés ensuite par des employés des pompes funèbres qui grimaçaient à cause de la pluie ruisselant sur leurs visages. Les fossoyeurs attendaient avec à la main la corde en rappel qui allait leur permettre de descendre les bières au fond de la fosse.

Leurs pelles étaient plantées dans les tumulus de terre qui pyramidaient le long des trous. Abritées sous des parapluies, des jeunes femmes attendaient en se serrant frileusement les unes contre les autres. Mary Jo les compta. Treize. Les jumelles étaient protégées de l'eau qui tombait par un étui spécial en plastique qui les emprisonnait sur les côtés et la vision ainsi demeurait excellente sans qu'aucune goutte de pluie n'en troublât la clarté.

Mary Jo scruta les visages des jeunes femmes. Elle reconnut celle que le fou meurtrier avait tenue sous son bras en la menaçant de sa dague ensanglantée. Elle se tenait un peu en avant de toutes les autres. Ses traits étaient creusés et des cernes bleuâtres soulignaient l'éclat brûlant de ses yeux noirs. Comme ses compagnes, elle pleurait. Mary Jo ne douta pas être en présence des filles qui avaient travaillé dans la maison de rendez-vous d'Anna Balkanikoff. Elles étaient là pour offrir un dernier adieu à celles des leurs qui étaient parties pour un monde qu'au temps où elles étaient encore nonnes elles qualifiaient de meilleur. Elles ne devaient plus en être aussi sûres à présent.

La plus âgée avait à peine trente ans. Aucune chance donc que Hilda Balkanikoff se dissimule parmi elles, constata Mary Jo. Elle déplaça le champ des jumelles et observa les environs à la recherche d'une femme qui pourrait correspondre à celle qu'elle cherchait à repérer. Mais le cimetière était désert. Rien qu'un paysage de tombes aux croix grises qui paraissaient effleurer le ciel bas, lourd et trempé de pluie.

Elle frissonna. Sinistre.

A présent les fossoyeurs descendaient les cercueils avec leur corde à rappel. Les treize jeunes femmes s'étaient approchées. Elles portaient toutes des vêtements uniformément noirs, ce qui ajoutait au caractère lugubre de la cérémonie. Elles pleuraient toujours. Les employés des pompes funèbres étaient repartis après s'être débarrassés de leurs fardeaux. Maintenant ils déchargeaient du fourgon les couronnes mortuaires. Mary Jo décrypta les inscriptions :

A notre amie bien-aimée...
Requiescat in pace...
Regrets éternels...
Elle demeurera toujours dans nos cœurs...
Son souvenir est impérissable...

Et cetera. Les phrases habituelles. Mary Jo compta vingt-six couronnes mortuaires. Deux fois treize. Deux victimes et treize amies. Ça collait. Personne d'autre n'avait envoyé de fleurs. Pas de client reconnaissant avec une formule du genre : *Merci de toutes les félicités charnelles qu'elle m'a fait connaître,* ou *Avec la gratitude éternelle de mon ventre qui ne se consolera jamais de cette perte affreuse.*

Aucun client reconnaissant, pas plus que Hilda Balkanikoff !

Avec ses jumelles, Mary Jo explorait le cimetière, tentant de fixer une silhouette fugitive entre deux pierres tombales, derrière un monument funéraire. Personne.

Les cercueils reposaient au fond des fosses. Avec leurs pelles, les fossoyeurs rejetaient sur leur bois la terre humide des tumulus. A côté du tas énorme de couronnes mortuaires, les treize jeunes femmes se recueillaient, semblaient prier. Un retour aux sources, un saut dans le passé, diagnostiqua Mary Jo. Sous les parapluies les joues étaient ruisselantes de larmes.

Leur tâche achevée, les fossoyeurs s'éloignèrent avec leurs cordes et leurs pelles, blasés, indifférents au chagrin des femmes alignées le long des deux tombes. A leur tour elles partirent, comme à regret. Le fourgon avait disparu lui aussi.

Mary Jo resta à son poste de garde. Avec Johnny Coll elle avait échafaudé une autre hypothèse : Hilda Balkanikoff pouvait très bien apparaître plus tard, lorsque les abords des deux sépultures seraient désertés. Afin de conserver son anonymat.

Elle ne bougea pas de toute la journée, guettant une silhouette de femme qui s'approcherait des deux tombes. Mais elle fut déçue dans son attente. Lorsque arriva l'heure de fermeture du cimetière, elle abandonna les lieux, transie de froid, fourbue par la longue station debout, les membres ankylosés et les reins courbatus.

Dans leur chambre de l'hôtel *Ritz,* elle retrouva Johnny Coll.

— Alors ? s'empressa-t-il.

— Chou blanc.

Elle lut le dépit sur son visage.

— Je tenterai encore le coup demain. Peut-être n'est-elle pas arrivée à temps pour les obsèques ?

Les couronnes mortuaires recouvraient les tumulus de terre détrempés par la pluie qui tombait sans discontinuer depuis l'avant-veille. Deux croix en bois avaient été plantées. Sur l'une on lisait Anna Balkanikoff, sur l'autre Maria-Concepcion de Larida y Bozzeco. Mais pas de date de naissance et pas de date de décès. Deux inscriptions en caractères noirs et malhabiles sur deux croix peintes en blanc.

L'atmosphère était aussi lugubre que la veille. Mary Jo avait retrouvé le même cyprès. Elle était enveloppée de son imperméable en plastique avec la capuche rabattue sur la tête. Pour tuer le temps elle avait emporté avec elle un petit transistor Sony portatif dont elle avait passé la courroie autour de son cou. Pour le moment, Radio Madrid diffusait un programme culturel voué à la mémoire du plus grand génie musical méconnu des Etats-Unis, Charles Ives qui, dans ses *Essais avant la*

Sonate, avait écrit : *L'avenir de la musique ne repose pas entièrement dans la musique elle-même mais plutôt dans le fait qu'elle encourage et étend, au lieu de limiter, les aspirations et les idéaux des hommes, en ce sens qu'elle constitue une partie des choses les plus merveilleuses que l'humanité construit et dont elle rêve...*

Mary Jo était intéressée par le programme. Elle se souvenait avoir lu un ouvrage sur Charles Ives (1874-1954) qui, à présent, était considéré comme un génie dans sa discipline, au même titre que Thomas Edison ou Albert Einstein dans la leur. Son œuvre comprenait des symphonies, des suites pour orchestre, des sonates pour violons et pianos, de la musique de chambre et des centaines de chansons. On l'avait baptisé le Mozart américain. Il avait crevé de faim toute sa vie mais maintenant était révéré et vénéré.

L'émission se termina et Mary Jo eut droit à une avalanche de flamencos. Elle consulta sa montre-bracelet. Dix-sept heures. La fermeture approchait. Elle était là depuis l'ouverture du cimetière et, comme la veille, était transie, courbatue et découragée. Personne ne s'était montré, personne ne s'était approché des tombes d'Anna Balkanikoff et de Maria-Concepcion de Larida y Bozzeco, personne ne leur avait témoigné le moindre intérêt. En un sens, elle était furieuse. Toute cette longue attente, cette veille exténuante pour rien !

Elle ricana en se remémorant un vieux toast que se portaient les cow-boys du Far West au siècle précédent : *Puisses-tu arriver au Ciel un quart d'heure avant que le Diable apprenne que tu es mort !...*

C'était cuit. Johnny ferait mieux de laisser tomber et l'accompagner à Paris. Hilda Balkanikoff était plus rusée qu'eux deux se l'étaient imaginé. Sa fille était morte et sans doute avait-elle appris sa fin mais, avec un pragmatisme absolu, elle se refusait à réapparaître en plein jour.

Qu'avait-elle donc à cacher ?

* * *

Maussade, Joseph Loew regardait ses deux visiteurs. Sur le balcon les chats de la voisine griffaient le grillage de protection.

— Vous vous souvenez de notre conversation d'il y a un mois ? attaqua Mary Jo.

Johnny Coll s'était emparé de la pochette du disque sur lequel était gravée la chanson *My Yiddische Momme* et contemplait avec respect ses couleurs passées et sa trame usée.

— Ne touchez pas à ça ! cria Joseph Loew, soudain épouvanté à l'idée qu'un dommage irréparable ne soit causé à sa précieuse pochette.

Johnny Coll haussa les épaules et remit le disque en place. Mary Jo répéta sa question.

— Comment pourrait-on vous oublier ? grommela Joseph Loew. Vous êtes collante comme de la glu. A cause de vous je me suis mis à détester les journalistes.

— J'ai du nouveau, répliqua la jeune femme sans se laisser démonter. Je reviens du Triangle d'Or. Quand je me suis mise à poser des questions sur Walter Jackson on m'a emprisonnée. On voulait me faire passer en jugement.

Avec emphase elle conclut :

— On m'aurait probablement condamnée à mort et fusillée.

Elle scruta le visage de son hôte pour y lire l'effet produit par sa dernière phrase. Joseph Loew demeura impassible. Il se contenta de remarquer d'un ton acide :

— Ils n'aiment peut-être pas les journalistes au Triangle d'Or ?

— Ils cherchaient à protéger Walter Jackson. Celui qui commande là-bas est un des grands organisateurs du trafic de drogue mondial. L'hypothèse de mon journal semble donc se vérifier. L'origine de la fortune de Walter

Jackson se situe dans le trafic de drogue. Nous savons que vous avez enquêté sur le passé de Walter Jackson et il est possible que vous ayez découvert des choses que nous ignorons. Encore une fois, comme il y a un mois, je vous offre de collaborer avec nous. Mon journal paie bien. Les informations que vous nous communiquerez vous seront rémunérées.

Joseph Loew eut une moue de dédain.

— Je ne suis pas un homme d'argent, rétorqua-t-il d'un ton glacé.

Elle changea son fusil d'épaule :

— Etes-vous accessible à la pitié ?

— La pitié ?

Il paraissait choqué.

— Tous ces jeunes qui meurent d'overdose chaque année. Vous avez des enfants, Mr. Loew ?

Il serra les dents. Cette fichue journaliste ravivait des souvenirs cruels en lui. Sa femme Judith n'avait pu avoir d'enfants. Les médecins étaient formels. Elle était stérile, irrémédiablement stérile. Avec tristesse ils en avaient pris leur parti. La solution logique semblait être l'adoption mais, dans ce domaine, ils s'étaient heurtés au maquis inextricable des lois relatives à l'adoption. Judith était d'origine hongroise mais, en réalité, apatride puisque le consulat de Hongrie à Paris ne la reconnaissait pas comme une ressortissante du pays. Elle était donc étrangère et, de ce fait, ne pouvait adopter un enfant de nationalité française. Elle ne pouvait non plus se faire naturaliser française à cause de certains papiers d'identité qui lui manquaient. Ces foutus juristes ! Ils plaçaient des obstacles là où la nature cherchait à croître en liberté !

— Je n'ai pas d'enfants.

— Imaginez que vous en ayez.

Mary Jo revenait à la charge inlassablement, tour à

tour persuasive, mordante, cajoleuse, suppliante. Loew restait inébranlable.

— Mais pourquoi ? s'étonna-t-elle.

Il se fâcha :

— Les renseignements que vous me demandez de vous communiquer ne m'appartiennent pas en propre.

— A qui appartiennent-ils ?

Il se raidit.

— A un pool.

— Un pool de quoi ? insista-t-elle.

— De renseignements, éluda-t-il.

— On tourne en rond, Mr. Loew, railla-t-elle. Soyez plus précis.

Il se rebella :

— On dirait un interrogatoire policier.

Du doigt elle désigna Johnny Coll.

— Le policier, c'est lui, pas moi.

L'œil de Joseph Loew se posa sur son visiteur.

— Vous êtes policier ? interrogea-t-il, soudain intéressé.

— Pas officiel, privé.

Joseph Loew se rembrunit.

— Comme à Hollywood, marmonna-t-il. Style Humphrey Bogart ou Robert Mitchum. Vous n'êtes pas un policier sérieux.

— J'enquête pour le compte de la police fédérale des Etats-Unis, bluffa Johnny Coll pour tenter d'aider Mary Jo. Le F.B.I., vous avez entendu parler ? Le F.B.I. ne peut officiellement opérer en dehors du territoire des Etats-Unis. C'est la raison pour laquelle il sous-traite.

Son ton était empreint d'une conviction totale. Mary Jo lui lança un regard de gratitude.

— C'est moi le sous-traitant, conclut Johnny Coll avec emphase.

Joseph Loew était ébranlé.

— La police fédérale américaine s'intéresse à Walter Jackson ? demanda-t-il d'une voix incertaine.

Ce fut Mary Jo qui répondit, en bluffant à son tour :

— Oui, mais c'est le *New York Post* qui aura la primeur de l'histoire, car c'est lui qui a débusqué le lièvre. Il n'y a pas d'accord écrit mais une entente tacite. Mr. Vernon Shire et moi collaborons.

A dessein elle et Johnny Coll utilisaient la fausse identité. Deux patronymes au lieu d'un, ça procure plus de souplesse d'action ! avait-il philosophé, et ça brouillait les pistes.

Joseph Loew s'était tassé dans son fauteuil. Il pensait *aux autres,* ceux de la station de métro Arsenal, et *à ceux* qui étaient derrière eux. Impossible de parler, impossible de livrer le moindre renseignement.

Il secoua la tête.

— N'insistez pas ! cria-t-il. Je ne peux rien dire ! Je suis tenu au secret !

Mary Jo s'engouffra dans la brèche ouverte :

— Quel secret ?

Le visage de Joseph Loew se ferma.

— Je ne dirai rien ! Partez maintenant ! Je dois dîner et donner à manger à mes chats !

Obstinément Mary Jo se refusait à l'échec.

— Cherchons un moyen terme, plaida-t-elle.

Il ouvrit des yeux étonnés.

— Quel moyen terme ?

— Proposez à ceux qui détiennent avec vous ce secret de le partager avec nous. Exposez-leur nos raisons et le but louable qui est le nôtre.

Il savait pertinemment que ça ne marcherait jamais mais accepter constituait un bon moyen de se débarrasser de ces deux importuns. Promettre et ne pas tenir. En outre, il allait disparaître. Ces deux-là n'étaient pas près de lui remettre la main dessus avant longtemps. Si jamais ils lui remettaient la main dessus, ce qui n'était pas sûr du tout !

— D'accord, concéda-t-il, mais ça va prendre plusieurs jours.

Gagner du temps.

— Combien ? voulut savoir Mary Jo.

— Deux ou trois jours.

— Lundi même heure ? suggéra-t-elle.

— Parfait pour lundi à la même heure, abdiqua-t-il.

Son avion partait le dimanche matin.

Il leur serra la main comme pour leur prouver sa bonne volonté et les raccompagna jusqu'au palier. Ensuite il revint dans le salon et, avant de donner à manger aux chats, il caressa la pochette du disque mais réfréna son envie de le jouer sur l'électrophone. Il savait qu'il deviendrait nostalgique et la nostalgie était la dernière chose au monde dont il avait besoin ce soir-là. Il avait encore tant de choses à faire !

Johnny Coll et Mary Jo marchaient en direction de la place de la République.

— Qu'en penses-tu ? demanda-t-elle.

— Ce vieux type est des plus énigmatique. Il doit travailler pour une organisation secrète, ou être espion.

— Ou contre-espion ?

— Ou contre-espion. Une drôle d'atmosphère flottait dans son appartement. Quels sont ses liens avec Walter Jackson ?

— Je n'en sais rien. En revanche, je sais qu'il a passé une semaine dans les archives du *New York Post* à rechercher tout ce qui avait trait à Jackson. Je suis intéressée de savoir quelle a été sa motivation originelle, mais il se refuse à le dire. Un pool de renseignements... Qu'est-ce que ça peut bien être ?

— Des barbouzes. Lim Lok Siang trempe dans le milieu barbouze. Walter Jackson a des liens avec Lim Lok Siang. Il peut aussi tremper dans le milieu barbouze.

— Vivement lundi !

— Toi au moins tu as quelque chose à te mettre sous la dent ! grogna-t-il. Moi c'est l'inverse ! Hilda Balkanikoff me passe à tous coups sous le nez ! Un ectoplasme !

— Que vas-tu faire ?

— Dès que tu en as terminé ici avec ton Joseph Loew, je rentre à New York avec toi. J'irai m'expliquer avec Wenchell Davis. Cette enquête lui a coûté beaucoup d'argent. Je dois mettre les choses au point avec lui. Tient-il réellement à ce que je continue ? Je n'ai pas l'habitude d'abuser de la générosité financière de mes clients. Il me faut donc le mettre au pied du mur, du mur auquel je me heurte moi-même. Toutes les pistes sont bouchées. Hilda Balkanikoff, et il faut se rendre à la raison, paraît être insaisissable et bénéficier de protections occultes, telle celle du général Lim Lok Siang. C'est comme tenter de découvrir une aiguille dans un tas de foin !

Une expression rêveuse était peinte sur le visage de Mary Jo.

— Que cherche-t-elle à cacher ? murmura-t-elle.

Le soleil madrilène brillait et avait séché la terre. La croix peinte en blanc indiquait en lettres noires : Anna Balkanikoff. Les fleurs des couronnes mortuaires commençaient à se faner. Elles recouvraient entièrement le tumulus de terre comme s'il s'agissait d'un catafalque. Personne aux alentours. Le lieu était désert. Malgré le soleil resplendissant, les cyprès ajoutaient une note lugubre au décor. Beaucoup plus loin, dans d'autres divisions, d'autres allées, des gens cheminaient, la mine basse, comme s'ils s'en allaient faire pénitence. Les femmes étaient uniformément vêtues de noir. L'ancestrale coutume espagnole. Les traditionalistes méditerranéens affectionnaient le noir. Ils semblaient en permanence porter le deuil de quelque membre de la famille. Dans une niche creusée dans le mur d'enceinte, à quelques pas, une Sainte Vierge un peu vert-de-grisée, montait une garde vigilante sur le champ de repos éternel. Le long du mur, encore, traînaient une brouette de laquelle émergeaient des pelles et des pioches.

La main se pencha et déposa parmi les couronnes mortuaires d'autres fleurs. Des orchidées et des roses rouges. Une douzaine de chaque. Elles étaient encore enveloppées dans leur papier glacé. Aucun ruban autour de chaque gerbe. Des fleurs anonymes...

CHAPITRE XX

L'excitation était grande à bord du 747 de la Cinderella Airlines, une compagnie privée américaine. L'avion avait été spécialement affrété pour le voyage New York-Le Caire-New York et aménagé pour la circonstance. Les précautions les plus minutieuses avaient été prises pour le transport du colis, un des colis les plus fragiles du monde.

Des journalistes de la presse écrite et parlée, des techniciens des trois grandes chaînes de télévision américaine, A.B.C., N.B.C. et C.B.S., quelques policiers égyptiens, des gardes privés, deux égyptologues, trois vedettes féminines de Hollywood, un play-boy milliardaire brésilien, une équipe médicale, une autre composée d'employés du musée du Caire, un romancier qui venait de recevoir le Prix Pulitzer pour son dernier ouvrage intitulé *Le passé colle à notre peau*, et quelques personnages aux professions indéfinies formaient la masse des passagers du 747 qui venait de décoller de l'aéroport international du Caire après avoir été salué par des dignitaires et une fanfare militaire.

— Tout juste si Sadate n'est pas venu nous dire « Ce n'est qu'un au revoir, mes frères ! » s'exclama Tom Hagen, un des grands reporters du *Chicago Tribune*.

— Avec le fric il va pouvoir donner à manger à ses

fellahs du Nil! grommela Jerry Ostinger du *Miami Herald*.

— En tout cas, on nous traite comme des pharaons! rigola Steve Kohlzen, l'animateur de l'émission la plus écoutée des Etats-Unis sur la chaîne C.B.S. : « Jamais surpris par l'événement ».

Tous les trois rirent.

Le signe « Interdiction de fumer » s'éteignit et, peu après, ce fut le tour de celui qui recommandait « Attachez vos ceintures. » Immédiatement ce fut un joyeux brouhaha à l'intérieur de l'avion. Les gens se levaient et allaient discuter de siège en siège. L'appareil était loin d'être rempli. Environ le tiers de sa contenance était occupé. Dans le salon habituellement réservé à la première classe des groupes se pressaient. Dans les galleys, les hôtesses s'affairaient à charger leurs chariots de boissons et d'amuse-gueules. L'attachée de presse Joyce McKerr était très entourée. C'était une grande fille élancée et blonde, avec des yeux hardis et un nez busqué, ambitieuse, qui savait déterminer avec un *timing* impitoyable le moment propice de coucher avec un homme dans le but de servir ses desseins.

— Hé! Joyce! clama l'envoyé de l'*U.S. News and World Report,* donnez-nous un chiffre! Dites-nous combien toute cette affaire a coûté!

— Un chiffre, Joyce! entonnèrent en chœur les journalistes groupés autour d'elle.

— Un million de dollars! lança-t-elle avec un sourire qui démentait ses paroles.

— On ne vous croit pas, Joyce! répliqua l'envoyé du *Baltimore Sun.*

Tom Hagen, Jerry Ostinger et Steve Kohlzen avaient rejoint le salon. Le premier cria à l'intention de la jeune femme :

— Combien avez-vous donné au gouvernement égyptien?

— Quinze millions de dollars.

Epoustouflée par le chiffre, l'assistance se tut. Les regards hésitaient entre la crédulité et l'incrédulité. Joyce McKerr eut un sourire condescendant.

— Nous les récupérerons à l'aise, promit-elle.

— Avec les entrées au Madison Square Garden ? interrogea Steve Kohlzen.

— Nous escomptons dix millions d'entrées à dix dollars par tête. Faites le calcul.

— Cent millions de dollars, murmura Jerry Ostinger, ébloui.

— Evidemment, il y a la publicité, reprit Joyce McKerr. Nous avons prévu un budget énorme. Les gens de C.B.S., de N.B.C. et d'A.B.C. ici présents savent combien nous avons dépensé d'argent pour les spots publicitaires.

— Vous comptez uniquement sur le Madison Square Garden ? interrogea le représentant du *New York Times*. Ou bien vous livrerez-vous à la même opération dans quelque autre Etat ?

— Non, une telle clause n'est pas prévue dans le contrat que nous avons passé avec le gouvernement égyptien.

— Ce dernier a-t-il été réticent ?

C'était Tom Hagen qui venait de poser la question.

— En partie, répondit Joyce McKerr. Nous avons dû batailler ferme. Finalement nous l'avons emporté.

Elle fit une pause et lança d'une voix forte :

— Messieurs, je crois que des boissons vous attendent. Désaltérez-vous d'abord et grignotez quelques amuse-gueules. Ensuite, je me tiendrai à votre disposition pour toute question que vous voudriez me poser. Il est préférable cependant que vous regagniez vos places afin de faciliter le travail des hôtesses.

Steve Kohlzen, Jerry Ostinger et Tom Hagen, comme

beaucoup d'autres, refluèrent vers les différentes sections aux parois peintes de couleurs différentes.

— On dira ce qu'on veut de nous autres Américains, mais il n'y a que chez nous qu'on a des idées pareilles ! remarqua le premier.

— Et qu'on les concrétise, renchérit le second.

— Pourvu que ça ne pourrisse pas ! s'exclama le troisième.

Les boissons et les amuse-gueules furent servis par les hôtesses. Puis vint le tour des plateaux-repas, du café, des liqueurs. Les tablettes repliables furent débarrassées puis les conversations reprirent. Le temps s'étirait sans hâte. Depuis longtemps le 747 survolait l'océan Atlantique. A un moment le commandant de bord annonça :

— Sur la droite de l'appareil vous pouvez apercevoir les Açores.

Personne ne se donna la peine de regarder. Les discussions allaient bon train. Certains sommeillaient, les volets baissés près de leur siège pour éviter l'éclat du soleil couchant. D'autres prenaient des notes, esquissaient la teneur future de leur article, polissaient le bulletin qu'ils auraient à débiter devant les caméras de la télévision pour le journal d'information de la N.B.C., de l'A.B.C. ou de la C.B.S.

Dans la section « orange » s'étaient regroupés les cinq policiers égyptiens. De temps en temps ils échangeaient des phrases brèves en arabe. Ils avaient tous une caractéristique commune : les grosses lunettes noires qui chaussaient leurs nez. Ils étaient habillés en civil, dans les tons neutres, sobres. Une cravate marron était nouée sur leur chemise blanche. Leurs vestes laissaient apparaître un léger renflement sous l'aisselle gauche. Le plus âgé avait tout au plus une quarantaine d'années. Il était courtaud et trapu, avec une grosse moustache noire qui lui barrait la lèvre supérieure. Son crâne était prématurément chauve. Trois autres étaient grands, maigres, moustachus également, avec un collier de barbe soigneusement taillé et un teint nettement plus basané que leurs compagnons. Leurs cheveux étaient coupés demi long et frisottaient sur la nuque. Le dernier était blond, un blond fadasse qui s'accordait avec le teint pâle, la lèvre molle et le menton quasi inexistant. Le nez était camus et obliquait à gauche. Le lobe de l'oreille droite n'existait plus et démasquait ainsi la cicatrice ornant la lisière du maxillaire et dérapant vers l'arcade zygomatique. Les mains croisées sur un ventre bedonnant, il était assoupi.

— Ils ont de sales gueules, avait remarqué à voix basse Tom Hagen pour l'édification de Jerry Ostinger lorsque les cinq policiers les avaient précédés dans le tunnel d'accès à l'avion.

Deux heures s'étaient écoulées depuis le moment où le commandant de bord avait annoncé les Açores lorsque le plus âgé des cinq se leva et fit signe aux quatre autres. Tous les cinq se dirigèrent vers la cabine de pilotage. Une hôtesse, élégante dans son uniforme aux couleurs de la Cinderella Airlines, chemisier à damier noir et blanc sur jupe corail avec un foulard du même ton, leur offrit un large sourire.

— Vous avez besoin de quelque chose ? s'enquit-elle avec empressement.

Le chauve qui paraissait commander le groupe exhiba un pistolet.

— Nous voulons simplement le passage.

L'hôtesse ouvrit de grands yeux effrayés et porta la main à sa bouche.

— Ne criez pas, ordonna l'homme d'un ton uni. Ça ne servirait à rien. Ecartez-vous et restez dans le galley.

A leur tour, ses quatre compagnons sortaient des armes de sous leurs vestes. L'un repoussa la jeune femme et la menaça :

— Pas de panique, pas de hurlements, sinon je tire et, dans ce cas-là, pensez à la dépressurisation.

Le chauve et l'un des grands maigres entrèrent dans le poste de pilotage où s'affairaient le pilote, le copilote, l'ingénieur mécanicien et le radio. Ils s'arrêtèrent sur le seuil. Ici, l'espace était étroit. Impossible de s'y mouvoir à l'aise.

— Messieurs, nous nous emparons de l'avion, lança le chauve d'une voix forte.

Les membres de l'équipage le regardèrent, éberlués, incrédules. Il agita son pistolet.

— Cette arme m'en donne le droit.

Du pouce il désigna celui qui l'accompagnait et, très vite, ajouta :

— Mon ami est un pilote professionnel de jet. Le 747 n'a aucun secret pour lui. Vous obéirez à ses instructions. Tout d'abord nous allons procéder à un changement de cap. Au lieu du nord-ouest, plein ouest, direction le Belize. Je vous recommande hautement d'obéir à nos ordres, en raison des moyens de coercition que nous possédons. Ainsi, l'arme que je tiens à la main est un Colt .45 et vous vous dites certainement que si j'appuyais sur la détente, le projectile risquerait de transpercer la carlingue, avec les dommages que cela occasionnerait. Donc, raisonnez-vous, j'hésiterai à tirer. Laissez-moi en conséquence vous montrer ce pistolet.

Il sortit un engin bizarre de sa poche.

— Cette arme, poursuivit-il, est d'origine israélienne. Les convoyeurs d'El Al l'ont baptisée « Kelath David » (1) ou encore « Makhbeth Tenis » (2). Elle présente la caractéristique de tirer des projectiles creux en alliage très léger. Ces balles s'écrasent sur le corps plutôt qu'elles ne pénètrent et produisent une puissante onde de choc qui comprime les vaisseaux sanguins et paralyse instantanément. Efficacité : environ dix mètres. Suffi-

---

(1) Mots hébreux signifiant : la fronde de Davis
(2) Mots hébreux signifiant : la raquette de tennis.

sant pour vous mettre hors de combat. Cette arme à l'origine est destinée à contrecarrer les plans des pirates de l'air. Si vous avez le sens de l'humour, vous apprécierez aujourd'hui l'ironie du sort. Ce sont présentement des pirates de l'air qui l'utilisent. La technologie ne doit-elle pas servir les visées de chacun ?

Son compagnon lui tapa sur l'épaule.

— Arrête tes discours et laisse-moi travailler. Je prends le relais.

L'autre s'écarta pour lui livrer passage. Tout de suite, le nouveau venu commanda :

— Débranchez le pilotage automatique. Passez en manuel.

Puis au radio :

— Coupez tout contact. On entre dans le noir. On n'interroge plus et on ne répond plus.

La sueur dégoulinait le long des joues du commandant de bord.

— Quel est le nouveau plan de vol ? balbutia-t-il.

— Je vais vous le détailler, répondit celui qui à présent donnait les ordres.

— Vous avez parlé de Belize ?

— Exact.

— Vous comptez y atterrir ?

— Exact à nouveau.

— Il n'y a aucune piste là-bas assez longue pour l'atterrissage d'un 747.

— C'est ce que vous croyez. Obéissez ! Débranchez-moi ce foutu pilotage automatique et passez en manuel !

En dehors de la cabine de pilotage les passagers suffisamment proches n'avaient pas été sans remarquer le manège des trois hommes armés de pistolets qui barraient l'accès à l'avant de l'appareil. Tremblante et sur le point de s'évanouir, l'hôtesse de l'air avait été priée d'aller s'asseoir et de reprendre ses esprits. Tom Hagen, accompagné de Jerry Ostinger et de Steve Kohlzen, s'était approché.

— A quoi rime cette comédie ? questionna-t-il sur le mode ironique. Ça fait partie de la mise en scène à laquelle nous avons eu droit jusqu'ici ?

Enhardis par son initiative, d'autres passagers accouraient, curieux de savoir ce qu'il en était exactement. Un piratage aérien ? Beaucoup, déjà, l'espéraient, en pensant que cette éventualité ferait de la copie sensationnelle. Certains gribouillaient déjà sur leur bloc-notes. D'autres voulurent prendre des photos mais les trois Egyptiens, avec un bel ensemble, levèrent leurs armes d'un air menaçant.

— Pas de photos ! cria l'un d'eux d'un ton hystérique.

— Faites pas les cons ! recommanda Tom Hagen. Ça part tout seul ces trucs-là !

— Drôle de façon de traiter des journalistes ! s'insurgea Jerry Ostinger.

— Pensez à votre publicité personnelle ! ricana Steve Kohlzen. Vous avez la chance d'avoir ici réunie la crème de toute la presse écrite et parlée américaine ! Ça mérite des égards !

Le petit blond bedonnant à la cicatrice zigzaguant sur la joue s'approcha de lui et lui décocha au menton un violent coup de crosse de pistolet. Le présentateur de la N.B.C. s'effondra dans les bras de Jerry Ostinger, épouvanté par la violence de la réaction. Le blond éclata d'un rire sadique.

— Que ça serve de leçon à tout le monde ! rugit-il ensuite. Fermez vos grandes gueules, presse écrite et parlée, ou pas ! On n'a en a rien à foutre de vous. C'est du sérieux qui se joue ici. Maintenant, regagnez tous vos places.

Il s'adressa à Joyce McKerr qui tentait avec difficulté de faire bonne contenance.

— Et vous, l'attachée de presse, tâchez de faire votre

boulot ! Faites-les asseoir et qu'ils se taisent ! Et ordonnez aux hôtesses de leur servir à boire ! Ça les calmera !

*
* *

— Tu ne regrettes jamais ton Wyoming natal ? persifla Johnny Coll avant d'avaler une gorgée de café.

Mary Jo et lui tuaient le temps dans une brasserie de la place de la République en attendant l'heure du rendez-vous avec Joseph Loew.

— Je regrette les samedis soir, pouffa Mary Jo.

— Epiques ?

— Comme tu l'as remarqué toi-même, le Wyoming a été surnommé l'Etat des cow-boys. Ils triment dur toute la semaine et le samedi soir est le moment où ils se défoulent. Ils arrivent en ville à cheval. Quand je dis « en ville », c'est une pure figure de style. Hull City était le genre de bourgade où la naissance d'un coyote aurait empli la première page d'un journal sauf que, naturellement, il n'y avait pas de journal local. Tu te serais cru réellement dans une cité de l'Ouest comme au XIXe siècle, avec le saloon, les bornes pour attacher la bride des chevaux et le maréchal-ferrant, sans compter le shérif et ses adjoints dont l'unique occupation était d'embarquer la viande soûle tout le long de la nuit du samedi au dimanche, car ces cow-boys se livraient à une prodigieuse consommation d'alcool.

Johnny Coll ouvrit des yeux étonnés.

— Mais pourquoi regrettes-tu ces samedis soir ? Je ne vois rien là-dedans de particulièrement excitant. Des beuveries interminables assorties probablement d'histoires paillardes, de vantardises et de bagarres à coups de poing.

— Juste, mais le révérend Bremmler en profitait pour organiser un bal qui avait pour but, justement, d'éloigner les cow-boys de ce lieu de perdition que représentait pour lui le saloon. Et c'est là qu'on rigolait ! Evidemment, pas de boissons alcoolisées chez le révérend Bremmler ! Alors, c'était une véritable noria de cow-boys qui s'en venaient danser chez lui en s'absentant de temps en temps pour aller se taper un verre de bourbon au saloon. Le révérend surveillait les sorties mais il ne pouvait être au four et au moulin à chaque instant. Parfois il arrêtait son électrophone et procédait à un alcootest en se faisant souffler dans les narines par tous les éléments mâles de l'assistance. Un relent d'alcool et le fautif se faisait expulser d'office. C'était à mourir de rire. Fallait voir ces grands cow-boys costauds, de véritables armoires à glace qui auraient décapité le révérend d'une simple gifle, se faire tout petits, tout penauds devant lui, et s'en aller la tête basse comme des écoliers pris en faute. Et les disques que passait Bremmler ! Antédiluviens ! Des 78 tours tout rayés ! Ça allait de *Ramona* à Bing Crosby 1re époque, avec des airs du folklore écossais ou gallois. Des gigues. C'était vraiment Péquenot City ! Mais quand j'y repense, je trouve cela émouvant !

— Ça n'a pas changé depuis ton départ ?

— Le révérend Bremmler est mort et maintenant ce sont deux guitaristes en provenance de Laramie qui viennent faire danser les gens tous les samedis soirs.

— Sans leur faire passer l'alcootest, j'imagine ?

— Ils se feraient écharper, s'ils osaient.

Johnny Coll consulta sa montre-bracelet.

— Il est temps d'y aller, Mary Jo.

Il régla leurs consommations et tous deux sortirent de la brasserie.

Ils marchèrent sans se presser jusqu'au domicile de Joseph Loew. Devant la porte de l'appartement, Mary Jo sonna longuement sans obtenir de réponse. Johnny Coll restait adossé au mur, l'air faussement indifférent.

— Lundi à la même heure, c'est bien ce qu'il a dit, n'est-ce pas ? interrogea-t-elle avec nervosité.

Il haussa les épaules.

— Avec réticence, fit-il remarquer.

— Tu crois qu'il n'avait pas l'intention de tenir sa promesse ?

— Probable.

— A moins que ceux à qui il devait demander l'autorisation de me communiquer les renseignements que je sollicitais l'en aient dissuadé.

— Bonne hypothèse.

— En tout cas, il va bien revenir chez lui à un moment ou à un autre !

— Il est possible qu'il soit chez lui mais refuse d'ouvrir sa porte. Peut-être essaie-t-il de t'avoir à la lassitude. Tu te souviens, je te disais que ce type me paraissait mystérieux, énigmatique, et j'envisageais la possibilité qu'il soit une barbouze.

— Et si nous décidions de camper devant sa porte ?

Johnny Coll n'eut pas à répondre car à ce moment une autre porte s'ouvrit sur le palier et apparut une vieille dame. Elle se courba en deux et repoussa à l'intérieur de l'appartement deux chats qui tentaient de s'infiltrer entre ses jambes.

— Restez là, mes chéris, votre maman sera vite de retour !

Elle claqua la porte, agita son trousseau de clés et entreprit de la verrouiller. Elle lui tourna le dos et son regard s'appesantit sur Mary Jo et Johnny Coll. Elle hésita puis questionna :

— Vous cherchez Mr. Loew ?

— Oui, fit Mary Jo.

— Il s'est absenté pour quelques semaines. Mes chats vont regretter son départ. Il était si bon avec eux. Je suis leur maman et lui c'est leur père. Mais il m'a laissé de l'argent pour leur acheter les friandises qu'il ne pourra pas leur donner. C'est un homme très bien, Mr. Loew. Il a beaucoup de cœur. Tous les gens qui aiment les bêtes ont du cœur. Je crains que vous ne l'attendiez pour rien. Il est parti pour plusieurs semaines, c'est ce qu'il m'a dit. Il avait une valise à la main. Vous êtes de ses amis ?

— Nous sommes de ses amis, répondit Johnny Coll. Savez-vous où il est parti ?

— Oh ! non ! Mr. Loew est toujours très réservé. Il se livre peu. A vrai dire, je ne sais même pas ce qu'il fait dans la vie. La seule chose dont je suis sûre c'est qu'il adore les chats !

Mary Jo et Johnny Coll se regardaient. Ils remercièrent la vieille dame et s'en furent. Dans la rue Mary Jo interrogea :

— Tu crois qu'elle dit la vérité ? Et si elle était complice des mensonges de Loew ?

Il secoua la tête.

— Mon intuition me dit que ses paroles sont l'expression de la vérité. Loew ne tient pas du tout à te révéler ce qu'il sait sur Walter Jackson, que ce soient ceux qu'il devait contacter ou non qui lui en aient donné l'ordre. Alors il a empaqueté quelques affaires et a pris le large. A mon avis, tu ne le reverras pas de sitôt !

Le commandant de bord n'en croyait pas ses yeux. Une large avenue dallée, longue de plusieurs kilomètres s'ouvrait en dessous de lui, teinte en orange-indigo par les lueurs du soleil couchant qui semblait depuis des heures ne jamais vouloir disparaître derrière l'horizon à cause du gain de temps que procurait le vol aérien dans le sens est-ouest.

Entre les dalles de pierre usées par l'érosion du temps prospéraient des touffes d'herbe que venaient brouter dans l'après-midi des chèvres sauvages, descendantes de celles importées par les Espagnols des siècles plus tôt et qui, à un moment de l'Histoire de la colonisation en

Amérique centrale, avaient retrouvé la liberté. Elles étaient connues sous le nom aztèque de *huacans*. Le crépuscule tombait et elles avaient déjà disparu dans les grottes qui s'ouvraient dans le flanc de la colline.

Le commandant de bord n'avait jamais mis les pieds dans cette région et en ignorait l'histoire et la géographie. Située aux confins du Belize (l'ancien Honduras britannique) et des provinces mexicaines de Quintana Roo et de Campeche, elle avait été un des hauts lieux des civilisations toltèque et maya. Là s'était élaborée au cours des siècles l'architecture urbaine qui avait fait l'admiration des *conquistadores* espagnols de Cortez : blocs monolithiques, pyramides, colonnades. Là avaient été mises au point des techniques avancées comme les boussoles d'hématite magnétique flottant dans une cuve de mercure. Là avaient été construits des temples où les grands prêtres pratiquaient les sacrifices humains en extrayant rituellement le cœur à l'aide d'un couteau d'obsidienne. L'avenue dallée que le commandant de bord voyait s'allonger en dessous de lui avait conduit en des temps reculés à l'un de ces temples qui occupait le sommet de la basse colline dont les flancs à présent recelaient des grottes préhistoriques dans lesquelles s'abritaient les *huacans*. Le temple avait été démoli pierre par pierre au xviiie siècle par des franciscains espagnols qui voulaient construire une mission sur l'emplacement en réutilisant les pierres. Mais le projet n'avait jamais abouti car la population indienne de la région était si peu dense que la mission n'aurait eu aucun avenir.

Seule était demeurée la large avenue dallée qui, des siècles plus tôt, avait permis à de larges foules d'aller se prosterner au pied de la colline supportant le temple pour y recevoir la bénédiction des grands prêtres mayas interprètes de la volonté des dieux.

— Vous n'aurez aucun mal à atterrir, assura l'Egyptien. Ça rebondira un peu mais sans gravité. Croyez bien que je tiens à la vie tout autant que vous.

Le commandant de bord jeta un coup d'œil de côté au copilote. Il savait que s'il se sortait vivant de ce mauvais pas il y aurait une enquête de la Federal Aviation Administration pouvant conduire à un retrait de licence et il souhaitait, à l'avance, se ménager des témoignages favorables.

— Ken ? interrogea-t-il.

— Je crois qu'on peut se poser.

Il tourna la tête vers l'ingénieur mécanicien.

— Derek, qu'en penses-tu ?

— Faisable.

— De toute façon, vous n'avez pas le choix, fit remarquer l'Egyptien. N'oubliez pas que je peux procéder à l'atterrissage moi-même. On vous l'a déjà dit, je suis pilote professionnel et le 747 n'a aucun secret pour moi.

Le pilote hocha la tête.

— Que va-t-il arriver ensuite ?

— Aucun dommage pour vous et les passagers si vous continuez à obéir fidèlement à mes ordres. Nous procéderons à un transfert de biens et vous serez libre de poursuivre votre route avec une partie de vos passagers.

Le pilote sursauta.

— Une partie ?

— Je veux dire : tout le monde sauf les techniciens chargés de la conservation.

— Je vois. Je comprends à présent le but de l'opération. Une demande de rançon ?

L'Egyptien haussa les épaules.

— Ça tombe sous le sens, non ? Maintenant, assez de palabres. Procédez aux manœuvres d'atterrissage sans plus tarder. Le soleil va se coucher pour de bon cette fois-ci et la piste n'est pas équipée de balises lumineuses. En ce qui concerne votre redécollage, vous devrez attendre l'aube. A moins que vous ne préfériez prendre des risques de nuit. A vous de juger. Personnellement, je m'en moque éperdument.

Le pilote, sans répondre, s'affaira aussitôt avec ses instruments de bord. Ses gestes étaient précis, dépourvus à présent de la moindre hésitation. Avec calme et flegme, comme s'il allait se poser sur une des pistes de l'aéroport Kennedy à New York, il négocia son approche et sa descente, et le lourd appareil rebondit bientôt sur les dalles que foulaient avant Cortez et ses *conquistadores* les Mayas et les Toltèques. L'avion tressauta, parut reculer sous l'action du freinage brutal, grinça et gémit, et son nez vint s'immobiliser à quelque trois cents mètres de la colline.

— Maintenant, ne bougez plus, recommanda l'Egyptien.

Son compagnon chauve avait déjà disparu hors de la cabine de pilotage et s'activait à déverrouiller l'épaisse porte métallique de sortie.

Parallèlement, les alentours de la colline s'animaient. Une jeep jaillit de derrière son flanc et tous feux allumés, en cahotant, approcha de l'appareil l'escalier mobile qu'elle remorquait. Une seconde jeep chargée d'hommes armés la précédait. Ensuite, ce fut le tour d'un vieux DC.4 à atterrir et à venir se coller à la queue du 747. Le commandant de bord ne l'avait pas remarqué dans le ciel et, pourtant, il tournait dans les environs à basse altitude depuis deux bonnes heures.

La porte était déverrouillée à présent. Le chauve se pencha à travers l'ouverture en se retenant à l'une des poignées. Son regard enregistra le spectacle qui s'offrait à lui. Les deux jeeps qui approchaient pleins phares, la masse du DC.4 collée à la queue du 747, le ciel indigo strié de filaments orangés. Il poussa un soupir de satisfaction. Allons, se réjouit-il, les choses se déroulaient bien conformément au plan mis sur pied.

[*]

Mary Jo reposa le combiné et se retourna vers Johnny Coll. L'expression sur son visage était celle de l'excitation la plus intense.

— Tu vas être satisfait ! s'exclama-t-elle.

— Pourquoi ?

— Le journal me réclame. Tu vas enfin pouvoir rejoindre New York et rendre compte de vive voix de tes activités à Wenchell Davis et à Audrey Coogan !

— Tu prends l'avion avec moi ?

— Naturellement ! On me réclame là-bas à cor et à cri !

— Ils laissent tomber le reportage sur les antécédents de Walter Jackson ?

— Pas du tout ! Bien au contraire ! Des développements nouveaux sont intervenus !

— Le *New York Post* a découvert des preuves concrètes des liens existant entre Walter Jackson et le général Lim Lok Siang ?

— Rien de tout cela. Walter Jackson est la victime d'un détournement d'avion. Une affaire fabuleuse qui tourne autour de cent millions de dollars.

Johnny Coll écarquilla les yeux.

— On lui demande une rançon de cent millions de dollars ?

— On ignore encore le chiffre de la rançon.

Il éclata de rire.

— Ainsi, le grand trafiquant de drogue qu'il a été est à son tour victime de truands et se fait kidnapper.

— Tu n'y es pas ! protesta aussitôt Mary Jo. Ce n'est pas lui qui s'est fait kidnapper !

— Qui donc alors ?

CHAPITRE XXI

Johnny Coll retrouvait les meubles anglais, la vaste pièce respirant le luxe et le confort. A travers la large baie vitrée, la pelouse au vert éclatant faisait penser à ces gravures des livres de contes pour enfants avec leurs personnages évoluant dans des paysages aux couleurs et aux contours irréels. La caricature de majordome britannique avait servi les boissons puis avait disparu. Wenchell Davis avait l'air soucieux et grave. Audrey baissait les yeux, faussement absorbée par les glaçons qui flottaient dans son William Lawson's.

— J'ai dépensé beaucoup d'argent pour cette enquête, Mr. Coll, fit remarquer l'éditeur. Et les résultats, somme toute, sont médiocres, pour ne pas dire inexistants.

Son ton était maussade.

— J'en suis conscient, admit Johnny Coll.

— Peut-être n'avez-vous pas suivi la bonne piste ? suggéra le milliardaire.

— Dans ce cas, pourquoi aurait-on tenté de m'assassiner à Madrid et pourquoi aurait-on tué un de mes contacts ? Avez-vous jamais entendu parler de l'Affaire Vandervelde ?

— Non.

— L'enquête consécutive à l'assassinat de Marcia Vandervelde a été menée, il y a des années de cela, par mon père alors capitaine à la brigade Criminelle du 5ᵉ District à New York, en compagnie du lieutenant Valladolid actuellement chef des détectives du New York City Police Department. Cette enquête fait encore l'admiration des écoles de police du monde entier. Si ce terme est compatible avec notre imperfection terrestre, je dirai qu'elle était parfaite. Elle a duré quinze mois. Quatre-vingts détectives étaient assignés à cette affaire. Elle a coûté aux contribuables new-yorkais quelque chose comme cinq cent mille dollars. Rien n'a été négligé pour parvenir au résultat final. Tout le monde travaillait en heures supplémentaires. Cette enquête était vraiment exemplaire et je ne dis pas cela subjectivement parce que c'était mon père qui la dirigeait...

— Et alors ? s'enquit Wenchell Davis avec curiosité.

— L'assassin n'a jamais été découvert. Même pas identifié. La police aurait pu à la rigueur l'identifier et ne pas réunir contre lui un faisceau de preuves suffisantes susceptibles de l'amener devant un tribunal, mais non, même pas ! Le fiasco complet ! Devant le coût très important de l'enquête, le D.I.A. (1) a décortiqué les rouages de l'enquête pendant trois mois. Lorsque ses travaux ont été achevés, le chef de la police a adressé à mon père une lettre officielle de félicitations. L'enquête qu'il avait menée était un modèle du genre et le D.I.A. en était resté ébloui.

Wenchell Davis hocha la tête.

— Je comprends l'implication cachée. Vous voulez dire qu'une enquête peut être merveilleusement menée et que, parallèlement, elle n'aboutit pas ?

— Sans m'envoyer de fleurs, j'ai conscience que la mienne a été menée selon les règles. J'ai débusqué Hilda

---

(1) Department of Internal Affairs : Département des Affaires intérieures. Service de la police de New York chargé de veiller à la régularité des enquêtes et à l'orthodoxie des méthodes, ainsi qu'à l'intégrité du personnel. L'équivalent français est l'I.G.S., l'Inspection Générale des Services, la police des polices.

Balkanikoff mais elle a couru plus vitê que moi. Par ailleurs, je ne suis pas parvenu à déterminer ses motivations. Un échec, je l'avoue bien sincèrement.

— Votre hypothèse, par conséquent, est qu'elle aurait commandité le meurtre de Peter, celui de votre contact, la tentative d'assassinat sur votre personne, tout cela pour dissimuler ou son identité ou des activités occultes.

— En gros, c'est ça.

— Et où cela nous mène-t-il ?

— Vous posez le doigt sur le nœud de l'affaire, qui se résume à ceci : comment retrouver Hilda Balkanikoff si, du moins, vous éprouvez l'envie que je la retrouve ? Je sais que vous avez dépensé pas mal d'argent pour que je mène cette enquête et vous pouvez très bien décider d'arrêter les frais.

L'éditeur secoua vigoureusement la tête.

— Là n'est pas le problème, Mr. Coll. Le problème est de savoir si nous avons de bonnes chances de retrouver cette femme. Quelle est votre réponse ?

— Celle de l'aiguille dans le tas de foin.

— Réponse un peu facile et indigne de vos talents que l'on m'a tant vantés.

— Mais hélas proche de la vérité ! rétorqua Johnny Coll, maussade.

— Madrid, intervint Audrey timidement, est-ce que la réponse ne se trouverait pas à Madrid ? La voiture piégée, c'était là ! L'assassinat de ce Manolito, c'était là aussi !·

— Le cimetière ! approuva Wenchell Davis.

Johnny Coll protesta avec énergie :

— Vous me voyez montant la garde quotidiennement aux alentours de la tombe d'Anna Balkanikoff ?

— Non, bien sûr, concéda le milliardaire, mais pourquoi ne pas lui avoir tendu un piège ?

— Un piège ?

Brusquement Johnny Coll eut une illumination.

— Bon sang, félicita-t-il, vous venez d'avoir une chouette idée !

— Vraiment ? s'excita l'éditeur. Comment voyez-vous la chose ?

— Un transfert de sépulture.

Audrey ouvrait de grands yeux étonnés. Johnny Coll s'était levé et marchait de long en large sur la moquette épaisse et moelleuse, les mains croisées, le front plissé par la réflexion.

— Il s'agit de ne pas faire de gaffes ! avertit-il. Et on ne peut pas opérer en Espagne où, par ailleurs, je suis tricard à cause de l'arrêté d'expulsion. Par conséquent, il convient de bâtir un plan hardi et de faire transférer les restes mortels d'Anna Balkanikoff ici même aux Etats-Unis !

— Est-ce légalement possible ? objecta Wenchell Davis, les traits soucieux.

— En prenant quelques libertés avec la vérité, oui, affirma catégoriquement Johnny Coll.

— Donnez-nous les détails de votre plan, exigea Wenchell Davis.

— La base en est le point suivant : Anna Balkanikoff à sa mort n'avait pas de famille officielle. Sa mère a disparu sans laisser de trace voici plus de trente ans. Son père était mort en 1945. Elle était seule au monde. Elle n'avait qu'un fiancé.

Audrey et Wenchell Davis sursautèrent avec une parfaite synchronisation.

— Un fiancé ? fit le second. Vous ne nous avez jamais parlé de lui, Mr. Coll ! reprocha-t-il d'un ton sévère.

Johnny Coll esquissa un bref sourire et expliqua :

— Parce que je viens de découvrir son existence à l'instant. Son nom est Peter Coogan.

Il leva aussitôt les bras pour prévenir toute objection.

— Durant son séjour à Madrid, Peter s'est fiancé à Anna Balkanikoff. Audrey le sait. Le mariage n'a pu se faire puisque Peter a été assassiné. Maintenant, c'est Anna qui meurt. Audrey sait qu'elle n'a aucune famille qui ira déposer des fleurs fraîches sur sa tombe. Elle voudrait que soient réunis côte à côte dans un cimetière privé les corps de ces deux êtres qui se sont aimés de leur vivant et qui ont été séparés par la mort. Je sais, ça fait un peu grandiloquent et très dix-neuvième siècle. On s'en moque. Il faut que ça fasse plausible. Audrey demande donc par les canaux officiels la récupération de la dépouille mortelle de celle qui fut la fiancée de son frère. A priori, je ne vois aucune raison pour laquelle on le lui refuserait puisque personne en Espagne ne réclame les restes d'Anna Balkanikoff qui, si la police n'avait pas découvert d'argent dans son bordel pour couvrir les frais d'enterrement, aurait été fourrée dans un trou de la fosse commune. L'étape suivante ? D'abord, une précision. Vous m'avez bien dit que Peter était inhumé dans un cimetière privé (1) ?

— Oui, répondit Audrey. Le McGregor Memorial.

— Parfait. Si notre opération marche bien, c'est-à-dire si la dépouille mortelle d'Anna Balkanikoff est effectivement transférée aux Etats-Unis, vous lui offrez une sépulture au McGregor Memorial.

Johnny Coll s'était tourné vers Wenchell Davis. Ce dernier joua le jeu des hypothèses :

— Ce pas franchi, que se passe-t-il ?

— Nous plongeons dans le domaine des suppositions et de la pure psychologie. Hilda Balkanikoff, si elle est réellement la mère qu'elle semble avoir démontrée, apprend un jour ou l'autre que la tombe sur laquelle elle

_____

(1) Les cimetières privés connaissent une certaine faveur aux Etats-Unis parmi les couches riches de la société. Ce sont souvent de véritables forteresses où il faut montrer patte blanche avant d'en franchir le seuil. Cette particularité s'explique par les extravagances qui accompagnent parfois les obsèques d'un cher disparu comme, par exemple, les cercueils en or massif et les relents de paganisme qui font que la défunte est ornée de tous les bijoux et pierres précieuses qu'elle a portés durant son existence.

s'est peut-être recueillie clandestinement ne recouvre plus les restes de sa fille. Elle enquête et découvre la nouvelle sépulture. Elle se rend au McGregor Memorial. Malheureusement pour elle, on y monte la garde à l'entrée...

Wenchell Davis fronça les sourcils.

— Il faudrait appointer quelqu'un en permanence ?

— Si vous êtes prêt à en assumer les frais.

L'éditeur se braqua :

— Oublions cette question, si vous le voulez bien.

— Alors, effectivement, il faudra appointer quelqu'un en permanence. Deux personnes seraient l'idéal.

Audrey se manifesta :

— Et si Hilda Balkanikoff ne tombait pas dans le piège ? Et si elle ne venait pas ?

Wenchell Davis s'était tourné vers elle :

— Néanmoins, vous êtes acquise au principe, Audrey ?

— Je le suis, mais je demeure dans le doute quant à son efficacité.

Johnny Coll contre-attaqua :

— On ne peut rien trouver d'autre, à mon avis. Mr. Davis avait raison tout à l'heure. Il faut lui tendre un piège. Mais, évidemment, personne ne peut dire à l'avance si ce piège fonctionnera.

— Quelles sont les probabilités ? insista Audrey.

Il fit la grimace.

— Une sur cent, à vrai dire. Nous avons affaire à quelqu'un de rusé qui n'hésite pas à recourir à l'assassinat. Elle peut effectivement subodorer quelque chose de louche, mais l'histoire des fiançailles avec Peter peut la laisser confondue. Elle risque de s'interroger : « Et si c'était vrai ? »

— Nous adoptons votre plan, conclut Wenchell Davis. Maintenant, rodons les détails.

*
* *

C'était l'une des salles de banquets privées que l'hôtel *Barbizon-Plaza,* au coin de la 58e Rue et de l'Avenue of the Americas que les New-Yorkais s'obstinaient à appeler 6e Avenue, son ancienne dénomination, offrait à sa riche clientèle pour la tenue de conférences, de conventions, de réunions électorales, de séminaires et autres manifestations rassemblant plusieurs centaines de personnes, le nombre pouvant grimper jusqu'au millier.

Sous les passerelles métalliques des cintres, à la lumière aveuglante des spotlights, les caméras des chaînes de télévision C.B.S., N.B.C. et A.B.C. et leurs techniciens attendaient patiemment le début de la conférence de presse. Les câbles électriques s'enchevêtraient sur le sol comme des serpents gigantesques.

Des rangées de chaises avaient été disposées dans la salle en un ordre approximatif. L'estrade était hérissée de micros rassemblés à mi-hauteur en un buisson qui plongeait vers le centre d'une longue table recouverte d'une nappe rouge. Le rouge passait toujours bien à l'écran, s'étaient réjouis les techniciens.

Toutes les chaises étaient occupées par les représentants des grands organes de la presse écrite et parlée qui, pour le moment, devisaient avec excitation ou nervosité, en surveillant les coulisses et l'horloge murale, dans l'attente des trois coups symboliques.

A la porte, l'habituel service d'ordre de l'hôtel *Barbizon-Plaza* filtrait les entrées et vérifiait les cartes d'invitation à la conférence de presse. Johnny Coll n'avait pas d'invitation mais grâce à celle que présenta Mary Jo Petriarco il put accompagner la jeune femme à l'intérieur de la salle. Ils dénichèrent deux chaises libres tout au fond de celle-ci, sous une reproduction du *Chemin sous les arbres* de Corot, l'un des peintres de la fameuse école de Barbizon qui avait donné la moitié de son nom à l'hôtel.

— Dans cinq minutes la conférence de presse commence, murmura Mary Jo.

Ils n'eurent guère en effet, comme tous les autres présents, à attendre. Sur l'estrade parut un homme qui ressemblait à un ordonnateur de pompes funèbres. Sa mine était sombre, ses gestes cauteleux et son sourire en coin de rue louche. Il avait le teint pâle et quelque chose d'évanescent dans le visage. Il réclama le silence, en se penchant derrière le buisson de micros, et l'obtint rapidement tant la curiosité était grande dans la salle.

— Mesdames et messieurs, recommanda-t-il, je vous prie de vous asseoir et de faire silence. Nous allons commencer la conférence de presse.

Il opéra un quart de tour sur les talons, s'inclina vers les coulisses sur sa gauche et annonça d'une voix tonitruante :

— Mr. Walter Jackson !

Un homme grand, svelte, à la chevelure abondante et blanche, aux joues lisses, au teint prospère, à l'œil bleu perçant dans un teint bronzé, habillé d'un costume sur mesure merveilleusement coupé dans le style Madison Avenue, s'avança sur l'estrade d'une démarche élastique qui le propulsait sur la pointe des semelles. Il alla s'asseoir derrière la table recouverte de la nappe rouge et, aussitôt, les caméras des trois grandes chaînes de télévision américaines se mirent en branle, en s'animant, avançant, reculant, s'inclinant en un ballet fantastique, dans un ronronnement vibrant pendant que leurs yeux de verre captaient la silhouette de l'homme sur tous ses angles.

Walter Jackson ébaucha un sourire cordial et se pencha vers le buisson de micros dont chacun portait sur son manche le nom de son propriétaire.

— Merci d'être venus, mesdames et messieurs de la presse, préambula-t-il. Je vous ai demandé d'assister à cette conférence un peu impromptue, je l'avoue et vous prie de m'en excuser avec beaucoup d'indulgence, car j'ai une communication importante à vous faire. Je commence par un bref rappel des faits. Depuis longtemps me tenait à cœur un projet que je rêvais de concrétiser. Celui d'exposer à New York dans un but purement culturel la momie du grand pharaon qu'était Ramsès II conservée, comme vous le savez, au musée du Caire. Je suis finalement parvenu à mes fins. Le musée du Caire m'a donné son accord en contrepartie du versement d'une somme de quinze millions de dollars que mes associés et moi avons réunie. Pour exposer la momie j'ai loué la grande arène sportive qu'est le Madison Square Garden, en plein cœur de Manhattan. Le but de cette grande réjouissance culturelle est double. D'une part, faire bénéficier les Américains du Nord-Est des Etats-Unis du spectacle fantastique que représente la vue d'une momie parvenue jusqu'à nous par-delà trente-trois siècles d'Histoire dans un état de conservation qui défie l'imagination humaine. D'autre part, offrir au musée du Caire quinze millions de dollars qui seront les bienvenus et serviront à sauver les trésors en péril que recèle cette armoire à chefs-d'œuvre historiques qu'est l'Egypte.

Une salve d'applaudissements crépita dans la salle. Johnny Coll se pencha à l'oreille de Mary Jo.

— Il obtient un franc succès, ton Walter Jackson! remarqua-t-il. Tu es sûre que c'est un ex-trafiquant de drogue? Il me fait l'effet d'un mécène!

— Attendons la suite, maugréa-t-elle.

— J'étais sur le point de réussir mon coup de poker fantastique, poursuivait Walter Jackson, la mine navrée, lorsque des pirates de l'air se sont emparés du 747 qui transportait à son bord la momie de Ramsès II ainsi que de nombreux journalistes de la presse écrite et parlée que j'avais conviés à cet événement et dont certains se trouvent peut-être aujourd'hui même dans cette salle puisque, comme vous le savez, le 747 et ses passagers ont été rendus à la liberté par le gang qui a pris le contrôle de l'avion durant le vol Le Caire-New York.

Sa voix prit un tour ironique.

— Naturellement, ces gangsters n'ont pas agi dans un but désintéressé. Ils n'ont pas l'intention de contempler avec ravissement la momie de Ramsès II. Leurs motivations sont sordides. L'argent. L'argent qui pourrit, qui corrompt notre société. Ils exigent une rançon pour restituer ce précieux trésor sur lequel ils ont mis la main en utilisant des méthodes inqualifiables.

— Combien ? demanda Tom Hagen qui assistait à la conférence de presse en même temps d'ailleurs que Jerry Ostinger et Steve Kohlzen.

Les yeux de Walter Jackson se firent sévères.

— Quinze millions de dollars ! Une somme exorbitante !

— Vous êtes prêt à payer ? lança Steve Kohlzen du fond de la salle.

— Mes associés et moi sommes bien obligés de venir à résipiscence. Il nous est impossible de laisser un bien aussi précieux entre les mains d'irresponsables qui risquent d'endommager irréversiblement ce chef-d'œuvre historique.

— Comment comptez-vous récupérer cette somme ? s'enquit Jerry Ostinger qui se trouvait assis dans la première rangée de chaises.

— Je ne suis pas sûr que nous la récupérions, répliqua Walter Jackson.

— Combien d'entrées escomptez-vous au Madison Square Garden ? interrogea l'envoyé du *Baltimore Sun*.

— Dix millions d'entrées.

— A combien par tête ?

— Dix dollars.

— Ça vous laisse une marge de manœuvre suffisante ! fit remarquer d'un ton acide le représentant du *Washington Post*.

— Eh ! pas si vite ! protesta Walter Jackson. N'oubliez pas les frais énormes de publicité et la location du Madison Square Garden ! Nous en serons de notre poche ! Mais tant pis ! Mes associés et moi aurons la satisfaction du devoir accompli et, surtout, d'avoir contribué à mettre sur pied une œuvre à but culturel ! C'est rare de nos jours où l'esprit de lucre gouverne les actions des hommes !

— Comment se sont opérés vos contacts avec les pirates de l'air ? voulut savoir le présentateur du journal télévisé de la N.B.C.

Immédiatement le visage épanoui de Walter Jackson se ferma.

— Impossible de répondre à cette question. Elle mettrait en danger les pourparlers que nous avons engagés avec les gangsters.

Le présentateur du journal télévisé de la chaîne A.B.C. se leva à son tour. Il ne voulait pas être en reste avec ses concurrents. Les caméras marquées du sigle A.B.C. s'orientèrent sur lui.

— Dans quelles conditions allez-vous verser la rançon ?

— Même réponse.

— Avez-vous une idée de l'identité de ces pirates de l'air ?

— Non.

— Qui, selon vous, est derrière l'enlèvement de la momie de Ramsès II ?

— Je l'ignore.

— On a parlé d'une puissante organisation ?

— Aucune idée à ce sujet.

— La Mafia, par exemple ?

— La Mafia a bon dos. On lui impute tous les crimes de la terre à partir du moment où ils ne sont pas résolus.

Le ton de Walter Jackson s'était fait sarcastique.

— On a même mentionné le nom de Joey Cianfarolo, le

boss de Brooklyn, celui que l'on accuse aussi d'avoir fait assassiner « The Swanks » LoCicero.

— Si je mentionnais un nom quelconque on m'intenterait un procès en diffamation, plaisanta Walter Jackson. Je préfère donc m'abstenir. En tout état de cause, j'ignore absolument qui peut avoir organisé ce détournement d'avion.

Tom Hagen intervenait à nouveau :

— J'étais dans le 747. Je peux donc témoigner. Les pirates de l'air étaient montés au Caire et étaient présentés comme des policiers. Comment cette chose incroyable a-t-elle pu se produire ? Des policiers qui se transforment en pirates de l'air en cours de vol ?

Walter Jackson releva la tête en un geste farouche.

— La police égyptienne a enquêté. Les cinq policiers affectés à la protection de la momie de Ramsès II durant le voyage ont été kidnappés sur le chemin de l'aéroport et cinq inconnus ont pris leur place. Voilà l'explication. Un coup d'une hardiesse folle qui avait une chance sur mille de réussir mais qui, malheureusement, a réussi.

— Et la police égyptienne n'a pas identifié ces cinq inconnus ? insista Tom Hagen.

— Non.

— A-t-elle une idée de qui il peut bien s'agir ?

— Non.

— Peut-être des terroristes palestiniens ?

— C'est une hypothèse à envisager.

— Le fameux Carlos ?

— Pourquoi pas ?

Walter Jackson était à nouveau détendu. Il souriait même paternellement tandis que, les mains croisées derrière le dos, le faux ordonnateur de pompes funèbres à la mine sombre, aux gestes cauteleux, au sourire en coin de rue louche, penchait la tête de côté comme une buse lissant ses plumes.

Johnny Coll avait légèrement tressailli en entendant

mentionner les noms de Joey Cianfarolo et de « The Swanks » LoCicero. Voilà qui le ramenait à ses premiers tâtonnements dans la contre-enquête relative à l'assassinat de Peter Coogan. Joey Cianfarolo, « The Swanks » LoCicero, Louis Rodgers, le tueur à gages... Il en avait fait du chemin depuis !

Mary Jo se leva à son tour. Elle était trop éloignée pour bien se faire entendre. Aussi s'avança-t-elle jusqu'à la lisière de l'estrade à travers la foule de ses confrères et consœurs et en foulant la forêt de câbles qui convergeaient vers les caméras de télévision et les spotlights. Fiévreusement, les journalistes sur son passage prenaient des notes. Tom Hagen venait juste de se rasseoir. Elle se présenta :

— Mary Jo Petriarco du *New York Post*.

Walter Jackson lui adressa un sourire bienveillant.

— Je vous écoute, miss Petriarco, encouragea-t-il.

— Je m'inquiète au sujet de la momie, Mr. Jackson. N'est-elle pas fragile ?

Walter Jackson sourit de plus belle, soulagé. Les questions au sujet de la Mafia, de Joey Cianfarolo, de Carlos, des terroristes palestiniens, de la police égyptienne, lui avaient mis les nerfs à vif.

— Excellente question, miss Petriarco, félicita-t-il. Je vais y répondre. L'une des clauses du contrat passé entre, d'une part, le musée du Caire et, d'autre part, mes associés et moi-même, relatif au prêt de la momie de Ramsès II, prévoyait qu'une équipe de techniciens du musée du Caire ainsi qu'une seconde équipe dite « médicale » veilleraient en permanence sur le défunt pharaon. Au crédit des pirates de l'air il faut porter le fait qu'ils ont gardé avec eux les membres de ces deux équipes alors qu'ils ont libéré le 747 et le restant des passagers.

— Etes-vous certain que les conditions dans lesquelles se trouve actuellement cette momie sont bonnes pour, si j'ose dire, sa « santé » ?

— Les pirates de l'air ont emporté avec eux toute l'unité de conservation. La momie a dans le passé été attaquée par des bactéries. Des spécialistes français l'ont soignée à Paris durant sept mois et ont réussi la prouesse de la guérir (1). A présent, elle est enfermée dans une vitrine de type incubateur qui la protège de l'humidité. L'air y est pulsé par un petit générateur équipé de batteries. La vitrine, le générateur et les batteries constituent l'unité de conservation dont je parlais à l'instant et que les pirates de l'air ont emmenée avec eux en même temps que les deux équipes de surveillance. J'ai bon espoir que tout se passe bien de ce côté-là. D'ailleurs, miss Petriarco, j'ai reçu des pirates de l'air des assurances formelles à cet égard. Croyez bien que c'est une chose dont je me suis immédiatement inquiété.

Mary Jo se dandinait d'un pied sur l'autre.

— N'est-il pas vrai qu'il n'y a guère les batteries du générateur sont tombées en panne au musée du Caire et qu'on a dû brancher en catastrophe la machine sur secteur (2) ?

— Vous avez des renseignements de première main. Félicitations au *New York Post,* concéda Walter Jackson. Effectivement, un incident de cet ordre est survenu il y a quelques mois.

— N'avez-vous pas peur qu'il puisse se produire à nouveau et que dans la cachette où les pirates de l'air dissimulent la momie on n'ait pas la possibilité de brancher la machine sur secteur en cas de batteries défaillantes ?

— Non, car après ce premier incident au musée du Caire il y a quelques mois des batteries de secours ont été affectées à l'unité de conservation, ce qui revient à dire que les pirates de l'air ont à leur disposition

(1) Authentique.

tous les moyens de maintenir Ramsès II « en vie ».

Mary Jo regardait sur son bloc-notes les questions qu'elle avait préparées à l'avance. Elle releva la tête.

— Comment est-il possible, selon vous, que les pirates de l'air soient parvenus à échapper aux recherches ?

Un brin de condescendance effleura les lèvres de Walter Jackson.

— Cela tient, miss Petriarco, à la configuration géographique de la région dans laquelle s'est posé le 747. Un lieu désolé, déserté par les peuplades indiennes, avec des collines, des montagnes et des grottes. Par ailleurs, nous avons affaire à un jeune pays qui a accédé il y a peu à l'indépendance et qui apprend, avec les périodes de rodage habituelles, à se gouverner. Naturellement, les forces de police locales sont quasi inexistantes. Ce fait conduit à penser que les pirates de l'air ne seront jamais démasqués. Il faut reconnaître qu'ils ont agi avec beaucoup d'audace, d'intelligence et d'imagination. Découvrir cette vieille avenue maya relève du tour de force. C'est tout, miss Petriarco ?

— Non, Mr. Jackson. Vous nous avez beaucoup parlé de vos associés. Qui sont-ils ?

— Des hommes d'affaires.

Le ton était prudent.

— Mais encore ?

La salle emplie des journalistes et des techniciens de la télévision retenait son souffle.

— Ils tiennent à conserver l'anonymat, répondit Walter Jackson, la mine sévère. Je suis le seul à apparaître en titre. Mes associés sont les bailleurs de fonds. Comme vous le savez probablement, je suis un promoteur de spectacles culturels.

— Comme le dernier championnat du monde de boxe des poids lourds ?

Il se frotta les mains avec componction avant de répondre, puis :

— Le sport fait partie de la culture, miss Petriarco.

— Nul antagonisme de ma part à ce sujet, croyez-le bien, Mr. Jackson. Une dernière question et je vous délivre. Des rumeurs en provenance du Sud-Est asiatique, et de dernière heure comme il se doit dans une salle de rédaction, ont touché le *New York Post*. Ces rumeurs affirment que parmi vos associés on compterait le général Lim Lok Siang qui, comme vous le savez, est le grand maître du Triangle d'Or aux confins du Laos, de la Birmanie et de la Thaïlande et, à ce titre, soupçonné d'être l'un des organisateurs du trafic mondial de drogue. Est-ce l'expression de la vérité ?

Walter Jackson n'avait pas perdu contenance. Son visage s'était seulement complètement fermé. Il prit un temps de réflexion puis sa voix claqua sèchement :

— Ces rumeurs sont calomnieuses, miss Petriarco. Je conseille au *New York Post* de mieux surveiller la qualité et la crédibilité de ses informations.

Mary Jo tourna les talons et regagna sa place. Johnny Coll se pencha à son oreille.

— Tu es folle ! reprocha-t-il. Tu bousilles ton enquête en lui annonçant la couleur !

— Il le sait déjà. Lim Lok Siang a dû l'avertir après notre fuite. De toute façon, j'ai agi en accord avec mon rédacteur en chef. Il faut débusquer le lièvre, le forcer à faire un mauvais pas en croyant se protéger. Il a déjà cette affaire de momie sur le dos. Il ne doit pas tenir à ce qu'on enquête sur son passé !

— Quelles mesures pour se protéger penses-tu qu'il puisse prendre ?

— Je l'ignore. En ce moment on joue au jeu des fléchettes.

— Je trouve suspecte cette histoire de momie kidnappée et échangée contre rançon. Une somme fabuleuse ! Quinze millions de dollars ! Bon sang, où ces types vont-ils chercher tout ce fric ? Le plus gros chèque que j'aie jamais tiré de ma vie a été de quinze cents dollars !

— Moi aussi j'ai tendance à trouver bizarre cette histoire d'enlèvement et ces associés qui se parent de l'anonymat le plus complet.

— Et les prétentions à la culture dont Jackson entoure chacune de ses phrases. Il est redondant. On dirait un politicien en tournée électorale.

— Peut-être envisage-t-il d'établir une Fondation comme Carnegie ou Rockefeller ? se moqua Mary Jo. Admirez, bonnes gens, Walter Jackson, le Grand Initiateur des Américains à la culture de masse ! Claquez des talons, saluez de la main droite avec la main gauche plaquée contre la couture du pantalon, garde à vous ! Et ôtez de la bouche votre cure-dent, cessez de mastiquer du chewing-gum, c'est anticulturel !

La conférence de presse se terminait. Walter Jackson disparaissait rapidement, suivi de l'ordonnateur de pompes funèbres. Les caméras s'éteignaient, les journalistes se levaient, les techniciens s'affairaient, tiraient sur leurs câbles. Mary Jo et Johnny Coll firent comme tout le monde et se dirigèrent vers la sortie. Le second était tout songeur.

— A quoi penses-tu ? interrogea Mary Jo.

— A l'ironie de l'Histoire. Un représentant d'une civilisation disparue, celle de l'Ancienne Egypte, ce Ramsès II, qui se retrouve par-dessus l'océan Atlantique propulsé dans sa vitrine de type incubateur dans une région d'Amérique centrale qui fut un des hauts lieux d'une autre civilisation disparue, celle des Mayas !

CHAPITRE XXII

Joseph Loew était perplexe. Pourquoi *les autres* avaient-ils choisi cet homme ? Ils étaient fous ou quoi ?

Devant lui se tenait un voyou des rues fier et orgueil- leux qui parlait l'argot authentique du Milieu new- yorkais. Certes, sous cette façade, Joseph Loew savait que se dissimulait le cynisme d'un homme conscient d'avoir découvert le secret de la vie, un secret beaucoup trop stressant pour son goût. Et, néanmoins, il y avait quelque chose de pitoyable dans son regard, une angoisse cachée, un appel au secours, un signal de détresse qui allumaient de temps en temps une lueur furtive, pudique, qui scintillait à contrecœur et s'éteignait par crainte de révéler la vulnérabilité de l'homme.

— Ainsi vous êtes celui qu'ils ont choisi ?

— Oui.

Il s'appelait Jacob Friedlander mais était plus connu dans le Milieu new-yorkais sous le diminutif de Jake, et plus particulièrement de Jake Freddy pour le distinguer des innombrables Jakes qui florissaient dans la pègre. Sa vie se déroulait dans les bars à filles, sur les champs de courses, dans les ruelles sombres où s'échangeaient contre de beaux billets verts drogue et armes, dans les arrière-boutiques où l'on procédait à la contrefaçon de chèques certifiés, de cartes de crédit volées, à la vente en demi-gros de fausse monnaie, dans les tripots à poker et à passe anglaise. De temps en temps, dans son hôtel discret de la 50ᵉ Rue entre la 9ᵉ et la 10ᵉ Avenues, il recevait un coup de téléphone dont la durée n'excédait jamais quinze secondes et il partait pour un rendez-vous mystérieux en utilisant d'innombrables détours pour s'assurer qu'il n'était pas suivi. Parfois, muni d'un passeport authentique ou faux, il quittait le territoire des Etats-Unis et s'envolait pour un pays d'Amérique centrale ou du Sud. Il était intelligent et plein de ressources, capable de parler plusieurs langues : anglais, allemand, espagnol, hébreu, yiddisch et français. Il était né en Allemagne cinquante ans plus tôt et, avec ses parents, avait émigré en France en 1938. Durant l'occupation allemande, il s'était terré avec sa famille dans une ferme d'Auvergne et tous avaient échappé aux persécutions raciales. La paix revenue, ses parents avaient décidé d'émigrer à Cuba car l'Europe leur brûlait la plante des pieds.

Un jour il avait décidé d'écrire ses mémoires avec l'intention d'en faire un best-seller. Les droits d'auteur, était-il persuadé, lui permettraient d'être à l'aise financièrement et de ne plus dépendre des trafiquants de drogue, d'armes, de fausse monnaie, de cartes de crédit volées et de faux chèques certifiés. Il émergerait alors de l'univers des putes et des joueurs professionnels de poker et de billard.

Il avait, effectivement, commencé la rédaction de ces mémoires qui devaient lui apporter le succès, en mélangeant soigneusement vérité et fiction, à doses égales mais en exagérant fortement l'importance de ses actions et le rôle qu'on lui avait attribué. Personne n'avait encore lu la partie déjà rédigée du manuscrit mais sa dizaine de chapitres donnait l'impression que Jacob « Jake Freddy » Friedlander avait vécu dix mille ans.

Il racontait qu'il avait participé avec Fidel Castro au Mouvement du Vingt-Six Juillet et que c'était lui le conseiller militaire du *Barbudo,* que ce dernier et Che Guevara lui mangeaient dans la main, que sans lui le coup d'Etat aurait été un échec. Ensuite il avait rompu avec Castro à cause de sa politique marxiste et avait épousé la cause des Cubains anticastristes de Floride. La C.I.A. l'avait supplié de diriger le débarquement à la Baie des Cochons. Il avait refusé parce que le Président Kennedy lui mesurait l'appui naval et aérien qu'il exigeait. Naturellement, sans lui, l'invasion de Cuba s'était terminée par un fiasco. Pleins de rancœur contre Kennedy, les Cubains anticastristes lui auraient demandé alors d'assassiner le Président des Etats-Unis, ce qu'il avait fait après avoir monté l'affaire en compagnie des plus grands *capi mafiosi* du pays. Sa réputation, son talent, avaient franchi les limites du territoire des Etats-Unis. Chaque matin, devant sa porte, il trouvait des solliciteurs qui le suppliaient d'aller tuer de Gaulle, Idi Amin Dada, les colonels grecs, Franco, Bokassa, Brejnev, Begin, Yasser Arafat, le Chah d'Iran et, plus récemment, l'ayatollah Khomeiny. Il refusait car Jehovah lui était apparu un jour où il priait dans une synagogue et l'avait sévèrement sermonné. Depuis il était l'homme le plus pieux du monde. C'est tout juste si, de temps en temps, il acceptait une mission pour le compte du MOSSAD, le service de Renseignements israélien.

Naturellement, ceux qui avaient envoyé Joseph Loew à New York ignoraient le caractère mythomane de Jacob « Jake Freddy » Friedlander. Sinon, il est douteux qu'ils l'eussent choisi comme contact. Joseph Loew, d'ailleurs, et malgré son étonnement, ne pouvait imaginer un seul instant que l'homme qui se trouvait devant lui dans ce bungalow d'un motel perdu aux confins de l'Etat de New York, tout près de la frontière avec l'Etat de Pennsylvanie, fût un personnage qui rêvait sa vie autant qu'il la vivait.

Le rendez-vous avait été convenu à l'avance. Les deux

hommes s'y étaient rendus en prenant mille précautions et en utilisant des voitures de location. Joseph Loew s'était logé dans un motel près du lac Erié et n'avait rallié celui que Friedlander avait élu comme lieu de rencontre qu'après minuit en utilisant de mauvaises routes de traverse et en passant deux heures à couvrir les vingt-cinq *miles* de distance.

Et maintenant il était là, face à cet homme qui ne lui inspirait qu'une confiance médiocre et dont les traits lui remettaient en mémoire les films hollywoodiens de série B dans lesquels les deuxièmes couteaux avaient des mines patibulaires et parlaient en tordant l'un des coins de la bouche et en nasillant les termes argotiques.

— Vous avez le signe de reconnaissance ?

Joseph Loew fouilla dans sa poche et en sortit la photographie. Elle montrait l'obélisque de la place de la Concorde à Paris. Devant se tenait une jeune femme aux longs cheveux noirs dont les mains étaient serrées sur le guidon d'un landau. Friedlander examina attentivement la photographie. Joseph Loew connaissait les détails qu'il recherchait : la couleur du landau (bleu ciel), celle de la jupe de la fille (rouge) et l'inscription sur le cabas qu'elle avait posé sur le trottoir en biais afin que les lettres soient bien visibles : « Alitalia ».

Friedlander posa la photographie sur le dessus du lit.

— Ça colle, mon pote.

— A votre tour, exigea son visiteur.

— Sûr.

De la poche intérieure de son veston un peu trop voyant et qui faisait grincer les dents de Joseph Loew, il extirpa une carte postale avec la prestesse de doigts d'un croupier de casino distribuant les cartes à une table de blackjack. Elle voltigea et atterrit dans la main tendue de Loew. Il l'examina avec le même soin que Friedlander avait apporté à vérifier la photographie. Elle représentait une vue aérienne de New York·City, et plus particulièrement de Manhattan. L'image classique. Mais certains gratte-ciel étaient percés de trous d'épingle, comme l'Empire State Building, le Rockefeller Center, les sœurs jumelles du World Trade Center et l'immeuble des Nations unies le long de l'East River. Au verso, les trous étaient reliés entre eux par des traits à l'encre rouge. Dans la figure géométrique ainsi construite était inscrit un seul mot en lettres noires, un mot hébreu qui signifiait « œil » et qui, en réalité, ne constituait qu'un seul élément du vieil adage juif : *aïne takhat aïne, chen takhat chen*, œil pour œil, dent pour dent.

Joseph Loew jeta la carte postale sur le lit à côté de la photographie.

— Je suis satisfait. Les questions, à présent.

Friedlander acquiesça :

— J'écoute.

— Dans quel pays coule l'Euphrate ?

— Le Paraguay.

— Le Gange ?

— Le Canada.

— Le Tibre ?

— La Corée du Sud.

— Parfait. Ce sont les bonnes réponses.

— A votre tour. Les capitales. Buenos Aires ?

— Pakistan.

— Caracas ?

— Italie.

— Bucarest ?

— Nigeria.

Friedlander attrapa les deux mains de son interlocuteur et les serra vigoureusement. Joseph Loew ne put réprimer un mouvement de dégoût. Décidément, s'avoua-t-il, il ne pouvait se faire au personnage.

— On fête ça. J'ai une gnôle terrible. Un *moonshiner* de la vieille école. Il ne veut pas déhotter. Il doit avoir dans les quatre-vingt-dix ans. Il a fait ses débuts au

temps de la Prohibition, tu te rends compte, mon frère ?
Il a connu tous les grands *bootleggers*. Il a encore son
matériel de l'époque, alambic et tout, et il te produit de
la gnôle extra. Ça te râpe le gosier, c'est chouette.

— Je ne bois pas d'alcool, répliqua Joseph Loew d'un
ton ferme.

Friedlander fronça les sourcils.

— Tu ne vas pas jouer au cul bénit avec moi ? Où es
qu'y vont chercher leurs mecs maintenant, les autres ?
Chez les rabbins ? J' te l' dis tout de suite, mon pote,
j'aime pas les puritains. Bon Dieu, faut profiter de la vie !
Un coup de gnôle n'a jamais fait de mal à personne !

Joseph Loew resta ferme.

— Pas d'alcool. Et pas de futilités non plus. Vous avez
une mission à remplir. Moi également. Ne perdons pas de
temps en choses vaines. « Ils » comptent sur nous.

— Mon cul. La gnôle d'abord.

Mon Dieu, où étaient-ils allés chercher cet homme
impossible ? se plaignit Joseph Loew en son for intérieur.
Il se remémorait son entretien avec ceux de la station de
métro Arsenal. Etaient-ils devenus fous ou quoi ? La
qualité de leurs contacts décroissait, c'était certain.

L'autre emplissait un verre, buvait. Ses yeux gris se
posaient à présent sur Joseph Loew et le scrutaient avec
attention, de l'air qu'ont les voyous quand ils cherchent à
détecter le flic.

— « Ils » me font penser à Hoover, jeta-t-il d'un ton
méprisant.

— Hoover ?

Joseph Loew ne connaissait personne du nom de
Hoover. Friedlander eut une moue de dédain devant
l'ignorance de son visiteur.

— J. Edgar Hoover, expliqua-t-il, l'ancien directeur du
F.B.I. Il aimait s'entourer de Mormons tout comme
Howard Hughes. Des puritains, des gens qui ne boivent
pas, fument pas et baisent pas. En résumé, des cons. J'ai

pas confiance dans les gens qui ne boivent pas, fument pas et baisent pas. C'est pas normal.

Mon Dieu, pria Joseph Loew, quand cette épreuve va-t-elle se terminer ?

Mais il ignorait que Friedlander était aussi un professionnel et qu'il ne perdait jamais de vue les intérêts qui dirigeaient son existence. Il était là dans un but bien précis et même si son partenaire appartenait à une catégorie d'hommes qu'il détestait, il savait se plier aux exigences du métier et des circonstances, et passer la vitesse supérieure en faisant abstraction de ses sentiments personnels.

« Jake Freddy » reposa son verre.

— Bien, maintenant finies les conneries. Toi et moi on a du boulot à faire.

Du doigt il désigna une valise posée de flanc sur le râtelier à bagages.

— Le matériel.

Joseph Loew fit un effort sur lui-même et entra dans le match.

— Tout est au point ?

— Qu'est-ce que tu crois ? répliqua « Jake Freddy » avec une morgue hautaine.

— Je veux le vérifier.

— Prends tout ton temps, mon pote.

Joseph Loew s'avança, agrippa la poignée de la valise et retourna la déposer sur le lit avant de l'ouvrir et d'en soulever le dessus. L'heure suivante il la consacra à un examen minutieux du contenu. Quand il la referma enfin, Friedlander s'enquit d'une voix dédaigneuse :

— Satisfait ?

— Ça me semble en ordre.

— Passons à la suite.

— Une question, d'abord. Il est bien entendu que vous m'accompagnez ?

— J'accompagne mais je ne reste pas jusqu'à la fin. La

partie « introduction », c'est mon rayon, exact. Des coulisses à la scène. Mais je ne demeure pas sur place à attendre que le rideau tombe à la fin du spectacle. Après le dernier acte tu joues de la guitare en solo, mon pote.

Joseph Loew se renfrogna.

— Ce n'est pas ce qu'on m'a dit, objecta-t-il.

— C'est ce que *moi* je leur ai dit ! contra Friedlander. Et c'est ma partition qu'on joue, pas la tienne. A prendre ou à laisser. Réfléchis avant de t'engager.

Joseph Loew n'avait pas à réfléchir. Il savait qu'il devait aller jusqu'au bout. Il s'était engagé à le faire et tant pis si ce mercenaire trichait sur les responsabilités. Il appartenait à une autre race d'hommes qui savait toujours surmonter les difficultés du moment et survivre envers et contre tout. La lassitude n'avait pas prise sur lui, pas plus que le découragement en dépit de toutes les épreuves, de tous les obstacles qu'on avait dressés sur sa route au cours de son existence. Il était endurci et cuirassé. D'une voix glaciale il laissa tomber :

— Je prends.

— Parfait, on passe aux détails.

— Chronologiquement, par où commence-t-on ? Et à quelle date agissons-nous ?

— Demain ou après-demain. La date exacte nous sera fournie par la presse.

— On ne peut pas avoir une meilleure approximation ?

— Non. Ça ne dépend pas de moi. Ça dépend de lui. Ou plutôt d'elle. De la momie.

Soudain, Friedlander éclata de rire.

— Faut avouer que c'est un truc vachement ahurissant le coup de la momie ! T'as des mecs comme ça qui te gambergent des affaires inimaginables, qui te montent une magouille terrible rien que pour prendre un maximum de fric ! Chapeau ! C'est face à des types pareils qu'on se sent tout petit !

— Revenons à notre mission, pria Joseph Loew d'un ton sec.

— Eh ! y a pas l' feu ! protesta le truand.

CHAPITRE XXIII

Walter Jackson avait eu deux bons prétextes pour se trouver là où il était, le second découlant du premier. En ce qui concernait celui-ci, tout était venu de Harold Greenspan, propriétaire du quart des casinos-hôtels de Las Vegas, avec lequel il avait eu des contacts d'affaires récemment pour l'organisation du championnat du monde de boxe des poids lourds qui s'était déroulé dans l'un des établissements appartenant à Greenspan. Ce dernier souhaitait que Jackson présente la momie de Ramsès II à Las Vegas comme il avait l'intention de le faire au Madison Square Garden de New York, du moins si Jackson récupérait bien la momie après paiement de la rançon de quinze millions de dollars. L'épouse de Walter Jackson se trouvait justement dans la capitale mondiale du jeu et, d'un coup de *jet,* il avait gagné le Nevada.

— Bon sang, Walt, s'était exclamé Greenspan, dès que vous avez récupéré la momie essayez donc de convaincre les Egyptiens de prolonger le contrat qu'ils ont passé avec vous et apportez-moi cette foutue momie ici ! Où allez-vous l'installer au Madison Square Garden ?

— A la place occupée par le ring lors des combats de boxe.

— Je ferai la même chose ici ! A la place du ring qui a

servi pour le championnat du monde, vous vous souvenez ?

Jackson avait secoué tristement la tête.

— Je doute que les Egyptiens acceptent, Harold. Surtout après cette histoire de rapt et de pirates de l'air. En
outre, ils se sentent ridicules. Pensez, cinq de leurs
policiers qui se font enlever et cinq truands qui prennent
leur place. Ils ont l'impression d'être la risée du monde
entier, et c'est le cas si l'on excepte les Israéliens qui
évitent dans leur presse de trop les matraquer, afin de
préserver les acquits des accords de Camp David.

— On partage les bénéfices, Walt. Fifty-fifty. Ça ferait
un boom. Au Madison Square Garden vous n'aurez que
les gens du Nord-Est comme visiteurs. Ici, nous aurons
l'Ouest et, surtout, la Californie. Les gens débarqueraient
par charters entiers. Ce serait une attraction bien supérieure à celle que leur offre Disneyland.

— Disneyworld m'a fait la même proposition en Floride. Et Disneyworld est bien plus grand que Disneyland.
Si j'écoutais tout le monde, je baladerais Ramsès II dans
les cinquante Etats. C'est impossible, les Egyptiens s'y
opposent.

— J'irais jusqu'à soixante pour vous et quarante pour
moi. Si on monte bien notre coup on peut s'engranger
jusqu'à cinquante millions de dollars. Pour attirer encore
plus les curieux, je pourrais même installer une machine
à sous géante qui balancerait des jackpots de dix mille
dollars ! On la truquerait un peu pour qu'il y ait plus de
gagnants que d'habitude. Ça se saurait et les gens
accourraient en foule !

Jackson était enfin parvenu à se débarrasser de Greenspan en lui promettant qu'il userait de tout son entregent
auprès des Egyptiens, de tout son pouvoir de séduction et
de persuasion pour les convaincre du bien-fondé de
l'opération.

— On leur refilera une partie des bénéfices à eux aussi,

avait précisé Greenspan. Faudra leur dire. Ça leur servira à mettre à jour deux ou trois autres momies ! Ils doivent bien en avoir en réserve dans leurs foutues pyramides ?

Jackson l'avait abandonné et était allé rejoindre sa femme dans leur suite du *Caesar's Palace.*

— Nous allons faire une excursion, avait-il averti.

— Où ? s'était-elle étonnée.

— Lac Mead et Vallée du Feu.

Elle avait suivi sans protester. Le circuit, si l'on prenait en considération les innombrables et indispensables arrêts pour admirer le paysage, durait environ quatre heures.

Walter Jackson vira sur un accotement assez large sur sa droite et s'arrêta.

— Descendons, ordonna-t-il.

Autour d'eux se découpaient les formes torturées de la Vallée du Feu. Des rochers rouge-orange, des pentes montagneuses ocre jaune, des éboulis vert-de-grisés. L'érosion du temps avait découpé des silhouettes étranges dans les parois rocheuses, qui imposaient à l'esprit des comparaisons zoologiques. Dos de chameau, tête de hyène, gueule de crocodile, cobra prêt à frapper, castor, nœud de vipères, coyote. Le paysage n'était pas aussi fantastique que dans Monument Valley en Arizona, là où se tournait la majorité des westerns, ou dans les gorges du Grand Canyon, mais le spectacle valait néanmoins le déplacement, accentué qu'il était par l'impression de désolation et d'immense solitude dont était imprégnée cette partie du désert où le vent soufflait en rafales qui arrachaient des myriades de parcelles de roches brisées en sculptant, jour après jour et le long des siècles d'Histoire, de nouvelles silhouettes aux formes fantasmagoriques.

— Pourquoi m'as-tu emmenée ici ? interrogea Claire, sa femme, à qui, au moment où ils quittaient le *Caesar's*

Palace, il avait imposé le silence jusqu'à ce qu'ils atteignent la Vallée du Feu.

— C'est une voiture de location.

— Et alors ?

— Les mesures de sécurité. Tout comme dans la chambre d'hôtel.

Elle fronça les sourcils.

— Tu crois que la voiture contient des micros ?

— On ne doit négliger aucun détail.

Il lui désigna un rocher.

— Viens.

Ils s'assirent tous deux sur le rebord poli par le vent et qui avait conservé la chaleur du soleil à présent déclinant.

— Nous sommes dans le désert, remarqua-t-il. Pas un chat aux environs. Nous pouvons parler librement car nous sommes sûrs qu'aucune oreille indiscrète ici nous écoute, ce qui n'est pas le cas dans notre chambre d'hôtel ou dans la voiture, sans parler de *quelque endroit que ce soit* à Las Vegas. Bien, ceci dit, où en sommes-nous ?

— Les six millions de dollars de la rançon ont bien été reçus par Rodriguez.

— On peut donc récupérer la momie ?

— Selon le plan prévu.

Il poussa un soupir de satisfaction. Il avait joué à la corde raide mais le résultat était là. Positif. Sans accrocs apparents. La trouvaille, c'était la piste maya au Belize. Ça, c'était à porter au crédit de Rodriguez. Depuis quelques années, la Colombie primait sur le marché de la drogue. Auparavant, il y avait eu le Triangle d'Or et le général Lim Lok Siang à un bout de la filière avec, en son centre, les laboratoires marseillais de la *French Connection* dont les représentants, truands du Milieu français, organisaient le trafic à partir du Brésil à destination des Etats-Unis. Mais ce temps était révolu. Les Chinois n'étaient plus de mode et Lim Lok Siang avait su, comme les autres, reconvertir ses billes en Amérique du Sud. Il avait envoyé ses instructeurs en Colombie et les paysans colombiens, comme avant eux ceux du Triangle d'Or, s'étaient mis à cultiver le pavot sous l'œil bienveillant des agents du gouvernement qui recevaient des enveloppes bourrées à craquer de billets de cent dollars. L'ambassadeur des Etats-Unis à Bogota avait protesté. En vain. Rodriguez, le patron de la *Columbian Connection,* arrosait de tous côtés.

L'étape pour ses avions en route vers le nord était justement la piste maya. Ensuite on procédait par relais, avec hélicoptères qui allaient déposer leurs ballots sur le pont de vedettes rapides dont le point de déchargement se situait dans quelque bayou obscur de Louisiane, là où près de deux siècles plus tôt le boucanier français Jean Lafitte entreposait ses trésors et ses produits de contrebande. L'Histoire était un perpétuel recommencement...

Quant à la momie, il gagnait sur les deux tableaux.

Il s'était lancé dans cette affaire avec quatre associés. Les négociations avec les Egyptiens avaient été menées promptement mais par lui seul. Les autres préféraient rester dans l'ombre car leurs activités habituelles leur permettaient peu de paraître sur le devant de la scène. C'est alors qu'il avait eu l'idée de l'enlèvement de la momie. Une idée faramineuse car, par ce biais, il escroquait douze millions de dollars à ses quatre associés, à partager en deux, six pour Rodriguez et six pour lui. Il avait fixé le montant de la rançon à quinze millions de dollars à diviser par cinq. Naturellement, lui n'avait pas eu à fournir sa part de trois millions de dollars et sur les douze ainsi collectés il en avait expédié la moitié à Rodriguez par l'intermédiaire de Claire.

Rodriguez méritait largement sa part car c'était lui qui avait tout organisé en même temps qu'il fournissait le matériel, le DC 4, entre autres choses, qui servait ordinairement au trafic de drogue. De même avait-il déniché le personnel adéquat, ses propres hommes en l'occurrence, sauf les faux policiers égyptiens qui étaient en réalité des Palestiniens blasés sur l'opportunité des opérations terroristes pour lesquelles ils avaient été entraînés et qui, désormais, se louaient au plus offrant pour les tâches les plus diverses. La plupart du temps, le colonel Kadhafi était leur employeur, mais Rodriguez avait su les convaincre, moyennant une part appréciable du gâteau, de se joindre à l'opération. Il était indispensable, en effet, pour la vraisemblance de la substitution, d'avoir d'authentiques Arabes assumant le rôle de policiers égyptiens. En outre, les Palestiniens bénéficiaient de nombreuses complicités au Caire, ce dont Rodriguez était totalement dépourvu. Par ailleurs, l'un d'eux était un pilote de jet professionnel.

En revanche, c'était lui Walter Jackson qui avait organisé le tam-tam publicitaire autour de la momie et qui avait convié la presse écrite et parlée dans le 747 des Cinderella Airlines affrété pour aller chercher Ramsès II. Le tout à ses frais. Cela faisait aussi partie du plan mis au point pour le détournement d'avion et le kidnapping de la momie et des équipes de surveillance. Il savait que les représentants de la presse et de la télévision lui feraient une publicité formidable par la suite, qui assurerait un succès fantastique à son exposition de Ramsès II au Madison Square Garden. Un petit investissement financier et, en échange, il recevait une publicité gratuite de la part des médias. C'était cela qu'on appelait faire de bonnes affaires.

Maintenant, il ne restait plus à Rodriguez qu'à restituer Ramsès II et le tour était joué. Six millions de dollars de bénéfice avant même d'encaisser le paquet sur les entrées au Madison Square Garden. De la tarte aux pommes.

La restitution aurait lieu au Belize, à l'endroit même où le 747 s'était posé. Naturellement, quand la récupération aurait lieu les hommes de Rodriguez auraient franchi la frontière du Mexique depuis longtemps et auraient même regagné la Colombie. Mais, à nouveau, les journalistes de la presse écrite et parlée seraient là et, encore une fois, de la publicité gratuite ! Le nombre des entrées au Madison Square Garden serait vertigineux.

Claire remua sur son rocher.

— J'ai vu ta conférence de presse à la télévision, attaqua-t-elle.

Il se raidit. C'était pour lui un souvenir désagréable. Il avait voulu bien faire, mais n'en avait-il pas fait de trop ? Avec curiosité il demanda :

— Comment m'as-tu trouvé ?

— Parfait, sauf quand cette journaliste, miss Papacoco ou je ne sais quoi a posé ses questions.

— Mary Jo Petriarco, rectifia-t-il. Du *New York Post*.

— Une teigne.

— C'est elle qui est allée voir Lim Lok Siang. Elle s'est enfuie du Triangle d'Or en compagnie de ce flic privé Johnny Coll.

— Deux emmerdeurs.

— Ses questions ont fait mauvais effet ?

— Dévastatrices. Que comptes-tu faire ?

— Nous avons cette affaire de momie sur le dos, plaida-t-il. D'abord la récupération, ensuite l'exposition au Madison Square Garden. C'est du boulot. Il me faut aussi apaiser la rogne des quatre associés. Ce n'est pas de gaieté de cœur qu'ils ont craché trois millions de dollars au bassinet, crois-moi !

— J'imagine. Personne ne me soupçonne ?

— Non. De ton côté, Rodriguez ?

— Réglo. Comme toujours. Fantastique, ce bonhomme ! Une intelligence rare !

— Il est du calibre de Lim Lok Siang. On a touché le bon numéro avec lui !

Devant eux, par-delà une falaise découpée en dos de

chameau, le demi-cercle supérieur du disque solaire venait se poser en une bosse supplémentaire pour figurer un animal fantastique et inconnu silhouetté sur le ciel indigo.

Walter Jackson se leva de dessus le rocher.

— Viens, invita-t-il. Rentrons à Las Vegas.

Elle le retint par le bas du pantalon.

— Attends, Walt.

Il se retourna.

— Qu'y a-t-il ?

Il vit la lueur bien connue dans ses yeux gris et il comprit.

— Tu veux baiser ? lança-t-il crûment.

— Ce doit être le désert qui m'inspire.

Dans ce domaine, elle avait toujours été une bête, une chienne. Il était habitué et s'était toujours montré indulgent à son égard. Elle aurait fait une pute sensationnelle. Cent fois sur le métier remettez votre ouvrage. Toujours prête à dresser la table.

— Des gens peuvent passer en voiture, fit-il remarquer.

— Derrière la roche, là-bas, à une centaine de mètres, indiqua-t-elle, le bras levé. Viens, supplia-t-elle.

Il sentit son ventre s'embraser progressivement. Pas d'un seul coup, il était trop vieux pour cela, mais progressivement, comme un chauffe-eau électrique par accumulation. Il fit la grimace. Peu poétique, comme image.

Elle lui prenait la main après s'être levée de dessus le rocher à son tour. Il la suivit.

Le désir augmentait d'intensité dans son ventre. C'était vrai, se convainquit-il, que l'atmosphère du désert était aphrodisiaque. Avait-il déjà fait l'amour dans le désert ? Il chercha. Non, il ne se souvenait pas. Peu probable, décida-t-il. Avec une hôtesse de l'air, une fois, dans le galley d'un DC 8, oui... Très rapidement... Mais dans le désert ?... Décidément, non, jamais...

Dans le lointain des coyotes se firent entendre. Leur cri se situait entre le hurlement du loup et le jappement du chacal.

Les hordes de coyotes étaient dangereuses la nuit, affirmait-on. Ce péril possible exacerba son désir. Il accéléra l'allure. A présent c'était lui qui entraînait Claire.

Derrière la roche elle releva sa jupe et fit glisser ses dessous tandis qu'il baissait son pantalon. Il s'enfonça en elle avec brutalité comme elle aimait être pénétrée. Puis il s'activa rageusement. A la hussarde. Quand il explosa elle hurla et, dans son subconscient, il assimila son cri à celui des coyotes. Tout de suite il s'en voulut de cette comparaison. Il était trop tard, mais qu'importait puisqu'elle ignorait ses pensées.

— Toi aussi tu étais excité, admira-t-elle. J'avais peur que tu ne sois pas inspiré.

Il se rhabillait. Déjà son esprit retournait vers les horizons qui lui étaient familiers, Rodriguez, la momie de Ramsès II, les millions de dollars qu'il avait empochés et ceux sur lesquels il allait mettre la main. Dans quel domaine investirait-il ses gains ? Avec la part qui lui était revenue après l'organisation du championnat du monde des poids lourds, cela représentait un bon paquet !

Tous deux reprenaient le chemin inverse en direction de la voiture de location. Elle s'arrêta net à une dizaine de mètres du véhicule. Inquiet, il demanda :

— J'espère que tu n'as pas l'intention de récidiver ?

Il était tout contre elle et voyait la lueur trouble dans son regard. Par-delà la falaise en dos de chameau, le soleil avait complètement disparu, laissant derrière lui une flaque d'un orange sombre.

— Les cinq Palestiniens, murmura-t-elle.

— Et alors ? répliqua-t-il d'un ton impatient.

— Ils pourraient servir à nouveau...

— A quoi ?

— Ils sont toujours avec Rodriguez, ou plutôt pour le moment avec Ramsès II. On pourrait leur payer un contrat.

— Dans quel but ?

— Tuer Johnny Coll et Mary Jo Petriarco.

CHAPITRE XXIV

Le Madison Square Garden était plein à craquer mais les gens qui étaient là n'avaient acquitté nul droit d'entrée. C'était la grande première, la générale. Uniquement sur invitation. Naturellement, les représentants des médias étaient là, journalistes de la presse écrite et parlée, commentateurs de la télévision et techniciens affairés autour de leurs caméras, mais ils n'étaient pas les seuls. Le Tout-New York était présent tout comme le monde des arts et des lettres. Les sciences avaient délégué leurs membres les plus prestigieux, savants, égyptologues, professeurs. Les grandes universités de l'Ivy League (1) occupaient des places de choix tout comme le Massachusetts Institute of Technology. Hollywood s'était empressée d'expédier stars, producteurs et metteurs en scène renommés. Broadway était là avec ses vedettes du théâtre et du music-hall qui faisaient les yeux doux aux magnats hollywoodiens. Harlem avait envoyé la foule colorée de ses chanteurs et chanteuses et de ses musiciens de jazz aux cheveux blancs. Le sport n'avait pas été oublié. Football, base-ball, hockey sur glace,

(1) Nom donné aux universités les plus anciennes des U.S.A., Cornell, Yale, Princeton, Harvard, Columbia, Brown, Colgate, Dartmouth et Pennsylvania, réputées les plus snobs, au point que leurs équipes sportives ne jouent qu'entre elles et méprisent les autres compétitions nationales même professionnelles.

basket-ball et boxe étaient présents avec les joueurs d'élite des New York Mets, des Knicks, des Jets, des Giants, des Rangers et des Long Island Ducks.

Les milieux politiques avaient pris la navette aérienne Washington-New York. Capitol Hill avait envoyé ses Représentants et ses Sénateurs (1), le vice-Président des Etats-Unis était là, accompagné par des agents du Secret Service armés jusqu'aux dents, de même que des délégués des différents ministères et deux juges de la Cour suprême dont l'un avait à ses moments perdus écrit et publié un ouvrage-fleuve sur la civilisation égyptienne dans la vallée du Nil. Le gouverneur de l'Etat de New York et le lieutenant-gouverneur occupaient des places d'honneur en compagnie de leurs états-majors, tout comme le maire de New York City et son conseil municipal.

Le chef de la police avait reçu un millier d'invitations afin de truffer les travées d'agents en civil chargés de veiller à ce qu'un second enlèvement de la momie ne s'opère à la faveur des circonstances.

Jaloux de ses prérogatives et excipant du fait que le kidnapping et le transfert de la victime d'un Etat à un autre Etat constituaient un crime fédéral, le F.B.I. avait réclamé lui aussi une part des invitations et avait infiltré ses agents spéciaux à l'intérieur de l'arène sportive, en les disséminant dans les travées.

Le monde des affaires, quoique moins ostentatoire, l'emportait en nombre sur toutes les autres catégories. D'un côté le clinquant, de l'autre l'avenir, s'était dit Walter Jackson. Il n'oubliait pas les millions de dollars à investir dès qu'il en aurait terminé avec l'exposition de la momie de Ramsès II. Il convenait d'impressionner favorablement l'aristocratie des affaires de la Côte Est, car il

---

(1) Capitol Hill : colline dans la partie orientale de Washington, D.C., où siègent la Chambre des Représentants et le Sénat américains.

était à la recherche de respectabilité et une association avec ces business-men à la façade irréprochable pouvait la lui procurer. Certes, ils étaient snobs et auraient probablement tendance à le regarder avec condescendance, mais il se sentait suffisamment rusé pour les faire tomber dans sa chausse-trape personnelle. Son passé était là pour lui donner toutes assurances à cet égard mais, parallèlement, offrait des dangers incontestables. On ne s'associait pas impunément à des Lim Lok Siang ou des Rodriguez sans que, quelque part, une empreinte demeure indélébile.

Mais, en l'instant présent, ses pensées étaient euphoriques.

Il était debout à la tribune d'honneur surélevée dont le rectangle de bois du bas était drapé dans un immense drapeau aux couleurs égyptiennes avec les trois bandes latérales, rouge, blanche, noire, et les deux étoiles à cinq branches vertes placées au centre. L'ambassadeur d'Egypte à Washington avait fait le voyage et il se tenait à sa droite, tandis que Claire se positionnait à sa gauche. Un peu en retrait, les mains croisées dans le dos, celui qui ressemblait à un ordonnateur de pompes funèbres fixait la salle, l'œil éteint.

Cette salle était l'*Arena*, celle louée pour un mois par Walter Jackson. Le Madison Square Garden Center en offrait d'autres : le *Sport Museum*, le *Felt Forum* et le *Hall of Fame*. L'*Arena* avait une contenance de vingt mille places. Le palais des sports de Manhattan tirait son nom du lieu où il était situé à l'origine. Madison Square, un jardin public à la rencontre de Broadway et de Madison Avenue, à la hauteur de la 23e Rue. Plus tard il avait été transféré au coin de la 8e Avenue et de la 50e Rue. C'était durant cette période qu'il avait connu sa plus grande gloire, avec l'organisation de championnats du monde de boxe de toutes les catégories. Sur son ring s'étaient produits les plus grands champions, Joe Louis, Tony

Zale, Ray Sugar Robinson, Rocky Graziano, Marcel Cerdan, Gus Lesnevich, Jake LaMotta, Rocky Marciano. En 1968 on avait construit le Madison Square Garden actuel, entre la 7e et 8e Avenues d'une part et la 31e et 33e Rues d'autre part, juste au-dessus de la gare ferroviaire de Pennsylvania Station, à deux pas du Two Penn Plaza, un building à la façade entièrement vitrée. Mais les boxeurs qui avaient fait son succès étaient entrés dans la légende et n'avaient pas été remplacés. Aussi ne bénéficiait-il pas de la même aura que son prédécesseur et présentait-il des spectacles autres que sportifs la plupart du temps.

L'exposition de la momie de Ramsès II en était un exemple.

Présentement elle occupait l'emplacement où se dressait le ring lors des combats de boxe. Walter Jackson avait bien fait les choses. Une longue table en marbre d'Italie avait été installée sur quatre socles d'acier en forme d'amphores grecques. Elle supportait la vitrine de type incubateur qui protégeait la momie de l'humidité ambiante et qui était alimentée par un générateur équipé de batteries, que l'on avait poussé entre les socles pour des raisons d'esthétique. La vitrine était évidemment transparente et l'on pouvait tout à loisir admirer la momie dans son état de fantastique conservation.

Walter Jackson avait fait appel à un grand couturier de Paris pour habiller les membres des deux équipes de surveillance. C'était ce genre de détail, s'était-il dit, qui faisait toute la différence entre un grand homme d'affaires et un besogneux de banlieue.

Un peu éberlués, hommes et femmes des équipes de surveillance et de protection du pharaon défunt s'étaient retrouvés habillés avec le plus grand chic parisien dans une sorte d'uniforme sobre mais agréable à l'œil. Malheureusement, ils n'étaient pas à l'aise dans leur rôle sous les regards curieux de milliers de personnes et cela se sentait, remarqua Walter Jackson sans s'alarmer outre mesure.

Il inspecta la salle. Elle était comble. Depuis quelques minutes les ouvreuses avaient cessé leur incessant ballet d'allers et retours entre le sommet des marches de chaque escalier et les différentes travées de l'arène sportive transformée pour un mois en succursale du musée du Caire. Elles étaient une centaine et chacune d'elles avait placé environ deux cents personnes, calcula-t-il.

L'arène était immense mais les architectes qui l'avaient conçue s'étaient penchés sur l'acoustique avec un soin tout particulier, si bien que l'ampleur du bruit que pouvaient causer vingt mille personnes était considérablement diminuée par la construction dite « en ventouse » qui aspirait les sons et les aimantait vers la voûte du plafond. Aussi Walter Jackson était-il surpris que le vacarme ne soit pas plus assourdissant. Il en avait été différemment lorsque quelques mois plus tôt avait eu lieu le championnat du monde des poids lourds à Las Vegas.

Il eut une dernière pensée pour tous les haut-parleurs disséminés aux endroits stratégiques, qui allaient dispenser ses paroles à la foule de ses invités et fit un pas en direction du buisson de micros qui s'évasait en corolles sur la rambarde de la tribune d'honneur aux couleurs égyptiennes. Il s'éclaircit la gorge et lança :

— Mesdames et messieurs, s'il vous plaît !

Il dut répéter la phrase une demi-douzaine de fois avant d'obtenir enfin un silence acceptable. Il dirigea sa paume ouverte vers sa droite.

— Permettez-moi de vous présenter Son Excellence Abder Haman Boucharatt, ambassadeur d'Egypte à Washington.

Salve d'applaudissements.

Sa paume revint vers sa gauche.

— Mon épouse Claire qui n'a pas ménagé ses efforts pour m'aider à vous présenter ce soir la momie de Ramsès II.

Tonnerre d'applaudissements. Lorsqu'il s'éteignit il poursuivit :

— C'est avec une grande fierté que je vois réunies ici ce soir les plus grandes célébrités des Etats-Unis. Tous, vous avez répondu spontanément à mon invitation et, en ce faisant, vous donnez le coup d'envoi de la manifestation culturelle que j'organise dans la ville de New York. Notre peuple est jeune. L'Histoire de notre nation ne couvre que deux siècles. Des malveillants nous accusent de manquer de culture, d'être des rustres, des ignorants, des béotiens, des aliborons...

Walter Jackson laissa la dernière syllabe s'étirer. Il était très satisfait du terme. Aliboron... Peu commun, peu utilisé. A vrai dire, il était tombé dessus par hasard. A ses moments de liberté, il adorait feuilleter le dictionnaire à la recherche de mots exclus du langage courant. Il les notait soigneusement dans un calepin, les apprenait par cœur avec leur signification et les ressortait quand l'occasion se présentait. Au moment opportun. Il était persuadé qu'il donnait ainsi l'impression d'être un homme cultivé et, présentement, au cours de cette allocution, il convenait justement de faire croire aux gens réunis là que ses motivations étaient avant tout culturel- les. Et si, *par hasard*, une université de l'Ivy League lui décernait un doctorat *honoris causa* en égyptologie ? Voilà qui gommerait quelque peu ses fâcheuses associa- tions avec des trafiquants comme Lim Lok Siang ou Rodriguez.

— ... Ces assertions évidemment sont fausses. Certes, nous avons été fort occupés à construire le pays le plus puissant du monde, mais qui peut affirmer que, parallè- lement, nous avons négligé la culture ? John D. Rockefel- ler n'a-t-il pas après la Première Guerre mondiale aidé la

France à restaurer le château de Versailles qui menaçait de tomber en ruine ? Ce sont aussi les Etats-Unis qui ont forcé l'O.N.U. à créer l'U.N.E.S.C.O., cette organisation qui préserve le patrimoine culturel du monde entier. Je pourrais citer bien d'autres exemples de notre générosité et de notre souci de promouvoir la culture dans notre pays et dans les autres nations du globe, mais leur énumération serait trop fastidieuse.

« Bien humblement et bien faiblement j'ai voulu moi aussi contribuer à cet effort. C'est la raison pour laquelle aujourd'hui je présente ici, la momie du pharaon Ramsès II, une momie qui est vieille de trente-trois siècles !... »

Tonnerre d'applaudissements.

Walter Jackson se sentit un peu grisé. Les ovations de la foule étaient toujours enivrantes. Comme il comprenait les politiciens qui se plongeaient dans les bains de foule et en ressortaient bouillonnants d'effervescence ! Mais il ne fallait pas que le succès lui monte à la tête ! Sa tâche était loin d'être terminée ! En réalité, d'ailleurs, elle ne faisait que commencer !

Les applaudissements n'en finissaient pas. Tranquillement en souriant avec indulgence et en hochant la tête avec approbation, il les laissa s'éteindre. A côté de lui, l'ambassadeur d'Egypte et Claire agissaient de même, un peu comme des automates bien réglés. Malgré tout, pour se donner une contenance, Walter Jackson attrapa la carafe d'eau posée sur la rambarde et emplit un verre. Il but en prenant tout son temps. Il reposa le verre et à nouveau se rapprocha du buisson de micros.

— Je crois qu'il est temps de parler un peu de Ramsès II, continua-t-il. Qui était-il ? Je vais faire un bref résumé de son existence. On ignore l'année de sa naissance mais on sait qu'il succéda à son père Séthi Ier et qu'il régna de 1301 à 1235 avant Jésus-Christ. Il était surnommé Méiamoun. C'était à la fois un guerrier et un bâtisseur. Longtemps il combattit les Hittites avant finalement de s'allier avec eux afin d'envahir la Syrie actuelle. En tant que bâtisseur il fut l'initiateur de constructions colossales : statues gigantesques, Ramesseum de Thèbes, spéos d'Abou-Simbel...

*
* *

— On a droit au cours complet, railla Johnny Coll en se penchant tout contre l'oreille de Mary Jo. J'ai cru un moment qu'il allait nous donner la généalogie de Ramsès II en remontant jusqu'à dix mille ans avant Jésus-Christ.

— Une question m'intéresse, répliqua Mary Jo à mi-voix.

— Laquelle ?

— Les pharaons étaient-ils polygames ?

— Je n'en sais rien. Je sais seulement qu'ils considéraient le chat comme un animal sacré.

— Je me suis plongée dans mes bouquins avant de venir ici. Sais-tu combien de pharaons ont régné dans l'Ancienne Egypte ?

— 207, répondit Johnny Coll avec un sourire narquois.

Lui aussi avait potassé ses bouquins avant cette soirée inaugurale.

— Avantage Johnny Coll, concéda-t-elle, l'air faussement attristé.

Tous deux étaient assis dans la rangée M de la travée R, aux sièges 4 et 5 avec, en biais sur leur gauche, la tribune d'honneur où présentement Walter Jackson délivrait son discours à prétentions culturelles.

Johnny Coll avait reçu son invitation par l'intermédiaire de Mary Jo qui, avec son entregent habituel, avait fait le siège du secrétariat installé pour la circonstance par Walter Jackson dans un des bureaux du Madison Square Garden, et était parvenue à obtenir un carton pour Johnny Coll en le présentant comme un écrivain contractuel ayant pour mission de rédiger pour le compte du *New York Post* une série d'articles sur l'Egypte ancienne des pharaons.

Walter Jackson attaquait à présent sa péroraison :

— ... Dans cette arène ordinairement vouée aux nobles épreuves sportives se tient ce soir un événement que je considère comme très important, qui traduit la volonté américaine d'être toujours à l'avant-garde du progrès. Certes, ce n'est pas la première fois que la momie de Ramsès II émigre hors d'Egypte, mais c'est la première fois qu'elle franchit l'Atlantique et qu'elle repose chez nous endormie dans son sommeil de trente-trois siècles. J'ai bien l'intention de ne pas m'en tenir là et d'offrir dans un avenir proche, au public américain qui a soif de culture, d'autres manifestations du même ordre. J'en fais la promesse solennelle devant vous tous réunis ici ce soir et à qui, encore une fois, je crie merci d'être venus si nombreux et avec une telle spontanéité dans le but, je le sais, d'encourager le public à vous imiter. Merci, encore merci, merci mille fois !

Tonnerre d'applaudissements.

— Mon Dieu ! s'écria Mary Jo. Que se passe-t-il ?

Sur l'estrade ceinturée aux couleurs égyptiennes, Walter Jackson avait été brutalement projeté en arrière en même temps que son visage s'inondait de sang. Surpris, l'homme à la mine d'ordonnateur de pompes funèbres esquissait un vague geste pour le retenir mais trop tardivement car le promoteur du spectacle offert dans l'immense salle de l'*Arena* s'écroulait sur le plancher. Son épouse Claire tournait vers lui un regard horrifié puis, à son tour, était frappée. Sa tête éclatait comme une noix fracassée d'un coup de poing et son corps, projeté en arrière tout comme celui de son mari, s'en allait s'écraser contre le mur derrière l'estrade tendu lui aussi aux couleurs égyptiennes.

D'un seul coup un vacarme assourdissant emplit l'*Arena*.

En professionnel qu'il était, Johnny Coll avait jaugé inconsciemment la situation d'un point de vue balistique. Il était plus que vraisemblable que c'étaient des balles explosives qui avaient touché Claire et Walter Jackson. D'où avaient-elles été tirées ? De l'assistance qui se pressait là ? Peu probable. D'où alors ?

Il leva la tête et fixa les galeries à l'opposé de l'estrade qui effleuraient le toit de l'arène sportive. Son œil capta une silhouette qui s'enfuyait.

— On se retrouve chez moi ! lança-t-il à Mary Jo.

Déjà il abandonnait son siège numéroté 4. Il bouscula les trois autres spectateurs qui le séparaient de l'escalier, atteignit celui-ci et grimpa les marches quatre à quatre au milieu du tumulte qui allait grandissant, pour rejoindre le palier de la travée R. Les ouvreuses se tenaient là figées sur place, les yeux exorbités par la terreur. Il entendit l'une d'elles s'exclamer :

— C'est comme à Dallas il y a dix-sept ans !

Il tourna à gauche et courut. La travée R dans laquelle il avait été assis en compagnie de Mary Jo était située dans la tour C à laquelle on accédait par plusieurs entrées numérotées comme les sièges. D'après la position géographique de la galerie dans laquelle il avait aperçu la silhouette s'enfuir il supposait qu'elle devait aboutir à la tour A et c'est vers celle-ci qu'il se dirigeait. La voie était entièrement libre car, conjectura-t-il, la foule qui était rassemblée dans l'*Arena*, étreinte par la curiosité morbide attachée au fait divers sanglant qui venait de se produire, devait attendre anxieusement la suite des événements, figée sur place comme les ouvreuses de la travée R. Personne ne s'enfuyait, poussé par la panique. La réaction inverse s'opérait. Attendre, voir... Peut-être quelque chose de plus terrible allait-il survenir sous leurs yeux ?

Et les flics ? s'interrogea-t-il. Il était vrai, dut-il admettre, qu'ils étaient sur place pour protéger la momie de Ramsès II et empêcher qu'on puisse la kidnapper de nouveau, et non pas pour contrecarrer une tentative d'assassinat sur la personne de Claire et de Walter Jackson. Aussi avaient-ils dû prendre leurs dispositions en conséquence et négliger la possibilité d'un attentat criminel. Personne n'avait dû songer qu'on pouvait en vouloir au promoteur de l'exposition et à son épouse. Pouvait-on blâmer les flics ? D'autant que la réunion avait un caractère privé qui excluait des mesures de protection drastiques tendant à créer un climat de suspicion et d'angoisse contraires à l'esprit de la manifestation culturelle. Walter Jackson, dans l'ignorance du sort funeste qu'un assassin lui avait réservé, avait sans doute refusé qu'on transformât le Madison Square Garden en une forteresse imprenable, inattaquable, inexpugnable, identique au repaire du général Lim Lok Siang dans les montagnes du Triangle d'Or. Où allait-on si la culture ressemblait à un état de siège !

En tout cas que faisaient présentement les flics ?

En réalité, supputa-t-il, on leur avait rendu un mauvais service en les disséminant dans l'assistance car, maintenant, ils se trouvaient englués dans le magma humain qui les comprimait de toutes parts. Impossible d'intervenir, de se libérer et même s'ils y parvenaient, où diriger leurs pas ? Probablement n'avaient-ils pas eu le réflexe de Johnny Coll et la chance de capter du regard la silhouette qui s'enfuyait sur la galerie du haut.

Il atteignit le palier du bas de la tour A.

Ce fut pour se trouver nez à nez avec Joseph Loew.

Stupéfait, il marqua un temps d'arrêt. Joseph Loew en profita pour courir en direction de la sortie. Mais Johnny Coll était plus jeune et plus rapide que lui. Il le rattrapa à la lisière de la 8ᵉ Avenue en face du bloc immense que la grande poste centrale de Manhattan occupe entre la 31ᵉ

et 33ᵉ Rues depuis qu'à cet endroit on a supprimé la
32ᵉ Rue. Sa licence de détective privé délivrée par le chef
du New York City Police Department l'autorisait à porter
une arme sur lui. Dans le document officiel étaient
précisés la marque, le calibre, le modèle et le numéro de
série de celle-ci. C'était un revolver Smith et Wesson
modèle 13 chambré en .38 Spécial qui utilisait des
cartouches Wad-Cutters. Le canon, le dessus et le baril-
let étaient sablés pour éviter les reflets. Le premier
dépassait à peine dix centimètres de longueur, ce qui en
faisait une arme aisément portable et dissimulable.

Il le fourra dans les reins du fuyard après lui avoir, de
la main gauche, saisi le bras.

— Nous avions rendez-vous ensemble, rappela-t-il
d'une voix railleuse.

En même temps ses yeux inspectaient les alentours.
Devant la grande poste centrale stationnaient des voitures de patrouille de la police urbaine.

Joseph Loew était haletant après sa course effrénée. Il
tourna vers Johnny Coll un regard glacial.

— Que voulez-vous ? hoqueta-t-il.

— Parler. Mais ce lieu est en ce moment même le pire
endroit au monde pour le faire en toute quiétude. Suivez-
moi. Ma voiture est garée trop loin. Vous voyez la file de
taxis là-bas qui attendent la sortie du Madison Square
Garden ? Nous prendrons celui de tête et irons dans mon
appartement. D'accord ?

Joseph Loew demeurait silencieux. Il reprenait peu à
peu sa respiration.

— Dépêchez-vous ! pressa Johnny Coll. Chaque
seconde qui s'écoule peut se révéler mortelle pour vous.

— D'accord, abdiqua Joseph Loew.

Le chauffeur de taxi était un gros Noir volubile mais ni
Johnny Coll, qui avait rangé son arme dans son holster,
ni Joseph Loew ne se sentaient d'humeur à discourir sur
la montée en flèche des impôts locaux ou sur l'insécurité

nocturne qui était un des fléaux permanents de la ville de New York.

Johnny Coll se fit déposer loin de son domicile afin que sa trace se perde dans la 86e Rue Est où abondaient les restaurants, les boîtes à disco et les night-clubs. Malgré les lamentations du chauffeur de taxi, il n'éprouvait nulle crainte à gagner à pied son lieu de résidence. Le Smith et Wesson constituait une arme de défense efficace.

— Où va-t-on ? s'inquiéta Joseph Loew en arrêt devant la vitrine éclairée d'une *delicatessen* yiddisch qui offrait tout un étalage de viandes kascher.

— Chez moi, à douze rues au sud.

— Pourquoi toutes ces précautions ? demanda Joseph Loew d'une voix perfide.

— A cause de vous.

— A cause de moi ?

— N'avez-vous pas assassiné Claire et Walter Jackson ? Ne restons pas ici, une conversation passionnante nous attend. Je vous consacrerai tout mon temps. Je n'ai pas, moi, de chats à nourrir.

Joseph Loew sortit de sa torpeur.

— Je pourrais marcher jusqu'au coin de la rue, héler un taxi et disparaître. Comment pourriez-vous m'en empêcher ? En exhibant votre revolver ?

— Certainement pas. Vous voyez la cafétéria à côté du *Wienerschnitzel ?* Et cette voiture de patrouille le long du trottoir ? Les deux agents de patrouille sont en train de déguster un verre de lait dans la cafétéria. Supposons que j'aille leur dire que vous êtes un assassin en fuite et que moi je suis le témoin oculaire de votre crime ? Prenez aussi en considération que les voitures de police roulent plus vite que les taxis.

— Comment expliqueriez-vous que nous sommes arrivés jusqu'ici et que vous m'avez arraché au lieu du crime ?

— Simplement dans le but de faire obtenir à mon

amie journaliste un *scoop* sensationnel avant de vous livrer à la Justice. C'est toujours ainsi que les journalistes américains opèrent. Pourquoi prendre un pari à dix contre un ? Suivez-moi et vous verrez que vos chances sont à égalité. Et, bon sang, ôtez-moi ces gants ! Qui porte des gants par cette température ? Quelqu'un qui n'a pas voulu laisser d'empreintes digitales sur la crosse d'un fusil à lunette de visée ?

CHAPITRE XXV

— J'ai voué ma vie à la vengeance...

Joseph Loew était assis dans un fauteuil dans le salon de Johnny Coll où Mary Jo était venue les rejoindre au bout d'une heure. Il avait refusé toute boisson alcoolisée et s'était contenté d'une tasse de thé dont il touillait le sucre d'un air absent comme s'il évoluait dans un autre monde.

— Tous les membres de ma famille ont été exterminés dans les camps de concentration nazis durant la Seconde Guerre mondiale, mon père, ma mère, mes frères, mes sœurs, je suis le seul survivant, le seul qui reste pour témoigner...

Mary Jo et Johnny Coll le regardaient, émus.

— Pour qui travaillez-vous ? demanda-t-elle.

— Je n'en sais rien.

Elle parut étonnée.

— C'est vrai, assura-t-il. Un jour, il y a des années de cela, j'ai été contacté. On m'a demandé si j'avais la mémoire courte. J'ai répondu que non. On m'a ensuite posé une autre question : étais-je prêt à tuer pour me venger ? Ma réponse a été affirmative. Plus tard, on m'a fait suivre un entraînement. Auparavant, je n'avais jamais touché une arme de ma vie. Je suis devenu un tireur d'élite. Il semble que j'étais doué. Ma première cible a été un *Obersturmbannführer* S.S. qui s'était rendu coupable de milliers de massacres au camp de concentration nazi de Bergen-Belsen. Il était réfugié en Libye. Je l'ai tué à Tripoli par un beau soir d'été. Une balle en pleine tête. Il n'a pas souffert, au contraire de ses victimes. Au long des années, on m'a confié d'autres missions identiques qui m'ont conduit en Amérique du Sud, au Proche ou au Moyen-Orient et, quelquefois aussi, en Extrême-Orient.

A nouveau Mary Jo intervint :

— Et vous n'avez jamais su *qui* vous commanditait ?

— Non. Des coreligionnaires qui avaient souffert comme moi, c'est tout ce que je sais.

Elle s'aventura avec prudence :

— Peut-être travaillaient-ils pour le compte, directement, de l'Etat d'Israël ?

Joseph Loew haussa les épaules.

— Peu importe.

Elle protesta :

— Mais si ces gens que l'on vous désignait et qu'on vous ordonnait de tuer n'appartenaient pas, par exemple, à la catégorie de criminels de guerre à laquelle vous faisiez la chasse ? Et s'ils étaient innocents dans ce domaine et que, pour certaines raisons que nous ignorons, on ait décidé de les assassiner en vous manipulant à votre insu ? Quelles preuves déteniez-vous que ces gens étaient bien ce qu'on vous affirmait qu'ils étaient ?

D'un ton sec Joseph Loew trancha :

— Aucune preuve.

— Vous voyez bien ! triompha-t-elle.

— Mais j'avais confiance en eux ! assena-t-il avec force. La confiance, c'est quelque chose que l'on sent d'instinct. Ils ne pouvaient pas me jouer la comédie. Ils étaient sincères. Ils avaient enduré les mêmes souffrances que moi, ils avaient perdu leurs familles dans les mêmes conditions. Il y a des sincérités dans la voix qui ne trompent pas, des choses qui ne s'inventent pas et qu'on ne peut pas connaître si on ne les a pas expérimentées soi-même ! Non ! conclut-il. Ils me disaient la vérité ! D'ailleurs, ils l'ont prouvé !

— De quelle façon ? s'enquit Johnny Coll.

— Ce qu'on m'avait proposé, c'était une vengeance générale, collective, du peuple juif contre ses persécuteurs, mais j'avais aussi une vengeance personnelle à assouvir. Retrouver celui qui, à l'origine, était responsable de l'arrestation, de la déportation et de la mort des membres de ma famille. Et celui-là n'était pas un nazi, c'était un juif comme moi ! Il était pire qu'un nazi puisqu'il trahissait ses propres frères de race. Le nazi était l'ennemi, mais lui était le traître, et le traître est plus immonde, odieux, que l'ennemi qui parfois peut se révéler respectable.

Johnny Coll avait tressailli.

— Que s'était-il passé ? interrogea-t-il.

— Mon père était un petit confectionneur du quartier de la Roquette, à Paris. En 1942 il avait la chance de détenir un gros stock de tissus qui datait d'avant-guerre. Pour se l'approprier, le traître a dénoncé ma famille comme juive, ce qui ne pardonnait pas à l'époque. J'ai eu la chance d'échapper à la rafle en m'enfuyant d'extrême justesse. Depuis j'avais juré de retrouver ce salaud. Ceux qui m'avaient contacté et dont j'ai parlé tout à l'heure ont promis de m'aider. Cet homme avait une faiblesse. Il était amoureux fou de sa femme. Or, sa femme avait été localisée en 1945 à Madrid.

Le cœur de Johnny rata un battement.

— Il s'appelait Balkanikoff, n'est-ce pas ?

Joseph Loew, pour une fois, perdit de son impassibilité habituelle. Décontenancé, il balbutia :

— Comment... comment êtes-vous au courant ?

Le premier moment de surprise passé, Johnny Coll restait lui aussi sans voix. Réalisant tout ce que cette

révélation impliquait, il tentait désespérément de raccro-
cher les wagons. L'enquête qu'il menait pour le compte
de Wenchell Davis et d'Audrey Coogan sur l'assassinat du
frère de cette dernière débouchait brusquement sur des
horizons nouveaux. Un éclairage inattendu l'inondait de
lumière. Il éluda :

— Je vous expliquerai ensuite. Je serai fair-play. Mais
auparavant poursuivez votre récit. Essayons de faire
coller les morceaux du puzzle.

— Quel puzzle ? fit Joseph Loew, ahuri.

— Celui qui m'a conduit à deviner que le bourreau de
votre famille était Balkanikoff. Mais, je vous en prie,
poursuivez votre récit. Vous risquez d'avoir d'autres
surprises.

Joseph Loew hocha la tête, un peu perdu, puis avala
nerveusement un peu de thé. Mary Jo lui remplit sa tasse
avec componction comme si elle versait un breuvage
magique.

— Ensuite ? encouragea Johnny Coll.

— Ça a pris des années, confessa Joseph Loew avec
une certaine réticence. L'homme était habile. Avec sa
femme il s'était réfugié en Espagne en 1944 et l'année
suivante il faisait croire à sa mort due, prétendait-on, à
l'action d'agents du contre-espionnage français. C'était
faux, bien entendu. Un cadavre soustrait subrepticement
d'une morgue avait joué son rôle. Et lui s'était enfui en
emportant la fortune fabuleuse qu'il était parvenu à
sortir de France l'année précédente et qui était le fruit de
tous les pillages auxquels il s'était livré en compagnie de
ses employeurs nazis. Cependant, il avait eu l'astuce
suprême de laisser sa femme derrière lui. La mission qui
lui était assignée était de jouer à la veuve éplorée et
démunie de toute ressource, ce qu'elle a fait à la perfection. Elle est même allée jusqu'à se faire recueillir par
des religieuses et à se convertir au catholicisme. Dans
l'intervalle, elle avait accouché d'une fille. Plus tard, en

1948, elle disparaissait sans laisser de trace, en abandonnant sa fille aux religieuses.

« Voilà. Mes amis, ceux qui m'avaient recruté, avaient déniché tous ces renseignements et, à partir de là, il fallait retrouver le couple. C'est donc le marché que j'ai passé avec eux. Vous mettez la main sur les deux salauds qui sont responsables de la mort de ma famille et moi, de mon côté, j'accomplis toutes les missions que vous me confiez. Comme je le disais à l'instant, ça a pris des années. Ces deux salauds étaient très forts. »

— La femme s'appelait Hilda, n'est-ce pas ? voulut savoir Johnny Coll.

— Oui.

— Mais cette Hilda, interrogea Mary Jo, était-elle coupable au même titre que son mari ?

— En ce qui concerne spécifiquement ma famille, je ne sais pas. Mais elle était coupable d'autres crimes.

— Lesquels ? insista-t-elle avec obstination, jouant à la perfection le rôle de la journaliste qui veut aller au fond des choses et toujours plus loin au cours de l'interview.

— La dénonciation de juifs et de résistants français, et toujours dans le but, de connivence avec son mari, de les spolier, de s'approprier leurs biens en réservant une part du butin à leurs maîtres nazis. Et que croyez-vous que soient devenus ces juifs et ces résistants français ?

Johnny Coll secoua tristement la tête.

— Morts en déportation, probablement ?

— Dans leur immense majorité. Donc Hilda était aussi coupable que son mari, c'est établi. Mes amis ont eu, pour me satisfaire et retrouver ce couple meurtrier, à effectuer d'innombrables enquêtes et recoupements. J'en ignore les détails car je ne suis pas au fait de toutes les possibilités qui s'offraient à eux. Moi aussi, de temps en temps, je participais.

Joseph Loew se tourna vers Mary Jo.

— C'est ainsi que vous avez découvert que je m'inté-
ressais à Walter Jackson alors que je fouillais dans les
archives du *New York Post*. C'est ce qui vous a mise sur
ma piste.

— Pourquoi Walter Jackson ? interrogea-t-elle.

— Mes amis m'avaient assuré qu'il y a une douzaine
d'années un homme, qui pouvait être Balkanikoff, avait
subi une opération de chirurgie esthétique destinée à
transformer son visage et était réapparu sous l'identité
de Walter Jackson. C'est pourquoi je me suis mis en
branle de mon côté. Ma part de renseignements collectés
que j'ai communiquée aux autres a fait que mes amis
sont parvenus à la conclusion que Walter Jackson était
Balkanikoff et que Claire, sa femme, était Hilda. Je crois
que le nœud de l'affaire a été leur fille Anna avec laquelle
ils entretenaient une correspondance secrète tout en lui
faisant parvenir périodiquement des sommes d'argent
pas trop importantes afin de ne pas attirer l'attention,
mais régulières.

— Avez-vous entendu parler du Triangle d'Or ? intervint Johnny Coll.

— Non.

— Du général Lim Lok Siang ?

— Non plus.

— Vos amis, probablement, ont dû obtenir des renseignements de ce côté-là. Le Triangle d'Or est situé aux
confins de la Thaïlande, du Laos et de la Birmanie. C'est
un centre important du trafic mondial de drogue et, là,
Hilda Balkanikoff possède une tombe à son nom. L'ennui
est que la sépulture ne contient aucun reste humain.

Joseph Loew esquissa un bref sourire.

— Vraiment ? Toujours la hantise de la part de ce
couple criminel de brouiller la trace, de semer des
poursuivants éventuels. Je sais que mes amis ont enquêté
en Extrême-Orient. Je leur suis d'autant plus reconnaissant des recherches auxquelles ils se sont livrés que trois

d'entre eux ont été assassinés au cours de cette enquête interminable.

La dernière phrase éperonna Johnny Coll :

— Avez-vous entendu parler d'un certain Peter Coogan ?

— Non. Qui est-ce ?

Johnny Coll avait promis de se montrer fair-play avec Joseph Loew. Aussi lui raconta-t-il dans les détails sa propre enquête et développa-t-il les conclusions auxquelles il était parvenu. Son interlocuteur écoutait, l'air passionné. Lorsque Johnny Coll eut terminé, il remarqua :

— Un des trois hommes dont j'ai parlé a été assassiné à Madrid. Nul doute que les Balkanikoff n'hésitaient pas à faire tuer quand le danger se précisait, quand le pisteur approchait la vérité de trop près. Peter Coogan a dû être abattu parce qu'il en savait trop. Peut-être était-il arrivé à la même constatation que mes amis et moi, à savoir que Walter Jackson était Balkanikoff et que son épouse Claire était la fameuse Hilda disparue de Madrid en 1948 ?

— Vraisemblable, admit Johnny Coll.

— Et vous qui enquêtiez sur eux avez failli subir le même sort, appuya Joseph Loew.

— Où ont été assassinés vos deux autres amis ? interrogea Mary Jo.

— L'un à New York, l'autre à Bangkok.

— A New York comme Peter Coogan, murmura Johnny Coll.

— Et à Bangkok comme nous aurions pu l'être après notre échappée du Triangle d'Or, frissonna rétrospectivement Mary Jo en se versant une large rasade de whisky.

— Tout s'explique, poursuivit Johnny Coll, et après cet entretien j'ai amplement matière à expliquer à Wenchell Davis et à Audrey. La boucle est bouclée. Les morceaux du puzzle s'imbriquent les uns dans les autres. C'est le couple Balkanikoff, alias Claire et Walter Jackson, qui a armé le bras de Louis Rodgers, le tueur à gages. On peut affirmer que les faits sont patents quand on les relie à ce que vient de nous déclarer Mr. Loew.

— Et ils ont reçu le châtiment adéquat pour ce crime, ajouta Mary Jo.

— Tout comme ils ont reçu le châtiment qu'ils méritaient pour ceux qu'ils ont commis durant l'occupation allemande en France, renchérit Joseph Loew, sans compter la mort de mes trois amis, sans parler d'autres dont ils sont sans doute responsables. N'oubliez pas que nous sommes en 1980. Depuis 1945, époque au cours de laquelle Balkanikoff s'est évanoui dans la nature, il s'est écoulé trente-cinq années. Qu'a-t-il fait durant tout ce temps-là ? A quels sordides trafics ponctués d'assassinats s'est-il livré ? C'est la raison pour laquelle je n'ai pas hésité une seule seconde à m'ériger en justicier, en vengeur. C'est au contraire avec une grande joie que je me suis rendu au Madison Square Garden !

Fugitivement, les paroles d'une vieille chanson louisianaise traversèrent l'esprit de Johnny Coll. Elle était originaire du pays cajun, là où s'étaient réfugiés les Canadiens français chassés d'Acadie par les Britanniques à la fin du xviiie siècle. Elle était née dans ce coin de Louisiane qui longeait le golfe du Mexique, s'étendait de Saint Martin Ville à De Quincy et dans lequel on parlait encore français avec l'accent du temps de Louis XV. On y honorait aussi les vieilles traditions françaises de courtoisie, de galanterie, de politesse et d'hospitalité.

Les paroles de la chanson couraient ainsi :

Est-ce qu'il ne se promenait
Pas dans la nature ?
Oh ! oui ! il s'y promenait,
Avant que le justicier l'abatte...

Joseph Loew vidait sa tasse de thé. Il la reposa sur la table basse, plissa les yeux et interrogea :

— Et maintenant ?

Mary Jo intervint la première :

— Je tiens là un papier sensationnel mais je ne mentionnerai pas votre nom, ni même notre rencontre. Je procéderai par sous-entendus et par questions du genre : Walter Jackson et son épouse Claire n'étaient-ils pas, en réalité, Maurice et Hilda Balkanikoff, ce couple de criminels de guerre qui avaient jusqu'alors échappé à la Justice française ? Savez-vous, Mr. Loew, si Hilda a subi elle aussi une opération de chirurgie esthétique ?

— A ma connaissance, non.

— Peut-être tient-on là quelque chose, un début de preuve.

— Tu as mieux, assura aussitôt Johnny Coll.

— Quoi donc ?

— Maurice et Hilda Balkanikoff ont été arrêtés et emprisonnés par la police espagnole à leur arrivée en 1944. On a pris leurs empreintes digitales. Suggère dans ton papier que le F.B.I. demande la coopération des autorités espagnoles. Tu vas faire un *scoop* fantastique !

Elle battit des mains, excitée.

— Je vais raconter notre périple dans le Triangle d'Or, parler de toi, Johnny, dire comment nous avons élucidé la mort de Peter Coogan, décrire la façon héroïque dont tu t'es conduit face aux soldats du général Lim Lok Siang, comment tu as échappé à un attentat à Madrid, sans oublier la fin atroce d'Anna Balkanikoff égorgée dans son bordel de luxe. J'écrirai que nous nous sommes précipités au Madison Square Garden pour démasquer les affreux jojos, que nous sommes arrivés haletants tant nous avions couru et que ce fut pour voir abattre sous nos yeux par un justicier inconnu le couple que nous nous apprêtions à livrer à la Justice ! Tout cela en feuilleton ! Sur quinze jours au moins ! Le *New York Post* va tirer à cinquante millions d'exemplaires! Je serai le grand reporter numéro 1 du journal avec augmentation de salaire et toi, Johnny, tu seras le détective privé dont tout le monde se disputera les services! Reagan te nommera probablement directeur du F.B.I.! Il ne peut pas faire moins que cela! Ça lui fera gagner dix millions d'électeurs pour 1984.

Joseph Loew se leva en brossant machinalement ses vêtements.

— Je vois que vous n'avez plus besoin de moi, lança-t-il d'une voix moqueuse. Votre papier se fait sans moi et je m'aperçois que votre imagination, miss Petriarco, remplira aisément les trous dans l'histoire que vous conterez à vos lecteurs. Je regrette que le *New York Post* n'ait pas d'édition européenne, sinon j'aurais aimé le...

— Je vous inscris comme abonné d'office pour le restant de vos jours! répliqua-t-elle avec enthousiasme.

— Je vous en remercie.

Joseph Loew se dirigea vers la porte.

— Pourquoi partez-vous? s'étonna Johnny Coll. Si vous voulez, je vous offre l'hospitalité. Les nuits new-yorkaises sont dangereuses. Souvenez-vous de ce que nous a dit le chauffeur de taxi de tout à l'heure!

— Non, merci. D'autres Balkanikoff m'attendent.

Achevé d'imprimer le 20 avril 1981
sur presse CAMERON,
dans les ateliers de la S.E.P.C.
à Saint-Amand-Montrond (Cher)
pour le compte des éditions du Fleuve Noir